INTRODUCTION
A LA POÉSIE
ORALE

DU MÊME AUTEUR

AUX MÊMES ÉDITIONS

Antigone ou l'espérance,
1947

Essai de poétique médiévale,
1972

Langue, texte, énigme,
1975

Le masque et la lumière : poétique
des grands rhétoriqueurs,
1978

CHEZ D'AUTRES ÉDITEURS

Anthologie des grands rhétoriqueurs
« 10/18 », 1978

Abélard et Héloïse, correspondance
« 10/18 », 1978

Parler du Moyen Age
Minuit, 1980

PAUL ZUMTHOR

INTRODUCTION
A LA POÉSIE
ORALE

ÉDITIONS DU SEUIL
27, rue Jacob, Paris-VIᵉ

CE LIVRE
EST PUBLIÉ DANS LA COLLECTION
POÉTIQUE
DIRIGÉE PAR GÉRARD GENETTE
ET TZVETAN TODOROV

AVEC LE CONCOURS
DU CENTRE NATIONAL DES LETTRES

ISBN 2-02-006409-X

© ÉDITIONS DU SEUIL, MARS 1983.

à Marie-Louise

1. Présence de la voix

Il peut sembler dérisoire d'*écrire* un livre sur la voix. Plus encore, quand c'est une lecture qui l'inspira, cristallisant les interrogations et intentions éparses qui, depuis 1975 environ, me poussaient vers cette entreprise. J'évoque ainsi le bel ouvrage de Ruth Finnegan, *Oral Poetry*, paru en 1977 et que compléta un an plus tard une riche anthologie.

Mme Finnegan mettait un point final à un demi-siècle de recherches sur les traditions poétiques orales observées çà et là dans le monde. Elle situait cet essai de synthèse dans une perspective propre, depuis les années quarante, à l'école anglo-américaine des Chadwick, Bowra, Lord et, sous leur influence, à des Allemands comme Bausinger : celle même (étrangère à la plupart des Français, davantage soucieux de formalisme ou d'histoire) où paraissent converger vers le même point de fuite l'anthropologie et les études littéraires.

L'auteur d'*Oral Poetry* décrit faits et situations en les regroupant selon diverses classifications externes ; elle refuse de théoriser. Par ailleurs, elle met l'accent sur les formes poétiques liées, de façon directe ou indirecte, aux traditions anciennes et aux cultures pré-industrielles. C'est ainsi fixer un cadre que, d'emblée, j'ai éprouvé le besoin d'assouplir, peut-être de briser : les questions en effet que je m'étais posées (initialement à propos de la civilisation médiévale) exigeaient une série de réponses théoriques, non moins qu'un dépassement des clivages culturels. Il nous manque une poétique générale de l'oralité qui servirait de relais aux enquêtes particulières et proposerait des notions opératoires, applicables au phénomène des transmissions de la poésie par la voix et la mémoire, à l'exclusion de tout autre.

Ce qu'enseignerait cette poétique se trouverait subsumé par une question fondamentale : y a-t-il une poéticité orale spécifique ? Je n'ai l'ambition ici que d'esquisser une possible réponse. Ce sont moins des textes individuels et concrets que je propose à l'analyse, que les caractères mêmes qui les définissent en tant que reçus sans intervention de l'écriture. En revanche, je me suis efforcé de ne me départir, en aucun de ces chapitres, du senti-

9

ment de ce qu'est la voix humaine et de ce qu'elle implique : cette incongruité entre l'univers des signes et les déterminations lourdes de la matière ; cette émanation d'un fond mal discernable de nos mémoires, cette rupture des logiques, cette déhiscence à la charnière de l'être et de la vie... dont il faut tenter, hors de toute exaltation incontrôlée, de rationaliser l'histoire.

Le symbolisme primordial intégré à l'exercice phonique se manifeste éminemment dans l'emploi du langage, et c'est là que s'enracine toute poésie. Certes, voix et langage constituent pour l'analyste des facteurs distincts de la situation anthropologique. Mais une voix sans langage (le cri, la vocalise) n'est pas assez différenciée pour « faire passer » la complexité des forces désidérales qui l'animent ; et la même impuissance affecte, d'une autre manière, le langage sans voix qu'est l'écriture. Nos voix ainsi exigent à la fois le langage et jouissent à son égard d'une liberté d'usage presque parfaite, puisqu'elle culmine dans le chant.

Nul ne songerait à nier l'importance du rôle que jouèrent, dans l'histoire de l'humanité, les traditions orales : les civilisations archaïques, et bien des cultures marginales aujourd'hui encore, se maintinrent uniquement ou principalement grâce à elles. Il nous est plus difficile de les penser en termes non historiques, et spécialement de nous convaincre que notre propre culture en est imprégnée et aurait du mal à subsister sans elles. Il n'en va pas autrement de l'oralité de la poésie : on en admet la réalité comme une évidence tant qu'il s'agit d'ethnies africaines ou d'Amérindiens ; il faut un effort d'imagination pour reconnaître la présence parmi nous d'une poésie orale, bien vivante. Un exemple entre plusieurs : selon *le Matin* du 16 avril 1981, il se compose chaque année en France dix mille chansons, livrées à trois mille chanteurs de profession et dont les enregistrements remplissent des centaines de disques... Malgré l'éloquence de tels chiffres, la plupart des poéticiens les ignorent.

Il y a beau temps, en effet, que dans nos sociétés la passion de la parole vive s'est éteinte, progressivement expulsée de leur « personnalité de base », matrice de nos traits de caractère individuels : cette histoire a été plusieurs fois contée. En vertu d'un préjugé déjà ancien dans nos esprits, et qui informe nos goûts, tout produit des arts du langage s'identifie à une écriture : d'où la difficulté que nous éprouvons à reconnaître la validité de ce qui ne l'est pas. Ces arts, nous en avons tellement raffiné les techniques que notre sensibilité esthétique spontanément répugne à l'apparente immédiateté de l'appareil vocal. Les spéculations critiques des années soixante et soixante-dix sur la nature et le fonctionnement du « texte », non seulement ne contribuèrent pas à dégager de ce côté l'horizon, mais l'embrumèrent plus encore en récupérant, travestie à notre mode mentale, l'antique tendance à sacraliser la lettre.

Il est étrange que, parmi toutes nos disciplines instituées, nous n'ayons pas encore une science de la voix. Souhaitons-en la formation prochaine [1] : elle fournirait à l'étude de la poésie orale une base théorique qui lui manque. Elle embrasserait en effet, au-delà d'une physique et d'une physiologie, une linguistique, une anthropologie et une histoire. Elément le plus subtil et le plus malléable du concret, le son n'a-t-il pas constitué, ne constitue-t-il pas encore, dans le devenir de l'humanité comme dans celui de l'individu, le lieu de rencontre initial entre l'univers et l'intelligible ? Or la voix est vouloir-dire et volonté d'existence. Lieu d'une absence qui, en elle, se mue en présence, elle module les influx cosmiques qui nous traversent, et en capte les signaux : résonance infinie, qui fait chanter toute matière... comme l'attestent tant de légendes sur les plantes, les pierres ensorcelées qui, un jour, furent dociles.

Antérieure à toute différenciation, indicibilité apte à se revêtir de langage, la voix est une *chose :* on en décrit les qualités matérielles, le ton, le timbre, l'ampleur, la hauteur, le registre... et à chacune d'elles la coutume attache une valeur symbolique : dans le mélodrame européen, revient au ténor le rôle du juste persécuté ; au soprano, la féminité idéalisée ; à la basse, la sagesse ou la folie. La civilisation japonaise a, plus subtilement que d'autres, joué de ces nuances. Mais les peuples sont nombreux, des Romains antiques aux créateurs de l'opéra chinois, aux Amérindiens, aux Pygmées, qui les valorisèrent et tentèrent de les codifier en système. Des sociétés animales et humaines, seules les secondes entendent, de la multiplicité des bruits, émerger leur propre voix comme un *objet :* autour de celui-ci se ferme et se solidifie le lien social, tandis que prend forme une poésie.

La voix gîte dans le silence du corps, comme fit le corps dans sa matrice. Mais, au contraire du corps, elle y revient, à tout instant s'abolissant comme parole et comme son. Parle-t-elle, que résonne dans son creux l'écho de ce désert d'avant la rupture, d'où sourdent la vie et la paix, la mort et la folie. Le souffle de la voix est créateur. Son nom est esprit : l'hébreu *rouah ;* le grec *pneuma,* mais aussi *psychè ;* le latin *animus,* mais aussi bien certains termes bantous. Dans la Bible, le souffle de Yahweh

---

1. Bologna 1981 en trace une excellente esquisse : l'auteur m'a aimablement remis une copie de son manuscrit, beaucoup plus développé (environ cent pages) que le texte publié. C'est à ce manuscrit que je me réfère en notes par la suite.

engendre l'univers comme il engendre le Christ. Il s'identifie à la fumée du sacrifice. Ces analogies se maintiennent dans l'imagerie ésotérique du Moyen Age. L. Tristani a décelé l'existence, dans l'histoire individuelle, d'un stade érogène respiratoire, indépendant du stade oral de la psychanalyse classique : d'où un enracinement libidinal spécifique, sur lequel vient s'articuler en un second temps l'érogénéité orale phonique de la parole.

On invoquerait ici Freud, en divers lieux des *Cinq Psychanalyses,* non moins que *les Racines de la conscience* de Jung (p. 89-95 et *passim*), les études plus ou moins récentes de G. Rosolato, A. Tomatis, D. Vasse... Nul doute que la voix ne constitue dans l'inconscient humain une forme archétypale : image primordiale et créatrice, à la fois énergie et configuration de traits qui prédéterminent, activent, structurent en chacun de nous ses expériences premières, ses sentiments, ses pensées. Non point contenu mythique, mais *facultas,* possibilité symbolique offerte à la représentation, et constituant au cours des siècles un héritage culturel transmis (et «trahi») avec, dans, par le langage et les autres codes qu'élabore le groupe humain. L'image de la voix plonge ses racines dans une zone du vécu échappant aux formules conceptuelles, et que l'on peut seulement pressentir : existence secrète, sexuée, aux implications d'une telle complexité qu'elle déborde toutes ses manifestations particulières, et que son évocation, selon le mot de Jung, «fait vibrer en nous quelque chose qui nous dit que réellement nous ne sommes plus seuls».

Cet arrière-plan touffu de signifiances potentielles, enchevêtrées, distingue la voix du regard, autre émanation corporelle à quoi l'associent, non moins que la structure de la performance, bien des mythes. Quelle en effet que soit la puissance expressive et symbolique du regard, le registre du visible est dépourvu de cette épaisseur concrète de la voix, de la tactilité du souffle, de l'urgence du respir. Il lui manque cette capacité de la parole, de sans cesse relancer le jeu du désir par un objet absent, et néanmoins présent dans le son des mots.

C'est pourquoi le langage est impensable sans la voix. Les systèmes de communication non vocaux (tels, dans les Pyrénées, le Caucase et ailleurs, les sifflements codés) ne sont parfois appelés langages que par figure. Je nommerai ici *parole* le langage vocalisé, phoniquement réalisé dans l'émission de la voix.

Or la voix déborde la parole. Elle est, selon le mot de D. Vasse, ce qui dé-signe le sujet à partir du langage. Elle «crie dans le *désêtre* ». Le langage, elle ne le porte pas : il transite en elle, et n'y laisse aucun sillage. Peut-être, dans nos mentalités profondes, la voix exerce-t-elle une fonction protectrice : elle préserve un sujet que menace son langage, freine la perte de substance que constituerait une communication parfaite. La voix *se dit* alors même qu'elle dit ; en soi, elle est pure exigence. Son usage procure une jouissance, joie d'émanation, que sans cesse la voix aspire à réactualiser dans le flux linguistique qu'elle manifeste mais qui la parasite.

Les émotions les plus intenses suscitent le son de la voix, rarement le langage : au-delà, en deçà de celui-ci, murmure et cri, immédiatement branchés sur les dynamismes élémentaires. Cri natal, cri des enfants dans leurs jeux, ou celui qu'arrache une perte irréparable, un bonheur indicible, cri de guerre, qui de toute sa force aspire à se faire chant : pleine Voix, dénégation de toute redondance, explosion de l'être en direction de l'origine perdue - du temps de la voix sans parole.

Dans la voix en effet la parole s'énonce comme rappel, mémoire-en-acte d'un contact initial, à l'aube de toute vie, et dont la trace demeure en nous, à demi effacée, comme la figure d'une promesse. Élevée de cette faille « entre la transparence du gouffre et la matité des mots », comme l'écrit encore D. Vasse, la voix laisse entendre une « résonance illimitée en amont d'elle-même ». Ce qu'elle nous livre, antérieurement et intérieurement à la parole qu'elle véhicule, c'est une question sur les commencements : sur l'instant sans durée où les sexes, les générations, l'amour et la haine furent un.

Chaque syllabe est souffle, rythmé par le battement du sang ; et l'énergie de ce souffle, avec l'optimisme de la matière, convertit la question en annonce, la mémoire en prophétie, dissimule les marques de ce qui s'est perdu et qui affecte irrémédiablement le langage et le temps. C'est pourquoi la voix est parole sans paroles, épurée, filet vocal qui fragilement nous relie à l'Unique : ce que les premiers théologiens du langage, au XVIe siècle, nommèrent le *verbe*... la « voix phénoménologique » de Husserl, en deçà du « corps de la voix » ; la voix qui est conscience ; la voix que viennent habiter les mots, mais qui véritablement ne parle ni ne pense ; qui simplement travaille, « pour ne rien dire », pétrissant des phonèmes, et à qui le discours prononcé tient lieu après coup de raison d'être.

C'est ainsi que l'idiome purement oral qui fut celui des sociétés archaïques et de notre enfance a marqué définitivement notre comportement linguistique, non seulement en maintenant, jusque dans notre univers technologique et chez l'adulte, cette « glossolalie disséminée en éclats verbaux » dont parle M. de Certeau, mais en vertu d'une réminiscence corporelle profonde, sous-jacente à tout dessein langagier. Produisant du désir, en même temps que produit par lui, le son vocal fabrique du discours sans qu'une

13

intention préalable ni un contenu déterminé l'aient programmé de façon sûre. Toujours il divague... à moins que, fausse oralité, il ne fasse que verbaliser une écriture.

Un corps est là, qui parle : représenté par la voix qui émane de lui, partie la plus souple de ce corps, et la moins limitée puisqu'elle le dépasse de sa dimension acoustique, très variable et permettant tous les jeux. L'image archétypale d'un corps vocal appartient aux « sources anthropologiques de l'imaginaire » localisées par G. Durand. Aussi les mythologies occidentales assignent-elles, *a contrario,* un rôle fascinateur ou terrifiant à la merveille qu'est une voix sans corps : l'Écho hellénique, ou les voix des revenants, des fontaines, de la terre, des nuages, dont Sébillot jadis mentionna des dizaines d'exemples dans sa grande enquête sur le folklore français. Voix de la mendiante dans le film *India Song* de Marguerite Duras. D'autres cultures codifient, comme pour le protéger et se l'asservir, le lien de la voix avec le corps. Elles imposent à qui parle dans telle condition telle posture, ou bien classent auditivement le rôle social du locuteur. L'un de mes étudiants voltaïques m'assurait en 1980 que, dans son ethnie, la confidence s'énonce en position couchée, la parole sérieuse, assis ; ce qui est dit debout n'a pas d'importance.

Paradoxe de la voix. Elle constitue un événement du monde sonore, de même que tout mouvement corporel l'est du monde visuel et tactile. Pourtant elle échappe en quelque manière à la pleine saisie sensorielle : dans le monde de la matière elle présente une sorte de mystérieuse incongruité[1]. C'est pourquoi elle renseigne sur la personne, à travers le corps qui la produit : mieux que par son regard, par l'expression de son visage, un tel est « trahi » par sa voix. Mieux que le regard, que le visage, la voix se sexualise, constitue (plus qu'elle ne transmet) un message érotique.

L'énonciation de la parole prend par là valeur, en elle-même, d'acte symbolique : grâce à la voix, elle est exhibition et don, agression, conquête et espoir de consommation de l'autre ; intériorité manifestée, affranchie de la nécessité d'envahir physiquement l'objet de son désir : le son vocalisé va de l'intérieur à l'intérieur, lie sans autre médiation deux existences.

Les valeurs ainsi attachées à l'existence biologique de la voix se réalisent simultanément dans la conscience linguistique et dans la conscience mythique et religieuse, au point qu'il est difficile de distinguer en cela deux ordres. Mais elles y restent inappro-

---

1. Cf. Ong 1967, p. 111-136 ; Gaspar, p. 23 ; Husson, p. 60-75 ; Schilder, p. 205-211 ; Bernard 1976, chap. v, et 1980, p. 55-58 ; Rondeleux, p. 48-52.

priées, mouvantes, riches de connotations ambiguës, parfois contradictoires, focalisées sur un très petit nombre de schèmes qui se dérobent à l'interprétation. Il serait aisé d'inventorier, dans les mythologies ainsi que dans l'iconologie artistique au cours des siècles, les éléments récurrents qui constituent de tels schèmes : images fragmentaires, relatives à l'essor d'une puissance primitive et aux organes qui le produisent ; la voix et ses voies, gorge profonde, ouverte sur le ventre et l'être intérieur ; bouche emblématique ; passage vers l'au-delà du corps : parole, à la fois expression de l'idée et décharge, dans et par laquelle toute articulation se fait métaphorique.

Quoiqu'une langue comme le latin attache étymologiquement à la bouche *(os, oris)* l'idée d'«origine», cet «orifice» signifie aussi bien entrée que sortie : toute source est de l'ordre de la voix, issue de bouche, qu'elle soit conçue comme l'envers de l'exil ou comme le lieu du retour. Pourtant, la bouche ne concerne pas la seule vocalité : par elle pénètre dans le corps la nourriture. Image initiale des lèvres tétant le sein, érotiquement réitérée : bouche, lieu d'alimentation et d'amour, organe sexuel, dans l'ambivalence de la parole. D'où l'ampleur du champ symbolique où se réfléchit l'acte de manducation. Champ double à son tour, valorisé pour le bien ou pour le mal : on mange, mais aussi l'on vomit, comme on défèque ; et par la «bouche d'enfer» du théâtre médiéval le monde démoniaque se déverse sur le nôtre. A la dévoration s'oppose une gourmandise rassurante et gaillarde : de l'ogre à Gargantua ; de la gueule broyeuse du dragon, ouverte sur un estomac-gouffre, aux bouches bienheureusement béantes du pays de Cocagne : femme au vagin denté des contes amérindiens du Labrador ; contradictions culminant dans la figure ésotérique de l'*ouroboros,* le serpent qui circulairement s'avale lui-même. Or, dans la tradition biblique, la parole du serpent fut cause première du péché «originel». La parole s'étaie sur l'instinct de conservation ; se conserver, c'est se nourrir ; une pulsion langagière répète dans l'articulation de la voix ce qui se noue ailleurs entre conservation et érotisme.

La voix vive de la communication «orale» met ainsi en cause deux champs du corps. On dit «boire les paroles» de quelqu'un ; un locuteur peut «avaler ses mots» : marques lexicales minimes, mais indélébiles. Manger celui à qui l'on parle - se l'incorporer : repas totémique, eucharistie ; cannibalisme. L'hiéroglyphe égyptien figurant une bouche désigne la puissance créatrice ; la bouche, pour les *Upanishad,* renvoie à la conscience intégrale ; la Bible l'associe au feu - purifiant ou destructeur. Les lèvres s'écartent pour livrer passage à la parole comme s'ouvrit l'œuf primitif, au début de la grande rupture. La bouche monstrueuse

15

emblématise, dans les fantasmes tératologiques de l'art médiéval et baroque, l'horreur d'un corps mal vécu.

Entre l'organe qui forme le son, celui-ci qui en émane et la parole ainsi prononcée s'établit (au sein de ces configurations mythiques) une circulation de sens qui fait à tout instant de chacun de ces trois éléments le substitut possible des deux autres [1]. La tradition chrétienne, pour qui le Christ est Verbe, valorise la parole. Les traditions africaines ou asiatiques considèrent plutôt la forme de la voix, attribuant à son timbre, sa hauteur, son débit la même puissance transformatrice ou curative. Le roi africain parle peu, et n'élève jamais le ton : le griot explicite s'il le faut à voix haute les paroles qu'il adresse à son peuple : le cri est femelle. Même retenue de la parole de commandement au Japon, de nos jours encore.

L'écoulement de la voix s'identifie, selon un sage bantou, à celui de l'eau, du sang, du sperme ; ou bien il s'associe au rythme du rire, autre puissance. La légende de Merlin perpétua jusqu'en plein XIIIe siècle, en Occident, le motif archaïque du rire prophétique : la voix révélatrice s'élève d'un éclat de rire, indissociable de lui. A la limite, la signification des paroles n'importe plus : la voix seule, par la maîtrise de soi qu'elle manifeste, suffit à séduire (comme celle de Circé, dont Homère vante les tons et la chaleur ; comme celle des Sirènes) ; elle suffit à calmer un animal inquiet, un jeune enfant encore exclu du langage.

Indéfinissable autrement qu'en termes de rapport, d'écart, d'articulation entre sujet et objet, entre l'Un et l'Autre, la voix reste inobjectivable, énigmatique, non spéculaire. Elle interpelle le sujet, le constitue et y imprime le chiffre d'une altérité. Pour celui qui en produit le son, elle rompt une clôture, libère d'une limite que par là elle révèle, instauratrice d'un ordre propre : dès qu'il est vocalisé, tout objet prend, pour un sujet, au moins partiellement, statut de symbole. L'auditeur écoute, dans le silence de soi, cette voix qui vient d'ailleurs ; il en laisse résonner les ondes, recueille leurs modifications, tout « raisonnement » suspendu. Cette attention devient, le temps d'une écoute, son lieu, hors langue, hors corps.

Jeu, rythme vocalique antérieur à l'instauration d'un espace et d'un temps mesurables, et qui n'est « sens » que dans la mesure où ce mot désigne direction et procès : la voix se trouve symboliquement « placée » chez l'individu dès la naissance, dont

---

1. Thompson, index, *mouth, voice;* Chevalier-Gheerbrant, I, p. 225-226 ; Lascaux, p. 390-394.

elle signifie (par opposition, selon D. Vasse, à la clôture de l'ombilic) l'ouverture et l'issue. Plus tard, entré dans sa conjoncture historique, l'enfant assimilera la perception auditive à la chaleur et à la liberté annoncées par la voix maternelle - ou à l'austérité protectrice de la loi signifiée par celle du père. Expérience équivoque : à l'image où pèse la présence du signifié maternel s'oppose l'iconoclasme de l'ordre et de la raison. Mais l'équivocité remonte plus haut encore : *in utero* l'enfant baignait déjà dans la Parole vivante, percevait les voix et, dit-on, mieux les graves que les aigus : avantage acoustique en faveur du père. Mais la voix maternelle s'entendait dans l'intime contact des corps, chaleur commune, sensations musculaires apaisantes. Ainsi s'ébauchaient les rythmes de la parole future, en une communication faite d'affectivité modulée, d'une « musique utérine » qui, reproduite artificiellement auprès d'un nouveau-né, provoque aussitôt chez lui le sommeil, et, auprès d'un enfant autiste (dans la thérapeutique d'A. Tomatis), déclenche une régression salvatrice [1].

A mesure que s'éloignera le doux non-lieu prénatal, et que prendra consistance la sensation d'un corps-instrument, la voix à son tour s'asservira au langage, en vue d'une autre liberté. Le symbolique envahira l'imaginaire. Du moins subsistera la mémoire d'un leurre fondamental, l'empreinte d'un avant, pur effet de manque sensoriel, que chaque cri, chaque parole prononcée semble illusoirement pouvoir combler. Nous touchons ici, je le pense, aux sources de toute poésie orale.

---

1. Kristeva 1974, p. 23-24 ; Rosolato 1969, p. 294-299, et 1978 ; Tomatis 1975, p. 37-48, 56-76, 117-120, et 1978, p. 65-80.

I. L'oralité poétique

2. Mise au point

Les notions ambiguës : folklore, poésie populaire : le préjugé littéraire. -
La voix et l'écriture : poésie orale et poésie écrite. - Valeurs linguistiques
de la voix. - Littérarité et structuration. - Les médiats. - L'illusion
ethnocentrique.

Abandonnée, depuis un siècle et demi, à des spécialistes
(ethnologues, sociologues, folkloristes ou, dans une optique
différente, linguistes), l'étude des faits de culture orale a permis
d'accumuler une somme considérable d'observations - en elles-
mêmes peu contestables - et d'interprétations souvent mal compa-
tibles, sinon contradictoires. Recherches et polémiques se sont
déroulées à l'insu du grand public, en marge de ce que transmet
l'enseignement général et, sauf exceptions, dans la méconnais-
sance ou le dédain des praticiens de la littérature. Ce caractère
confidentiel tient, autant qu'à la technicité et à la diversité des
doctrines, à l'imprécision du vocabulaire employé, épaissi des
stratifications qu'y déposèrent le Romantisme, le Positivisme, et
ce qui suivit[1].

C'est ainsi que l'étude en question s'est mal dégagée jusqu'ici
des présupposés impliqués dans les termes de *folklore* ou de
culture populaire : termes assez vagues et qui ne peuvent
s'appliquer, partiellement, à mon objet que subordonnés à une
définition de l'oralité qui les dépasse en les englobant. *Folklore,*
créé en 1846 par W. J. Thoms, sur *folk,* « peuple », et *lore,* vieux
mot désignant un « savoir », référait à un ensemble de coutumes ;
mais il permettait le passage en anglais (et, plus tard, dans le
français qui l'adopta) des idées de *Volksgeist,* d'où *Volkspoesie,*
Volkslied (esprit, poésie, chanson du peuple), lancées entre 1775
et 1815 par Herder et Grimm, et qui se maintinrent dans l'usage
allemand jusque vers 1870... tempérées ou gauchies, il est vrai,
par celle de *Naturpoesie* (Grimm), « poésie de nature », anonyme,
traditionnelle, « simple », « authentique », ainsi opposée aux pro-

1. Finnegan 1977, p. 30-46 ; Bausinger, p. 9-64 ; Zumthor 1979.

duits d'une culture lettrée : exaltée par certains, mais en position de dominée.

Pour nous, en cette fin du XXe siècle, le mot de *folklore* s'est dédoublé, renvoyant d'une part à un concept assez vague, auquel plusieurs ethnologues dénient toute valeur scientifique, de l'autre à des pratiques diverses de récupération des régionalismes et d'animation touristique. Encore, chez les savants qui utilisent le terme, la compréhension en varie-t-elle selon qu'ils en limitent l'emploi (comme le faisaient Jakobson et Bogatyrev dans un essai demeuré célèbre) à des faits de langue ou lui font embrasser toute espèce de comportements et d'activités. C'est ainsi que le Dictionnaire de Leach, en 1949, ne donnait pas moins de trente-trois définitions différentes de *folklore*[1]!

La tendance dominante aujourd'hui consiste à prêter au mot l'acception la plus large, dans la perspective sociologique d'un «folklore-en-situation», lequel, en son essence, est un procès de communication[2]. Qu'il soit ou non objet de tradition, c'est là un caractère accidentel, quoique le fait folklorique apparaisse le plus souvent comme répétitif, et que ses composantes puissent se maintenir stables durant de très longues périodes.

En gros, ces traits définitoires s'appliquent à toute poésie orale, et la perspective méthodologique des folkloristes contemporains pourrait servir à son étude, dans la mesure où ils s'efforcent de surmonter l'opposition «entre ce qui émerge et ce qui se reproduit, entre l'actuel, le réalisable et le possible[3]». Reste à nous affranchir d'un postulat attaché à l'idée même de *floklore* : postulat d'une différence, dans le temps, l'espace ou les configurations culturelles, si bien enraciné dans nos jugements que l'on qualifie de «folklorisation» le mouvement historique par lequel une structure sociale ou une forme de discours perd progressivement sa fonction !

Même ambiguïté dans l'adjectif *populaire*, combiné avec des termes comme *culture, littérature* ou, plus spécialement, *poésie* et *chanson*. Renvoyant à un critère approximatif d'appartenance, le mot ne conceptualise rien : plutôt qu'une qualité, il signale un point de vue, singulièrement brouillé dans le monde où nous vivons. Fais-je allusion, en l'employant, à un mode de transmission du discours culturel ? à quelque rémanence de traits archaïques, reflétant plus ou moins bien une personnalité ethnique ? à la classe des dépositaires de ces traditions ? à des formes,

---

1. Leach ; Du Berger 1973, p. 18-65 ; Edmonson, p. 109-155 ; Jakobson 1973, p. 59-72.

2. Paredes-Baumann, p. 3-15 ; Paredes 1971, p. 21-52, 165-173 ; Dorson, p. 7-45 ; Ben-Amos 1974, p. 295-297.

3. Hymes 1973, p. 1.

supposées spécifiques, de raisonnement, de parole, de conduite[1] ?

Aucune de ces interprétations n'est tout à fait satisfaisante ; pourtant elles renvoient ensemble à une réalité indubitable quoique floue. On constate en effet, dans la plupart des sociétés (dès qu'elles sont parvenues au stade d'évolution où se constitue un État), l'existence d'une bipolarité engendrant des tensions entre culture hégémonique et cultures subalternes. Ces dernières exercent une fonction historique forte, celle d'un rêve de désaliénation, de réconciliation de l'homme avec l'homme et avec le monde ; elles donnent sens et valeur à la vie quotidienne, ce qui n'implique pas qu'elles s'identifient à ces « traditions populaires » dont on a fait en notre temps un objet muséologique. De telles tensions, repérables dans l'histoire occidentale depuis l'Antiquité, prirent à partir du XVIIIe siècle tant d'acuité qu'un divorce complet s'opéra, sur le plan des connaissances, des mentalités, du goût, de l'art de vivre et des rhétoriques, entre la classe dirigeante et les autres. P. Burke a consacré récemment à ces questions un beau livre, décrivant la dérive et le lent naufrage des « cultures populaires » européennes entre le XVIe et le XIXe siècle : l'âge du Livre[2].

L'histoire de la poésie orale ne saurait négliger cet aspect du réel. Rien pourtant n'autorise à identifier *populaire* et *oral*. Montaigne déjà, parlant de « poésie populaire », se contentait de gloser « purement naturelle », opposée à celle qui est « parfaite selon l'art » ; en 1854, le Bulletin du « Comité de la langue, de l'histoire et des arts de la France » évoquait une poésie née spontanément au sein des masses, et anonyme, « à l'exclusion des œuvres qui ont un auteur connu et que le peuple a faites siennes en les adoptant[3] ». Passons sur la connotation lourdement sociale : elle nous renvoie au préjugé folklorisant. R. Menendez Pidal, pour clarifier la terminologie, proposait une distinction fondée sur le mode de diffusion : il définissait comme « poésie populaire » des compositions de date récente, répandues dans un public assez large pendant une période plus ou moins brève, au cours de laquelle leur forme demeure à peu près inchangée ; et, par opposition, comme « poésie traditionnelle », des pièces non seulement reçues, mais collectivement assimilées par un vaste public en une action continue et prolongée de recréation et de variation[4].

1. Alatorre, p. XXI ; Biglioni, p. 13-15.
2. Burke ; Poujol-Labourié ; Bouvier.
3. *Essais*, I, p. 54, éd. A. Thibaudet, Pléiade, p. 350 ; Laforte 1976, p. 2 ; Roy 1981, p. 286-287.
4. Menendez Pidal 1968, I. p. 45-47 ; Finnegan 1976, p. 82.

Le savant espagnol, du reste, n'envisageait qu'une poésie chantée, dont il faisait ainsi, implicitement, une classe à part : classe que dès le XVᵉ siècle les *Arts de seconde rhétorique* français avaient identifiée sous le nom de « rime rurale ». La chanson en effet constitue sans doute le sous-groupe le moins mal reconnaissable de la « poésie populaire ». Pourtant, dès qu'il est question de le cerner, les critères se dérobent. Celui que l'on invoque le plus souvent, c'est l'anonymat ; certains l'envisagent de façon dynamique : une chanson devient « populaire » quand on a perdu le souvenir de son origine. A ce compte, il conviendrait de distinguer plusieurs degrés de « popularité ». A propos des festivals modernes, on a pu écrire qu'une chanson est « populaire » lorsque le public la reprend en chœur ; ou (s'agissant des chants de contestation) quand l'intensité de la participation témoigne d'une adhésion profonde au message communiqué. Davenson, dans son beau livre sur la chanson française traditionnelle, adopte la position de l'observateur : il n'y a de chanson « populaire » que parce qu'il existe des lettrés qui, tout en l'éprouvant comme étrangère, s'en préoccupent ou s'y intéressent ; c'est pourquoi, non seulement sa notion ne renvoie à aucune réalité délimitable, mais l'extension ne cesse de s'en modifier au cours du temps [1].

Bien des chercheurs se montrent aujourd'hui insatisfaits de ces distinctions. Sur le continent américain, le malaise apparaît dans l'opinion qui semble depuis quelques années prévaloir : au sein d'une même classe de textes (du reste, non définie comme telle), sera « folklorique » ce qui est l'objet de tradition orale ; « populaire », de diffusion mécanique. Ailleurs, on fera de la « littérature orale » une sous-classe de la « populaire », tandis que d'autres se refuseront à lier ces catégories, ou réserveront (insoucieux de cette pétition de principe !) l'appellation de « primitive » à toute poésie « purement » orale [2] !

L'élément perturbateur, dans de telles discussions, provient du recours implicite ou déclaré que l'on y fait à une opposition ici non pertinente : celle qui tranche entre le « littéraire » et le non-littéraire, ou de quelque autre terme, sociologique ou esthétique, qu'on les désigne ; et j'entends ici *littéraire* tout résonnant des connotations dont il s'est chargé depuis deux siècles : référence à une Institution, à un système de valeurs spécialisés, ethnocentriques et culturellement impérialistes. Jusque vers 1900, dans le

1. Wurm, p. 65 ; Clouzet 1975, p. 24 ; Davenson, p. 22-27.
2. Dorson, p. 2-5 ; Dundes, p. 13 ; Mouralis, p. 37-39 ; Finnegan 1977, p. 233, et 1976, p. 41-47 ; Coffin-Cohen, p. XIII-XIV.

langage des lettrés, toute littérature non européenne était rejetée au folklore. Inversement, la découverte, au cours du XIXe siècle, du folklore et de ce que l'on nomma, d'un terme révélateur, les « littératures orales » se fit plus ou moins contre l'Institution, au temps même où la Littérature entreprenait de se vouer à la quête de sa propre identité, captait à cette fin philosophie, histoire, linguistique et posait, irrécusablement, un « absolu littéraire ».

On ne peut pas ne point tenir compte de tels antécédents, quoique rien, dans les multiples formes de poésie orale observables de nos jours à travers le monde, ne permette d'en esquisser même une définition à partir de la notion de littérature. En Europe et en Amérique du Nord, les exemples abondent de textes aujourd'hui « folkloriques » dont l'origine littéraire est attestée et dont la transmission s'opère autant par l'écrit que par la voix. En 1909, Hoffmann de Fallersleben évaluait à mille sept cents, sur les dix mille chansons populaires allemandes recensées, le nombre de celles dont on prouvait l'origine littéraire. Situation comparable en Russie et en France[1]. « Littérature », ou pas ?

Plus près de nous, combien de poèmes, dans le Paris des années cinquante, écrits et « littérairement » édités, mis ensuite en musique, sont devenus chansons dans l'usage et la conscience collectifs ? D'une autre manière, l'enseignement primaire n'a-t-il pas fait, pour les petits Français de ma génération, de quelques fables de La Fontaine la poésie orale par excellence ? *Le Vieux Chalet,* type de la rengaine populaire bien vivante, fut écrit dans les années trente par Joseph Bovet... ce qui n'empêcha pas un journaliste d'en parler un jour, de bonne foi, à H. Davenson comme d'une « vieille chanson du XVe siècle ». Le fait n'est pas nouveau : dès le XIVe siècle, le petit peuple florentin chantait des vers de *la Divine Comédie ;* au XVIIIe encore, les gondoliers vénitiens, des octaves du Tasse.

Inversement, combien de poèmes, de contes littéraires furent empruntés à quelque tradition populaire ? Davenson étudia le cheminement de plusieurs chansons françaises, du littéraire au populaire puis au littéraire de nouveau. La tradition des *Noëls,* si riche dans toute l'Europe du XVe au XIXe siècle, témoigne de l'imbrication inextricable du « littéraire » et du « non-littéraire » pêle-mêle avec l'oral et l'écrit[2]. Les premières collections de chansons « populaires », constituées aux XVe et XVIe siècles, le furent par des amateurs lettrés dont il est loisible de présumer qu'ils imposèrent à ce matériau quelque marque littéraire, récupé-

1. Laforte 1976, p. 114-115, 165-174 ; Warner, p. 101 ; Davenson, p. 45, 66, 265-266.
2. Davenson, p. 52-54 ; Poueigh, p. 248-252.

25

rée ensuite par la tradition paysanne. D'où les théories extrêmes qui, à la suite de l'Allemand J. Meier, régnèrent dans l'enseignement universitaire durant le premier tiers de notre siècle : tout l'art populaire n'est que « culture naufragée ».

Ces caractérisations sommaires, ces tentatives de classement dépourvues de valeur interprétative présupposent, chez l'ethnologue, le folkloriste ou l'historien de la littérature, la conviction que la poésie orale est pour lui *autre,* alors que l'écrite lui est *propre :* autre dans le temps ou l'espace, pour l'ethnologue ; autre qualitativement pour le sociologue du folklore urbain. Le trait commun, qui dans une certaine mesure et dans certains cas justifie que l'on conjoigne les qualificatifs d'*oral* et de *populaire,* reste, en revanche, curieusement occulté. L'ensemble en effet des discours plus ou moins fictionnels destinés à la consommation publique (c'est-à-dire « littéraires » au sens large et sociologique) peut se distinguer en zones graduelles, selon la distance qui sépare de son consommateur le producteur du texte. Cette distance (dont Zolkiewsky souligne l'importance dans la typologie des cultures [1]) varie en fonction de plusieurs paramètres : dimension spatio-temporelle de l'écart entre les intéressés ; complexité des moyens de transmission ; investissement économique exigé. Il est clair que les ballades colportées, de nos jours encore, dans les Balkans par des chanteurs villageois se situent, sur cette échelle, beaucoup plus près du roman-feuilleton que celui-ci de la littérature élitique d'avant-garde.

Mais on ne saurait fonder une poétique sur de seules considérations de ce genre. Plutôt que de partir de ce qu'il est difficile pour le savant de ne pas ressentir en effet comme « autre », partons de formes d'oralité qui soient incontestablement à nous - celle que véhiculent le disque ou la radio, par exemple -, afin d'en induire quelques principes d'analyse utilisables (au moyen de diverses transformations) dans l'étude de tous les faits de poésie orale, même les plus éloignés de notre pratique.

Il est stérile de penser l'oralité de façon négative, en en relevant les traits par contraste avec l'écriture. Oralité ne signifie pas analphabétisme, lequel est perçu comme un manque, dépouillé des valeurs propres de la voix et de toute fonction sociale positive. Parce qu'il nous est impossible de concevoir véritablement, de l'intérieur, ce que peut être une société de pure oralité (à supposer qu'il en exista jamais !), c'est toute oralité qui nous apparaît plus ou moins comme survivance, réémergence d'un avant, d'un commencement, d'une origine. D'où, souvent, chez

1. Zolkiewsky, p. 14.

les auteurs qui étudient les formes orales de la poésie, l'idée sous-jacente mais gratuite qu'elles véhiculent des stéréotypes « primitifs [1] ».

On ne peut faire l'économie, au seuil d'une telle étude, d'un questionnement d'ordre épistémologique. D'ores et déjà existent, dispersés, les fondements d'une méthodologie adaptée à ce qu'a d'incomparable la transmission orale de la poésie. Seule une intention explicite, intransigeante et chaleureuse, en les rassemblant, les consoliderait : récusant le refroidissement universitaire, effet de l'écriture et qui à son tour l'engendre. Le terme d'*écriture*, certes, dans l'usage qu'en a fait, depuis un quart de siècle, certaine phénoménologie, est équivoque. L'écriture ne va pas de soi. Mais la voix est-elle donnée ? Il ne s'agit pas de relancer le débat ouvert il y a quinze ans par J. Derrida, d'en retourner les termes au profit d'une Voix originelle [2]. Nul doute que nos voix ne portent la trace de quelque « archi-écriture » ; mais la trace, on peut le supposer, « s'inscrit » d'une autre manière dans ce discours, d'autant moins temporel qu'il est mieux enraciné dans le corps et s'offre davantage à la seule mémoire. En tant que lieu et moyen d'articulation des phonèmes, la voix porteuse de langage - dans une tradition de pensée qui la considère et la valorise pour cette seule fonction - n'est rien d'autre en effet que le « déguisement d'une écriture première » : c'est ainsi que durant trois millénaires l'Occident « s'entendit parler » dans la substance phonique. Pourtant, ce qui me retient ici davantage, c'est la fonction large de la vocalité humaine, dont la parole certes constitue la manifestation principale, mais non la seule ni peut-être la plus vitale : j'entends l'exercice de sa puissance physiologique, sa faculté de produire la phonie, l'action d'organiser cette substance. La *phônè* ne tient pas de façon immédiate au sens, elle lui prépare le milieu où il se dira ; comme telle, contrairement à l'opinion d'Aristote au *De interpretatione*, elle ne produit pas de symboles. Dans cette perspective, où *oralité* signifie *vocalité*, s'exténue tout logocentrisme.

Reste qu'en cette fin du XXe siècle notre oralité n'a plus le même régime que celle de nos ancêtres. Eux, vivaient dans le grand silence millénaire, où leur voix résonnait comme sur une matière : le monde visible autour d'eux en répétait l'écho. Nous sommes submergés de bruits insaisissables où notre voix a du mal à conquérir son espace acoustique ; mais il nous suffit d'une mécanique à la portée de toutes les bourses pour la récupérer et la transporter dans une valise.

---

1. Ong 1967, p. 19-20 ; Finnegan 1977, p. 23-24.
2. Derrida 1967*b*, p. 102-103, et 1967*a*, p. 296-297, 302-304.

Elle n'en reste pas moins une voix. Mais en quoi et jusqu'où changée par le *médiat* ? (Je francise ainsi le terme de *mass media*, afin de le limiter à la désignation de ceux qui ont recours à l'audio-visuel, à l'exclusion de toute forme de presse.) L'oralité nouvelle, *médiatisée,* ne diffère de l'ancienne que par certaines de ses modalités. Par-delà les siècles du livre, l'invention (dont l'homme rêva pendant des siècles, qu'il réalisa vers 1850) des machines à enregistrer et à reproduire la voix restitue à celle-ci une autorité qu'elle avait presque entièrement perdue, et des droits tombés en désuétude [1]. Que ce détour par la quincaillerie industrielle ait modifié ses conditions d'exercice et la sphère d'application de ses droits, c'est l'évidence. Son autorité y gagne d'autant. Compromise dans l'appareil technologique, elle bénéficie de son statut de puissance. Rien, en quinze ans, n'a encore entamé sur ce point la thèse optimiste de W. Ong. Les médiats ont rendu, à la langue des messages qu'ils transmettent, sa pleine fonction impressive, par où le discours prend à partie, ordonne ou interdit, pèse de tout son poids sur l'intention de l'autre, sur sa situation même, pour déclencher en lui les ressorts d'une action.

Le terme de *médiat* désigne plusieurs machineries aux effets distincts, selon que, d'une part, elles opèrent sur le seul espace de la voix, ou sur sa double dimension spatio-temporelle ; que, d'autre part, elles s'adressent à l'ouïe seule ou à la sensorialité audio-visuelle. Je laisse hors de considération les premières (tel le micro) : j'en étudierai les effets sonores au chapitre XIII. Quant à celles qui permettent la manipulation du temps, elles ressemblent en cela au livre - quoique la gravure du disque ou l'empreinte de la bande n'ait rien de ce qui définit (perceptivement et sémiotiquement) une écriture. Fixant le son vocal, elles en permettent la réitération indéfinie, à l'exclusion de toute variation. D'où un considérable effet secondaire : la voix s'affranchit des limitations spatiales. Les conditions naturelles de son exercice se trouvent ainsi bouleversées. La situation de communication, en revanche, est inégalement modifiée en performance.

Le trait commun de ces voix médiatisées, c'est qu'on ne peut y répondre. Leur réitérabilité les dépersonnalise, en même temps qu'elle leur confère une vocation communautaire. L'oralité médiatisée appartient ainsi, de droit, à la culture de masse. Cependant, seule une tradition savante écrite et élitiste en a rendu scientifiquement possible la conception ; seule l'industrie en assure la

---

1. Chopin, p. 13-31 ; Ong 1967, p. 87-110 ; Burgelin, p. 265-270 ; Charles, p. 63-75.

réalisation matérielle, et le commerce la diffusion. Tant de servitudes y limitent (si elles n'en éliminent) la spontanéité de la voix. La socialité que, dans le quotidien de l'existence, nourrit la voix vive, se mue en une hypersocialité circulant dans les réseaux de télécommunication, constitutifs d'un nouveau lien collectif : socialité de synthèse, opérant sur les éléments disjoints et fragmentés des groupes structurés traditionnels.

La mobilité spatio-temporelle du message accroît la distance entre sa production et sa consommation. La présence physique du locuteur s'est effacée ; il reste l'écho fixe de sa voix et, à la télévision, au cinéma, une photographie. L'auditeur à l'écoute est bien entier présent ; mais, lors de l'enregistrement, il ne faisait figure qu'abstraite et comme statistique. La sophistication des instruments et le poids de l'investissement financier qu'ils exigent jouent en faveur de cet éloignement[1]. Le message, quant à lui, objet, se fabrique, s'expédie, se vend, s'achète, partout identique. Néanmoins, ce n'est pas un objet que l'on touche : les doigts de l'acheteur ne saisissent que l'outil transmetteur, disque, bande. Seuls restent concernés les sens servant à la perception éloignée, l'ouïe et, quant au cinéma ou à la télévision, la vue. Il se produit ainsi un déphasage, un déplacement de l'acte communicatif oral.

Dans un monde d'oralité primaire, la puissance de la parole n'a pour limite que son impermanence et son inexactitude. En régime d'oralité seconde, l'écriture pallie, imparfaitement, ces faiblesses. L'oralité médiatisée assure exactitude et permanence, au prix d'un asservissement à la quantité et aux calculs des ingénieurs. Nous en sommes là, provisoirement. Déjà l'apparition d'outillages télématiques écrasant la distance, mais jouant avec l'espace sans l'aplatir et concrétisant l'objet, magnétoscope, vidéo, fournit à l'optimiste des raisons d'entrevoir, à l'horizon de son présent, de nouveaux procès de perception, de sélection, d'inscription, d'intégration au terme desquels se retrouveraient à la fois le poids d'une présence non différée et la plénitude immédiate d'une voix.

N'est-ce pas cet espoir même (pour confus et trompeur qu'il soit) qui, de nos jours, partout au monde, pousse les semi-analphabètes, expulsés de leur oralité primaire vidée de contenu, malmenés par les puissances écrites, à s'acheter un transistor plutôt qu'à s'abonner au journal ? pousse, dans nos villes étourdissantes, des paumés casqués d'écouteurs à cheminer solitaires parmi leurs voix ? pousse les Inuit du grand Nord canadien à s'intoxiquer d'auditions radiophoniques, qui d'ores et déjà dans

---

1. Cazeneuve, p. 142-151.

la communauté assument le rôle traditionnellement imparti aux récits mythiques [1] ?

Dans une grande partie du tiers monde, la rareté des appareils de radio et de télévision leur confère une apparente véridicité qu'ils n'eurent jamais pour nous. Elle met l'auditeur-spectateur en état de réceptivité plus active, sollicite davantage son imagination et la force de son désir, fascine ou bouleverse. Dans le village, dans le quartier, on se réunit en groupe autour du poste, propriété de quelque privilégié - comme on le faisait jadis, chez le lettré local, pour l'écouter lire un livre.

De la sorte, loin d'émietter (comme parfois on l'en accuse) la collectivité, le médiat, en un premier temps du moins, la cimente. Dans nos campagnes, dans les faubourgs de nos villes hier encore, on regardait ensemble, rituellement, au bistrot la TV : aujourd'hui, chacun la possède à domicile, on a perdu cette communauté-là.

Pourtant, contrairement à une opinion répandue, le public des médiats ne constitue pas une masse indifférenciée. Il exerce, plus qu'on ne l'admet en général, sa liberté de choix. Il accepte aisément ce qu'on lui offre, il en contracte sans grande résistance l'habitude. Mais soudain tout peut craquer. Globalement, les médiats poussent au conventionnel, régénérant ainsi, paradoxalement, un traditionalisme qui passait pour propre aux sociétés archaïques. L'homme auquel ils s'adressent n'est pas fondamentalement autre que ses lointains ancêtres, même s'il est spécifié par tout ce qui fait la grisaille, la médiocrité, l'étroitesse d'esprit des sociétés contemporaines, en même temps que le gigantesque défi qu'elles se portent à elles-mêmes.

C'est pourquoi l'on peut penser qu'une véritable intégration des médiats ne se produira qu'au terme d'un effort critique largement fondé sur la culture traditionnelle, transmise par l'écriture et maintenue de façon privilégiée en milieu urbain. S'il y a crise ou malaise, la solution de l'une, l'apaisement de l'autre ne résident pas dans le retour à quelque état antérieur et candide, mais dans la reconnaissance et le dépassement de ce qui, jusqu'ici, nous a faits. Les voix les mieux présentes qui résonneront demain auront traversé toute l'épaisseur de l'écriture.

Concrètement, il n'y a pas d'oralité en soi, mais de multiples structures de manifestations simultanées et qui, chacune dans son ordre propre, se trouvent parvenues à des degrés très inégaux de développement. Leur substrat commun demeure néanmoins (comme Vico en avait eu, le premier, l'intuition) toujours percep-

---

1. Témoignage de C.-Y. Charron, novembre 1978.

tible. Il tient à la spécificité linguistique de toute communication vocale. Celle-ci en effet comporte, en tant même que vocale, de la part de deux sujets au moins, locuteur et auditeur(s), le même mais non identique investissement d'énergie psychique, de valeurs mythiques, de socialité et de langage. Radicalement sociale autant qu'individuelle, la voix signale la manière dont l'homme se situe dans le monde et à l'égard de l'autre. Parler en effet implique une écoute (même si quelque circonstance empêche celle-ci), démarche double où des interlocuteurs ratifient en commun des présupposés fondés sur une entente, en général tacite mais toujours (au sein d'un même milieu culturel) active [1].

Ce qui offre matière à parler, ce en quoi la parole s'articule, c'est un double désir : celui de dire, et celui auquel renvoie la teneur des paroles dites. L'intention en effet du locuteur qui s'adresse à moi n'est point seulement de me communiquer une information ; mais bien d'y parvenir en me provoquant à reconnaître cette intention, à me soumettre à la force illocutoire de sa voix. Ma présence et la sienne dans un même espace nous mettent en position de dialogue, réel ou virtuel : d'échange verbal où les jeux du langage s'affranchissent aisément des régulations institutionnelles ; où les glissements de registre, les sautes de discours (de l'assertion à la prière, du récit à l'interrogation) assurent à l'énoncé une flexibilité particulière. Une rupture se produit-elle dans l'argumentation, une lacune dans la série des faits représentés, une déconnexion dans les rapports entre votre dire et la situation ambiante ? Une question surgit, vous provoque, oblique (fût-ce par ironie) le fil de cette parole [2]. Mouvements latéraux du langage, ambiguïtés participant à la construction progressive du discours, impossibilité de se maintenir au niveau du littéral, ouverture constante sur les résonances analogiques. Seul le langage oral le moins influencé par l'écriture engendre les merveilleux monstres saugrenus que sont les calembours et les « étymologies populaires » : l'« herbe sainte » pour l'absinthe, la « lampoule » pour l'ampoule de la lampe, cette poésie sauvage...

D'où un effet moral : l'impression, sur l'auditeur, d'une loyauté moins contestable que dans la communication écrite ou différée, d'une véracité plus probable et plus persuasive. C'est pourquoi sans doute le témoignage judiciaire, l'absolution, la condamnation se prononcent de vive voix. Plus que toute autre forme de contact, la parole rend manifeste, dans les individus qu'elle

1. Heidegger, p. 36, 164 ; Lyotard, p. 34 ; Grice, p. 59-64, 71-72 ; Bernard 1980, p. 62 ; Vasse 1980, p. 63.
2. Flahault 1979 ; Récanati 1979*b*, p. 95-96 ; Kerbrat-Orecchioni, p. 18-33.

confronte, leur réalité de sujets : leur « place », au sens où l'entend F. Flahault, résultant à la fois des déterminations du système dont elle relève et d'un engagement désidéral[1].

Toute communication orale, parce que œuvre de la voix, parole ainsi proférée par qui en détient ou s'en attribue le droit, pose un acte d'autorité : acte unique, jamais identiquement réitérable. Elle confère un Nom, dans la mesure où ce qui est dit dénomme l'acte fait en le disant. L'émergence d'un sens s'accompagne d'un jeu de forces, agissant sur les dispositions de l'interlocuteur[2]. Sur ces points s'est concentrée une longue série de recherches en Amérique depuis 1945, en Europe vingt ans plus tard : analyse des « actes de parole », ou des éléments non linguistiques de l'expression, « kinésique », « proxémique » ; la « linguistique du discours » française ou, relativement aux textes littéraires, l' « esthétique de la réception » allemande.

C'est pourquoi, tout au cours de ce livre, j'articulerai ma réflexion sur l'idée de *performance,* prenant ce terme dans son acception anglo-saxonne : terme clé auquel je ne cesserai de revenir comme à la pierre de touche. La *performance,* c'est l'action complexe par laquelle un message poétique est simultanément transmis et perçu, ici et maintenant. Locuteur, destinataire(s), circonstances (que le texte, par ailleurs, à l'aide de moyens linguistiques, les représente ou non) se trouvent concrètement confrontés, indiscutables[3]. Dans la performance se recoupent les deux axes de la communication sociale : celui qui joint le locuteur à l'auteur ; et celui sur quoi s'unissent situation et tradition. A ce niveau joue pleinement la fonction du langage que Malinowski nomma « phatique » : jeu d'approche et d'appel, de provocation de l'Autre, de demande, en soi indifférent à la production d'un sens.

La performance constitue le moment crucial dans une série d'opérations logiquement (mais non toujours en fait) distinctes. J'en compte cinq, qui sont les phases, pour ainsi dire, de l'existence du poème :

1. production,
2. transmission,
3. réception,
4. conservation,
5. (en général) répétition.

1. Ong 1967, p. 217-218 ; Flahault 1978, p. 138-151.
2. Hall ; Searle ; Austin, p. 99-131 ; Certeau, p. 62-63 ; Lindenveld ; Warning 1975 ; Berthet, p. 142-146 ; Guiraut, p. 92-108 ; Kerbrat-Orecchioni, p. 185-189 ; numéros spéciaux 42 et 44 de *Langue française,* et 39 de *Poétique* (tous trois de 1979).
3. Saraiva, p. 3-4 ; Fédry 1977*b*, p. 587.

La performance embrasse les phases 2 et 3 ; en cas d'improvisation, 1, 2 et 3.

Dans toute société possédant une écriture, chacune de ces cinq opérations se réalise, soit par la voie sensorielle *orale-aurale* (selon l'expression de W. Ong, renvoyant ensemble à la voix et à l'ouïe), soit par l'intermédiaire d'une inscription, offerte à la perception visuelle. La combinaison de ces facteurs donne théoriquement dix possibilités. Les opérations 1, 2, 3 et 5 sont-elles orales-aurales (et donc 4, purement mémorielle) ? On parlera d'oralité parfaite, et 5 se situera probablement dans une tradition assez stable. Les mêmes opérations comportent-elles inscription (et donc 4, bibliothèque ou archive) ? On aura procès parfait d'écriture.

De ce procès, une poétique de l'oralité n'a que faire. Restent les neuf autres possibilités ! Dans la suite de ce livre je considérerai comme orale toute communication poétique où transmission *et* réception au moins passent par la voix et l'ouïe. Les variations des autres opérations modulent cette oralité fondamentale.

Cette - relative - simplification des données du problème trouve, dans l'une de ses conséquences, sa justification méthodologique : elle permet en effet de différencier, comme l'histoire des faits y invite, entre *transmission* orale de la poésie (concernant les opérations 2 et 3) et *tradition* orale (concernant 1, 4 et 5).

La communication vocale remplit, au sein du groupe social, une fonction extériorisatrice. Globalement, elle fait entendre le discours, grave ou futile, qu'une société se tient sur elle-même afin d'assurer sa perpétuation... et dont la poésie orale n'est que l'un des modes. Oralité diffuse et collective, elle rend manifeste ce que P. Maranda nomme un « infra-discours populaire [1] ». En deçà des activités dont le déploiement nous constitue comme corps social, nos voix résonnent, en vagues proches ou lointaines, comme un bruit de fond, une perpétuelle stimulation sonore sans laquelle nous paralyserait la peur.

D'où le dédoublement que signalait déjà M. Jousse, suivi par J. Dournes, lorsqu'il distinguait, dans la pratique vocale, le *parlé*, toute énonciation proférée de bouche, et l'*oral,* énonciation formalisée de manière spécifique [2]. Socialement en effet la voix réalise deux oralités : l'une, entée sur l'expérience immédiate de chacun ; l'autre, sur une connaissance, en partie au moins médiatisée par une tradition : double polarisation... qui traverse aussi bien la poésie orale.

1. Maranda 1978, p. 293-294.
2. Dournes 1976, p. 172-180.

Il semble que s'attache socialement à la parole une idée d'éternel retour : affirmation et union, j'aime dire, et je désire que revienne ce plaisir : tendance en vain réprimée, dans nos sociétés. La connaissance à laquelle en parlant je donne forme et que par la voie de l'oreille vous faites vôtre s'inscrit dans un modèle auquel elle réfère : elle est reconnaissance. Elle incline à se donner des justifications coutumières ; elle se brode sur une trame de croyances, d'habitudes mentales intériorisées constituant la mythologie du groupe, quel qu'il soit.

Le discours de communication figure ainsi le contraire du discours scientifique décrit par J.-F. Lyotard [1]. Fortement connotatif, lié à tous les jeux du langage dont la combinaison forme le lien social, il tire sa validité et sa force persuasive moins de ce qu'il rapporte que du témoignage qu'il constitue, de sorte que le critère de vérité se dérobe au profit d'un autre, beaucoup plus flou : la communication est mémoire, souple, malléable, nomade et (grâce à la présence des corps) globalisante.

Une première perception de ces valeurs permit, dans les années vingt de notre siècle, à l'ethnolinguistique, discipline alors nouvelle, à l'ethnologie, à l'exégèse même (intriguée par le texte des psaumes ou la constitution de l'Evangile) sous l'impulsion de Marcel Jousse, de définir plusieurs particularités anthropologiques des «genres littéraires oraux» : primauté du rythme, subordination de l'oratoire au respiratoire, de la représentation à l'action, du concept à l'attitude, du mouvement de l'idée à celui du corps... Les travaux des hellénistes, jusqu'à Havelock et Vernant, en enrichissant ces observations, en amorcèrent la théorisation. Leurs recherches et celles de Parry et Lord eurent le grand mérite de mettre un sens dans l'expression jusqu'alors plutôt vide de *littérature orale ;* elles démontraient que les termes de voix et d'écriture ne sont point homologues, et les différences que l'on énumérerait entre eux, inégalement pertinentes. L'oralité ne se définit pas plus par soustraction de certains caractères de l'écrit que celui-ci ne se réduit à une transposition de celle-là.

Je ne m'engagerai pas (l'ayant fait récemment ailleurs [2]) dans une discussion des théories élaborées sur ces bases, à la suite du livre fracassant et hâtif publié en 1962 par Mc Luhan. Pour sa part, W. Ong, reprenant, en une série d'ouvrages, les grandes lignes de la thèse du maître canadien, lui a conféré, en la nuançant, sa profondeur : je renvoie spécialement à son livre de 1967.

On connaît le principe initial : un message ne se réduit pas à

1. Lyotard, p. 45-49 ; Rosolato 1969, p. 288-289.
2. Zumthor 1982*b*.

son contenu manifeste, mais en comporte un latent, constitué par le *medium* qui le transmet. L'introduction de l'écriture dans une société y correspond donc à une mutation profonde, d'ordre mental, économique et institutionnel. Seconde rupture, moins accusée, au passage de l'écriture manuscrite à l'imprimerie ; troisième, avec la diffusion des médiats.

De l'oralité à l'écriture, s'opposent ainsi globalement, dans la perspective mac-luhanienne, deux types de civilisation. Dans un univers de l'oralité, l'homme, directement branché sur les cycles naturels, intériorise, sans la conceptualiser, son expérience de l'histoire, conçoit le temps selon des schémas circulaires ; et l'espace (en dépit de son enracinement) comme la dimension d'un nomadisme ; les normes collectives régissent impérieusement ses comportements. L'usage de l'écriture en revanche implique une disjonction entre la pensée et l'action, un nominalisme foncier, lié à un affaiblissement du langage comme tel, la prédominance d'une conception linéaire du temps et cumulative de l'espace, l'individualisme, le rationalisme, la bureaucratie...

C'est dans cette perspective que je situe mon livre, non sans apporter, au train des pages, de nombreux correctifs aux propositions avancées par les auteurs qui l'ont définie. En effet, malgré l'apparente justesse des prémisses et la vraisemblance générale de la doctrine, bien des questions demeurent ouvertes. Les réponses que l'on y donne depuis quelques années tendent à ne maintenir la dichotomie Oralité/Ecriture qu'à un très haut niveau de généralité. Au ras des faits et dans le fil de l'histoire, ces termes apparaissent comme les extrêmes d'une série continue[1]. Des traits qui les opposent, quelques-uns, certes, sont incompatibles, sinon contraires (ainsi le recours à la vue dans un cas, à l'ouïe dans l'autre) ; mais la plupart ne sont que de degré, la différence consistant, de manière très variable, en un plus ou en un moins (ainsi, en ce qui concerne les limites spatio-temporelles du message).

Encore ces oppositions, pour atténuées qu'elles soient ainsi en pratique, restent-elles de nature moins historique que catégorielle : à chaque époque coexistent et collaborent des hommes de l'oralité et des hommes de l'écriture. Certaines sociétés ignorèrent, nous dit-on, toute forme d'écriture. Mais qu'est-ce que l'« écriture » ? Mégalithes, marques de propriété, masques africains, tatouages, et tout ce que rameuterait un inventaire des symboles et des emblèmes sociaux : cela tombe-t-il sous la définition ?

1. Cazeneuve, p. 50, 57-62, 89, 138 ; Finnegan 1977, p. 254-259, 272 ; Lohisse, p. 89-90 ; Goody 1979, p. 85-88.

C'est donc sur le seul plan d'une typologie abstraite - propre, me semble-t-il, à éclairer certains faits médians et équivoques - que je propose de réduire à quatre espèces idéales l'extrême diversité des situations possibles :

- une oralité *primaire* et immédiate, ou *pure,* sans contact avec l'«écriture» : j'entends par ce dernier mot tout système visuel de symbolisation exactement codée et traductible en langue ;

- une oralité coexistant avec l'écriture et qui, selon le mode de cette coexistence, peut fonctionner de deux manières : soit comme oralité *mixte,* quand l'influence de l'écrit y demeure externe, partielle et retardée (ainsi, de nos jours, dans les masses analphabètes du tiers monde) ; soit comme oralité *seconde,* qui se (re)compose à partir de l'écriture et au sein d'un milieu où celle-ci prédomine sur les valeurs de la voix dans l'usage et dans l'imaginaire ; en inversant le point de vue, on poserait que l'oralité mixte procède de l'existence d'une culture *écrite* (au sens de «possédant une écriture») ; l'oralité seconde, d'une culture *lettrée* (où toute expression est marquée par la présence de l'écrit) ;

- une oralité mécaniquement *médiatisée,* enfin, donc différée dans le temps et/ou l'espace.

Dans la suite de ce livre, je considérerai, de chapitre en chapitre, des faits empruntés à ces contextes divers : poésie fonctionnant en oralité primaire, en oralité mixte ou seconde et en oralité médiatisée. Les particularités de la dernière présentent, par rapport aux autres, une évidence parfois trompeuse, mais leur définition ne fait pas problème. Les trois premières, en revanche, ont tendance à se confondre aux yeux de l'observateur, non certes en théorie, mais historiquement et dans la pratique. Les classes ainsi distinguées ne sont en effet jamais tout à fait homogènes. L'oralité pure ne s'est épanouie que dans des communautés archaïques, depuis longtemps disparues ; les restes fossilisés qu'en repèrent çà et là les ethnologues n'ont guère valeur que de témoignages partiels et problématiques. L'oralité mixte et seconde se démultiplie en autant de nuances qu'il peut y avoir de degrés dans la diffusion et dans l'usage de l'écriture : une infinité. Quant à l'oralité médiatisée, en l'état actuel et peut-être provisoire des choses, elle coexiste avec la troisième, la deuxième, voire, dans quelques régions reculées, avec la première espèce...

Idéalement, l'oralité pure définit une civilisation de la voix vive, où celle-ci constitue un dynamisme fondateur, à la fois préservateur des valeurs de parole et créateur des formes de discours propres à maintenir la cohésion sociale et la moralité du groupe. Fonction transhistorique en ce qu'elle s'exerce indépendamment des changements survenant dans les structures sociopolitiques, dans les mœurs et les modes de sensibilité : engagée dans un procès incessant, quoique parfois très lent, d'en-culturation, d'acculturation, de ré-enculturation. Les formes poétiques produites aux phases successives de cette histoire se distinguent globalement de toute poésie écrite en ce qu'elles n'offrent, pas plus qu'à leur public, ni aux critiques ultérieurs ni aux historiens de documents manipulables, inscriptibles dans une chronologie, au sens où nous l'entendons ; en ce qu'elles répugnent à toute fixation en nomenclatures et en tableaux synoptiques - lesquels, on le sait, ont constitué le premier usage à l'écriture.

Alors même que celle-ci se crée puis se répand, l'oralité « pure » subsiste et peut continuer à évoluer, au sein d'un univers transformé, parmi les éléments de ce que l'on a nommé une *archéocivilisation,* emplissant les vides de l'autre. Les problèmes linguistiques interfèrent parfois pour compliquer encore ces relations. Dans une communauté où voisinent langue nationale écrite et langues locales restées ou redevenues orales, des tensions multiples se dessinent entre une littérature nationale écrite, une poésie orale patoisante, et les efforts, liés à quelque mouvement régionaliste, pour créer une variété littéraire de l'idiome local. En France, l'exemple de l'occitan témoigne depuis plus d'un siècle de la gravité des choix qui s'imposent alors aux lettrés impliqués dans ce processus entre les valeurs de la voix vive et celles de l'écriture. De façon plus dramatique, cette situation est générale aujourd'hui dans de vastes régions du tiers monde [1].

La fixation par écrit de récits ou de poèmes jusqu'alors de pure tradition orale ne met pas nécessairement fin à celle-ci. Un dédoublement se produit : désormais, on possède un texte de référence, apte à engendrer une littérature ; et, parfois sans contact avec lui, la série continue des versions orales qui se succèdent dans le temps. Lorsqu'en 1835 Elias Lönnrot publia, sous la forme cyclique du *Kalevala,* un ensemble de chants épiques finlandais, la tradition orale s'en poursuivit si bel et bien que, quinze ans plus tard, un « nouveau *Kalevala* » doublait le volume du premier ! On citerait ainsi les *bylines* russes, les ballades du nord de l'Angleterre au XIXe siècle, le *Romancero* espagnol depuis le XVIe.

L'Afrique contemporaine offre l'exemple remarquable du cycle de Shaka. Ce guerrier du début du XIXe siècle, fondateur de l'empire zoulou, devint dès son vivant le héros de chansons lyriques ou épiques dont la tradition orale se poursuit jusqu'à nos jours. En 1925, Thomas Mofolo, un Basuto alphabétisé, tira de

1. Zumthor 1982*a.*

quelques-uns de ces chants la matière d'un roman, premier texte littéraire écrit dans sa langue. Une tradition en est issue, en sotho, en zoulou, en anglais, sans cesse réanimée par le contact avec la poésie orale, tandis qu'après les indépendances la figure de Shaka gagnait, mythe littéraire chargé de tout le pathétique de la destinée africaine, des terroirs éloignés : de la Zambie au Congo, à la Guinée, au Sénégal, au Mali. Et la plupart des œuvres, en anglais ou en français, qui lui ont été, depuis 1956, consacrées, revêtent la forme dramatique... c'est-à-dire la plus proche de la pure oralité[1] !

Chemin faisant, il arrive que les poètes oraux subissent l'influence de certains procédés linguistiques, de certains thèmes propres aux œuvres écrites : l'intertextualité joue alors de registre à registre. De toute manière et sauf exception, la poésie orale s'exerce, de nos jours, en contact avec l'univers de l'écriture. Cela n'implique pas nécessairement contact avec la poésie écrite, quoique à plus ou moins long terme ce contact-là ne puisse pas ne point se produire. Dans cette situation de coexistence, on classera plutôt les faits selon que le point d'impact de l'écriture sur la communication poétique orale se situe dans la production, la conservation ou la répétition du poème.

D'où les aspects multiples que revêtent ces interférences, bien propres à égarer le critique. Chaque fois en effet qu'en une de ses parties la communication poétique passe d'un registre à l'autre, s'y produit une mutation radicale mais rarement perceptible au niveau linguistique. Un poème composé par écrit, mais « performé » oralement, change par là de nature et de fonction, comme en change inversement un poème oral recueilli par écrit et diffusé sous cette forme[2]. Il arrive que la mutation demeure virtuelle, enfouie dans le texte comme une richesse d'autant plus merveilleuse qu'irréalisée : ainsi, de ces textes dont, en les lisant des yeux, on sent avec intensité qu'ils exigent d'être prononcés, qu'une voix pleine vibrait à l'origine de leur écriture.

Par là se pose la question fondamentale : la notion de « littérarité » s'applique-t-elle à la poésie orale ? Peu importe le terme : j'entends l'idée qu'il existe un discours marqué, socialement reconnaissable, de façon immédiate, comme tel. J'écarte, pour son excès d'imprécision, et en dépit d'une certaine tendance actuelle, le critère de qualité. Est poésie, est littérature, ce que le public, lecteurs ou auditeurs, reçoit pour tel, y percevant une intention non exclusivement pragmatique : le poème en effet (ou,

---

1. Burness.
2. Finnegan 1977, p. 160-162, et 1978, p. 359 ; Tedlock 1977, p. 507.

d'une manière générale, le texte littéraire) est senti comme la manifestation particulière, en un temps et un lieu donnés, d'un vaste discours constituant globalement un trope des discours ordinaires tenus au sein du groupe social. Des signaux souvent le jalonnent ou l'accompagnent, révélant sa nature figurale : ainsi, le chant par rapport au texte de la chanson.

Mais le mode de réception et d'insertion sociale du texte ne sont pas seuls en cause. Il ne semble pas que l'on puisse rejeter de façon pure et simple l'idée d'une opposition sans doute fonctionnelle (et de toute manière heuristique) entre les discours qui réfèrent à des codes et ceux qui produisent des fantasmes ; ou, pour reprendre (sans y attacher plus d'importance qu'ils n'en ont) les termes auxquels j'ai recouru dans plusieurs de mes ouvrages précédents, entre « document » (discours non marqué) et « monument » (discours marqué, texte). Il convient, certes, de la relativiser, de la prêter à d'incessantes redéfinitions : simplement, elle fixe les termes extrêmes entre lesquels s'étend une vaste gamme d'exemples « impurs [1] ». En tant que telle, elle traverse à la fois l'oralité et l'écriture et y produit les mêmes effets. Schématiquement, j'en figurerais ainsi les composantes :

1. *Base* a) structures primaires « naturelles » (organes vocaux, mains, supports de l'écriture) ;
b) structures primaires « culturelles » (langue comme telle) ; d'où manifestation discursive de base : *document.*

2. *Niveau poétique,* défini par une *structuration seconde* - intentionnelle et résultant d'un travail - d'éléments déjà organisés en structures primaires, soit :
a) structuration *textuelle,* portant sur la langue, et (nécessairement)
b) structuration *modale :* graphique (tendant au dessin) quand il s'agit d'écriture ; *vocale* (tendant au chant) s'il s'agit d'oralité ; d'où manifestation discursive « poétique » : *monument.*

La part respective des structures *textuelle* et *modale* dans la constitution du monument diffère sensiblement dans la poésie écrite et dans l'orale. Le textuel domine l'écrit ; le modal, les arts de la voix. A la limite, un monument oral serait concevable, entièrement *modalisé* mais pas du tout *textualisé.* Je doute néanmoins d'en avoir jamais rencontré d'exemple.

Le texte poétique oral, dans la mesure même où, par la voix qui le porte, il engage un corps, répugne plus que le texte écrit à toute analyse qui le dissocierait de sa fonction sociale et de la

1. Lotman-Pjatigorsky, p. 206-207 ; Voigt 1969 ; Milner 1982, p. 283-284.

place qu'elle lui confère dans la communauté réelle ; de la tradition dont peut-être il se réclame, explicitement ou de manière implicite ; des circonstances enfin où il se fait entendre. Beaucoup plus que le texte écrit ne tient aux techniques manuelles ou mécaniques de la graphie, le texte oral tient, par là, aux conditions et aux traits linguistiques déterminant toute communication orale.

L'émission de la voix se situe hors du temps : je veux dire que le temps ne constitue pas (sinon en quelques cas particuliers, codés comme oratoires) un facteur pertinent de la communication. Dans la mesure où le message poétique, pour s'intégrer à la conscience culturelle du groupe, doit référer à la mémoire collective, il le fait en vertu même de son oralité, de façon immédiate : telle est la raison pour laquelle les sociétés dépourvues d'écriture sont étroitement « traditionnelles ».

En principe, sinon toujours en fait, le message oral s'offre à une audition publique ; l'écriture, au contraire, à la perception solitaire. Cependant, l'oralité ne fonctionne qu'au sein d'un groupe socio-culturel limité : le besoin de communication qui la sous-tend ne vise pas spontanément l'universalité... tandis que l'écriture, atomisée entre tant de lecteurs individuels, acculée à l'abstraction, ne se meut sans peine qu'au niveau du général, sinon de l'universel.

L'oralité intériorise ainsi la mémoire, par là même qu'elle la spatialise : la voix se déploie dans un espace, dont les dimensions se mesurent à sa portée acoustique, accrue ou non par des moyens mécaniques, mais qu'elle ne peut dépasser. L'écriture, certes, est spatiale elle aussi, mais d'une autre manière. Son espace, c'est la surface d'un texte : géométrie sans épaisseur, dimension pure (sinon dans les jeux typographiques de certains poètes), alors que la répétitivité indéfinie du message, dans son identité intangible, l'assure de triompher du temps. Il en résulte une maniabilité parfaite du texte : je le lis, le relis, le découpe, le recolle, en descends ou en remonte à volonté le cours. Il se présente, sur la pierre ou sur la feuille de papier, comme un tout, perceptible en tant que tel. Quels que soient les ratés, les faux-fuyants (littérairement, les tours de masque) que comporte le message, une saisie globale en est par là rendue possible : tendanciellement synthétique, donc abstraite.

C'est en revanche, au fur et à mesure de son déroulement, de manière progressive et concrète, que se comprend le message transmis de bouche[1]. Seule une extrême brièveté permettrait une saisie globale. L'auditeur traverse le discours qu'on lui adresse

---

1. Gossman, p. 765-767 ; Kerbrat-Orecchioni, p. 171-172 ; Chasca, p. 59-63.

et ne lui découvre pour unité que ce qu'en enregistre sa mémoire, toujours plus ou moins aléatoire... sinon mensongère lorsque le locuteur néglige de parsemer de repères les paroles qu'il émet.

Encore convient-il de ne pas tirer, de cette comparaison, des conclusions trop nettement contrastives. Une dichotomie ne constitue jamais une explication ; il n'y a pas de « grand partage », comme s'exprime J. Goody, et la pratique des oppositions binaires débouche le plus souvent sur de dérisoires réductions idéalistes. L'idée de discontinuité n'a de valeur qu'intégrée dans un mouvement dialectique. Tout est historique, donc mouvant, projeté en gammes, en spectres dont les extrêmes, qui servent à les définir, ne sont jamais que des êtres de raison[1]. La distance qui nécessairement sépare et distingue l'observateur de l'objet observé suffit à fausser le regard dès qu'elle se pose comme différence essentielle : moi - cela.

L'ethnologie, qui confronte *nous* avec *eux* en un rapport à sens unique, souffre, plus peut-être que d'autres disciplines, de cette tare originelle. « Ethnologie ». « ethno-histoire », « ethnosociologie », « ethnolinguistique » égalent ethnocentrisme, myopie intellectuelle, instrument d'un savoir inclinant au refus de l'autre, et qui fausse plus ou moins toutes nos « sciences humaines » tant qu'elles n'auront pas assumé et dépassé les limitations imposées par notre civilisation « occidentale ». Cela n'est pas sans faire pour nous problème, dans la mesure même où une étude générale de la poésie orale recoupe plusieurs champs de recherche ainsi marqués[2]. Les cultures africaines, cultures par excellence de la voix, sont aujourd'hui, dans leur complexité et leur richesse, presque exclusivement prises en charge par le discours ethnologique : discours second, dont l'objet est davantage un discours sur la tradition, sur l'œuvre de la voix, que la tradition et la voix qui la porte.

Plusieurs ethnologues, depuis quelques années, prennent conscience de ce qu'a d'illusoire la cohérence de leur propos ; et de fictif une altérité non avouée[3]. Aucun discours n'est neutre et celui-ci moins que d'autres, qui tend (sous le masque, souvent, de ce ton de chasteté incolore qui donne apparence de profondeur aux moindres platitudes) à formuler les « lois » d'un comportement social, dénommées aujourd'hui stratégies, et peut-être en cela joue le jeu d'une nostalgie honteuse, d'une remontée

---

1. Goody 1979, p. 35-36, 246-250.
2. Geertz, p. 3-30 ; Derive, p. 15 ; Maranda 1980, p. 183-184.
3. Jason 1969 ; Smith 1974, p. 294-295 ; Fédry 1977*b*, p. 593-596 ; Tedlock 1977, p. 508-510 ; Goody 1979, p. 14-15 ; Ricard 1980, p. 18-23 ; Bourdieu.

mythique dans le temps, non moins que d'un appétit de pouvoir.

L'écoute ethnologique des « textes » oraux aboutit ainsi à les « folkloriser » si elle ne se conjoint pas avec une participation (désintéressée jusqu'à l'irrationnel) aux présupposés mêmes du discours qu'ils tiennent : au niveau profond d'appréhension pré- ou translogique où s'établit la communication de l'art.

D'où la nécessaire subordination de l'analyse à une perception globale préalable ; de l'argumentation à l'expérience de son objet. Ce dernier, en tant que tel, ressortit à l'ordre du descriptible ; le théorisable se situe à quelque niveau moyen d'abstraction induite : une démarche déductive impliquerait la reconnaissance *a priori* d'un universel, référence ultime, forme vide, absurde.

Une démarche fréquente chez les folkloristes consiste à réduire à un schéma commun les multiples versions d'une chanson ou d'un conte : archétype dont l'on pourra ensuite définir à froid la structure et le sens. Cette hypothèse implicite d'un lecteur universel, transcendant les limites spatio-temporelles, est certainement féconde à un moment donné de l'étude ; elle ne saurait l'inaugurer : elle sert de résonateur à l'écoute individuelle, seule fondatrice, et hors de laquelle aucune voix n'a d'existence[1].

L'important, ce sont moins en effet les « structures » que les procès sous-jacents qui les supportent. Une fois les faits éprouvés, décrits, classés, on en dégage quelque typologie, ou bien l'on procède à la construction d'un schème supposé initial et générateur. Mais l'idée de fonction - qui fonde une telle démarche -, si on ne l'étend pas aux latences et aux virtualités des procès en question, dégénère aisément en équivoque ou en truisme. Et tout « modèle » construit est en quelque manière inadéquat ; son usage exige donc une indiscipline qui y réintroduit la fantaisie créatrice et l'erreur vivifiante, élimine du raisonnement le principe simpliste de non-contradiction[2]. Ce que la science classique désignait du nom de vérité n'est qu'une qualité discontinue, fragmentaire, à tout instant nouvelle dans le regard, une invitée aléatoire aux noces de Philologie et de Mercure, selon la pertinente allégorie du vieux Martianus Capella. Les rationalités successives auxquelles nos méthodes se réfèrent, et dont jadis elles s'enorgueillissaient, ne sont que les variantes historiques d'une unité inimaginable et qu'aujourd'hui nous sommes résignés à laisser hors de cause, en ce nécessaire empirisme.

Entre le réel vécu et le concept, s'étend un territoire incertain, semé de refus, d'impuissances, de ni-vrai/ni-faux, un bric-à-brac

---

1. Geertz, p. 38-43.
2. Cazeneuve, p. 9-10, 66-70 ; Zumthor 1980*a*, p. 73-95 ; Strauss, p. 23-24 ; Coquet, p. 92-93.

intellectuel échappant à toute tentative de totalisation, offert aux seuls bricoleurs. Inversement le concept, pour se constituer, exige l'abolition des présences dévoratrices, ces monstres dont il mourra. Au milieu de ces apories, à vous de jouer et de jouir : le jeu et la jouissance en valent la *peine*.

Le statut des concepts véhiculés par l'analyse textuelle depuis vingt ans n'a rien de « scientifique ». Entre le concept, l'inventivité de celui qui le manie et l'interprétation qu'il est censé permettre, s'instaure une relation triangulaire complexe et instable. Le concept programme l'action du chercheur à un niveau trop général pour s'appliquer efficacement à telle réalité concrète, si n'interviennent pas des facteurs mal pondérables, l'habileté, le coup d'œil, et l'engagement affectif. Encore tout au plus parvient-on ainsi à des semi-généralisations régionales : celles-ci peuvent (mais qui le dira ?) avoir quelque valeur exemplaire et contribuer à l'enrichissement d'expériences prochaines. Pas davantage. D'où, au niveau du chercheur, une inévitable - une souhaitable ! - personnalisation de l'équipement intellectuel : une *idiolectalisation* (si j'ose dire !) du langage critique.

S'agissant d'un fait culturel de vaste extension, comme la poésie orale, ce langage constitue moins un instrument d'analyse que de traduction. Il tend à transférer le fait dans un contexte autre (celui même de mon écriture), à l'intégrer dans le plan d'intellection d'un universitaire occidental de la fin du XXᵉ siècle... Le général, le généralisable émergeront d'un singulier perçu comme tel, c'est-à-dire dans sa subversité. L'écoute du singulier ne fait que répondre à un besoin de plaisir ; dans celui-ci, elle s'épuise. L'interprétation, qui est de l'ordre du désir, pourchasse, interroge, menace, torture cette singularité pour lui arracher un secret d'importance peut-être universelle... que ses fantasmes l'empêcheront toujours de comprendre de façon définitive [1].

Pourtant le nombre des possibles est fini. L'œuvre entière d'un Gilbert Durand ou d'un Edgar Morin, après Jung, Eliade et Lévi-Strauss, témoigne de l'existence de configurations mythiques et psychiques fondamentales, définitoires du fait de culture. La linguistique, la sémiotique contribuent au même resserrement de l'horizon spéculatif. C'est là, peut-être, notre chance : substituer, aux fictions anciennes de l'unité, l'idée de probables concordances [2].

1. Tedlock 1977, p. 515.
2. Plusieurs points de ce chapitre sont complétés ou explicités dans Zumthor 1982*a* et *b*.

3. Le lieu du débat

« Littérature orale » et poésie orale. Quel est l'objet de ce livre. - Les genres oraux non poétiques. Le conte. - Un cas exemplaire : le théâtre. - Le texte-fragment.

N'est-ce pas rétrécir abusivement l'horizon de ce livre que de me restreindre à une étude de la *poésie* orale, alors que la notion apparemment plus vaste de *littérature orale* commence aujourd'hui à se répandre parmi les lettrés ?

Plusieurs raisons militent en faveur de cette limitation. L'état des recherches, l'élaboration théorique des matériaux recueillis diffèrent beaucoup, en quantité, en qualité, en méthode, selon les secteurs de cette « littérature » : deux ou trois « genres » ont été privilégiés depuis un demi-siècle, le conte, le proverbe, l'épopée, sans du reste aucune justification de ces choix que les présupposés des divers chercheurs. Quelque opinion que l'on s'en forme, leurs travaux servent de point de départ (en fait, sinon toujours en principe) à tout ce qui se dit aujourd'hui de la littérature orale en général. D'où les inévitables distorsions et, souvent, les conclusions abusives. Ainsi, en ce qui me concerne, les nombreuses études consacrées, durant les années cinquante, soixante, soixante-dix, à l'« épopée vivante » ne peuvent pas ne point s'intégrer à mon propos (je leur consacre le chapitre VI) ; l'immense bibliographie relative aux contes me sera, en revanche, de peu d'utilité... encore que les frontières entre conte et chanson s'estompent en certaines zones, comme en Afrique noire, où la seconde est souvent partie du premier.

Depuis que P. Sébillot créa, en 1881, l'expression de *littérature orale,* elle désigna tour à tour, dans un sens étroit, chez les ethnologues, une classe de discours à finalité sapientielle ou éthique ; et, dans un sens large, chez les rares historiens de la littérature intéressés par ces problèmes, toute espèce d'énoncés métaphoriques ou fictionnels, dépassant la portée d'un dialogue entre individus : contes, comptines, facéties, et autres discours traditionnels, mais aussi les récits d'anciens combattants, les

45

vantardises érotiques, et tant de narrations fortement typées, tissues dans notre parole quotidienne [1].

Au sein d'un ensemble aussi vaste et peu consistant, la « poésie orale » (selon la définition que j'en dégagerai progressivement) se distingue par l'intensité de ses caractères : plus rigoureusement formalisée, pourvue d'indices de structuration plus évidents. Toute culture, on le sait, possède son propre système passionnel dont on perçoit, à des marques sémantiques plus ou moins dispersées mais spécifiques, les configurations de base dans chacun des textes qu'elle produit. Le texte poétique oral paraît être celui où ces marques sont les plus denses. D'où l'impression que donne parfois la poésie orale, de coller plus étroitement que le conte à ce que l'existence collective comporte, à un niveau profond, de plus répétitif ; d'où une redondance particulière, et une moindre variété dans les thèmes [2].

Même ainsi limité, le champ reste immense. J'entends moins le mettre en culture (si l'on peut risquer ce jeu de mots) que procéder à un premier défrichement : plutôt rassembler que découvrir ; regrouper dans une perspective unifiée, que me lancer dans une ambitieuse synthèse. Au-delà même des trésors accumulés par les ethnographes dans leurs enquêtes en milieu de civilisation traditionnelle, le matériel à embrasser est virtuellement infini. Force est de pratiquer par sondages, en prélevant, à la manière des prospecteurs, des « carottes » en terrains préalablement choisis sur des critères de rendement probable. D'où certaines lacunes, généralement voulues, de ma documentation. Celle-ci, arrêtée (à quelques détails près) en janvier 1981, englobe, avec une bibliographie assez considérable, et quelques dizaines d'enregistrements, un petit nombre d'observations et d'expériences personnelles qu'il m'est arrivé de faire, depuis 1975, de façon non systématique, en Amérique du Nord et du Sud, en Europe occidentale et dans les Balkans, en Asie centrale, au Japon et en Afrique noire. J'ai en revanche évité d'invoquer la poésie orale du Moyen Age européen, à laquelle j'envisage de consacrer un prochain ouvrage : de cet ensemble très riche et bien diversifié, je n'ai guère cité çà et là pour référence que le *Romancero* hispanique et les ballades anglaises, dont la chronologie déborde largement sur l'époque moderne.

Les nombreux exemples que j'allègue en cours de route ne comportent aucune prétention à l'exhaustivité. Je les conçois comme de simples illustrations, sinon des vignettes marginales.

Enfin, dernière restriction, dans la mesure (assez incertaine !)

---

1. Eliade ; Du Berger 1971, § 01/1 à 01/8 et 10 ; Mouralis, p. 37.
2. Lomax-Halifax, p. 236 ; Scheub 1977, p. 337 ; Finnegan 1976, p. 77-78.

du possible, je circonscris, dans la «poésie orale», un sous-groupe, la «poésie chantée», sur lequel je concentre l'attention et l'ouïe. Je ne doute pas de m'accorder, ce faisant, une facilité. Du moins suis-je persuadé (et j'espère le prouver) que cet artifice permet d'atteindre d'emblée quelque chose de central, à partir de quoi le panorama s'éclaire... jusqu'aux confins de la «littérature orale» au sens large, sinon de toute littérature.

On s'en tiendrait à tort, néanmoins, à l'idée d'ensembles d'extension décroissante et hiérarchiquement emboîtés : littérature orale, poésie orale, poésie chantée. Aucun de ces termes ne renvoie à une réalité assez nette pour assurer tout à fait sa définition. Il s'agit là moins de formes statiques que de dynamismes tantôt convergents, tantôt divergents, au sein d'un même et complexe mouvement.

Il n'en est pas moins utile, en un premier temps de l'analyse et de façon provisoire, de poser par hypothèse l'existence de classes, et de groupes interdépendants de classes. C'est ainsi, quitte à réviser la notion par la suite, que l'on situera la poésie orale relativement aux divers «genres» qu'elle englobe ou auxquels elle s'oppose : genres dont on peut présumer que la plupart existent en germe dans les actes de langage ordinaires.

Certes, le terme de *genre* n'est pas sans danger. De toutes parts on en met aujourd'hui en question le contenu : chargé de valeurs conventionnelles propres à la culture occidentale «classique», il se prête mal à l'universalisation. On se passerait néanmoins malaisément d'une notion permettant d'englober - quel que soit l'environnement culturel - certaines variétés de discours :

(1) spontanément identifiés pour tels ;

(2) référant à un savoir social relatif à des actions tenues pour significatives ;

(3) répondant, chez celui qui les prononce et chez ceux auxquels ils s'adressent, à une attente spécifique, comparable à ce qu'est l'imminence d'un passage à l'acte.

C'est en ce sens très élargi que (faute de mieux... et le moins possible !) j'emploierai le mot *genre* dans la suite de ce livre. Il me servira donc à désigner des séries entre les unités desquelles se constatent des ressemblances soit fonctionnelles, soit résultant de configurations de traits lexicaux, grammaticaux, parfois sémantiques. Encore faut-il que ces ressemblances soient assez nombreuses et organisées pour apparaître comme une figure programmatique, une ébauche au moins de modèle commun, tel que chaque «œuvre» y ait son lieu en même temps que, partiellement, elle s'en évade[1].

1. Todorov 1978, p. 44-54, et 1981, p. 125-129 ; Genette 1979, p. 58-59.

47

Dans la littérature orale, les « genres », quels qu'ils soient, présentent une conventionnalité particulière, nécessaire au fonctionnement de la communication : les marques en résident dans la situation autant ou plus que dans le texte. Je reviendrai, spécialement au chapitre VIII, sur ce caractère. Or, les situations comportent bien souvent une certaine fluidité... comme en témoignent parmi nous des « genres » aussi bien reconnaissables et aussi mouvants que la devinette, l'histoire drôle, le proverbe ou la chanson gaillarde, non moins que, chez les pratiquants, diverses prières. Dans la plupart des ethnies de la Haute-Volta, conte, proverbe et devinette constituent un ensemble fonctionnel dont les éléments se rangent en sous-classes selon l'âge, le sexe, la fonction sociale de celui qui les prononce, et parfois le moment du jour où il se fait entendre.

Je consacrerai en partie le chapitre V à l'examen des « genres » constitutifs de la *poésie* orale. Mais il y en a d'autres - « genres oraux non poétiques », si l'on veut ! - par rapport auxquels je suis amené à circonscrire mon objet.

La plupart des ethnologues adoptent, sans se poser à cet égard de question théorique, un classement aux critères assez flous : mythes, contes, légendes d'une part ; proverbes, devinettes, formules rituelles de l'autre ; épopée ; chansons ; en Afrique, on y ajoute habituellement les généalogies, les devises, les discours coutumiers. Bric-à-brac terminologique, dénué de valeur critique, et rarement employé sans approximation. Divers essais de systématisation ont été néanmoins tentés depuis une quinzaine d'années : opérant par regroupement thématique, ou fondés sur l'analyse structurelle, l'interprétation archétypale, la fonction sociologique... à moins qu'ils ne procèdent, comme chez D. Ben Amos, à partir de la notion de « modélisation culturelle [1] ».

On est ainsi parvenu, dans plusieurs cercles savants, à définir, hors des à-prioris d'origine littéraire, des classes de paroles ressenties par les usagers, dans certaines circonstances, comme spécifiques. Ce classement peut embrasser jusqu'aux formules de salutation ou d'injure, aux jeux traditionnels de mots ou de sons, aux boniments ou aux sermons populaires, les seuls critères retenus étant une relative fixité morphologique et un mode de fonctionnement concret. Telle est la perspective dans laquelle je situe les éléments de définition que je proposerai des diverses formes de poésie orale [2].

1. Agblemagnon, p. 175-189 ; Vansina 1971, p. 445 ; Eno Belinga 1978, p. 68-101 ; Maranda-Köngäs ; Sherzer, p. 193-195 ; Voigt 1973 ; Scheub 1977, p. 338-340.
2. Abrahams 1969 ; Ben-Amos 1974 et 1976 ; Houis, p. 4-7 et 13-23 ; Burke, p. 69-71.

Il convient de faire intervenir, par ailleurs, le vocabulaire de la langue utilisée dans les «genres» à définir : on ne saurait en effet sans raisons nécessaires distinguer entre des faits que la langue vivante n'enregistre pas séparément [1]. L'expression *conte de fées* en français constitue un indice, peut-être la preuve, de l'existence, dans la tradition francophone, d'un «genre» senti comme particulier ; de même, le mot *romance*... tandis que l'espagnol *romance* (au masculin) renvoie à un genre en tous points différent. Les genres n'ont finalement d'identité que dans leur contexte culturel ; les traits qu'y discerne l'analyse ne deviennent pertinents que par lui : rapport dialectique, que manifeste, le plus souvent, le vocabulaire usité dans le milieu considéré, que celui-ci soit une ethnie prise globalement, une classe sociale, ou un cénacle d'initiés...

Enfin, la prise en considération de paramètres historiques complique parfois les schèmes d'analyse au point de les rendre mal utilisables : toute hiérarchie devient mouvante ; et, sous le couvert d'une surface apparemment immuable, les rapports systématiques s'interchangent ou se retournent, des invariants nouveaux apparaissent, les contenus se transmuent : ainsi, chez les Hunde du Congo, nombre de chansons traditionnelles ont fini par se réduire à de courts proverbes, fonctionnent comme tels [2].

Quant aux «formes simples» de Jolles, sans vouloir trancher sur le fond, je pense n'en avoir ici que faire. Contestée, parfois rudement, dans les années soixante, bousculée (sous prétexte de révérence) par Bausinger en 1968, cette théorie mentaliste découle de présupposés dont les justifications de H. R. Jauss atténuent à peine l'idéalisme, pas plus qu'elles ne suffisent à en élargir la fragile base philologique [3]. Formulation linguistique primaire des attitudes archétypales de l'esprit humain, les «formes simples», au nombre d'une dizaine, seraient les modèles de toute «expression» : modèles qui, au fur et à mesure de leur actualisation, se «littérariseraient» davantage. Rien de ce discours ne réfère spécialement à la poésie orale, qui demeure étrangère, comme telle, à son horizon.

Je ne m'interrogerai pas autrement sur ce point. Je relèverai en revanche une question posée implicitement par Jolles, et qui concerne avec immédiateté mon objet : tout discours est-il, ou n'est-il pas, récit ? Les «formes simples» en effet, directement

1. Ben-Amos, 1974, p. 283-286 ; Bouquiaux-Thomas, I, p. 108 ; Dournes, 1976, p. 186-189.
2. Okpewho, p. 247.
3. Bausinger, p. 212-213 ; Utley, p. 91-93 ; Pop 1970, p. 120-121 ; Ben-Amos 1974, p. 272-273 ; Jauss 1977, p. 34-47 ; Segre 1979, p. 577.

49

ou de façon à peine biaisée, dans la description qu'on en donne, sont narratives.

En donnant des positions de Greimas une interprétation large, on admettrait qu'une narrativité généralisée, et comme virtuelle, investit toute forme de discours organisé. Les manifestations linguistiques la restreignent et la spécifient, en la liant aux formes figuratives [1]. Pierre Janet déjà disait que ce qui créa l'humanité, c'est la narration. Nul doute que la capacité de raconter ne soit définitoire du statut anthropologique ; qu'inversement souvenir, rêve, mythe, légende, histoire et le reste ne constituent ensemble la manière dont individus et groupes tentent de se situer dans le monde. Il ne serait pas absurde de poser par hypothèse que toute production d'art, en poésie comme en peinture et dans les techniques plastiques, architecture comprise, est, au moins de façon latente, récit. Et la musique ? Peut-être ; sûrement de manière seconde et par renvoi.

Le récit proprement dit émerge quelque part dans une série continue de faits de culture : mais où donc ? Considérera-t-on comme récits les noms métaphoriques ou métonymiques, donnés traditionnellement en Afrique, chez les Amérindiens, ailleurs encore, aux individus humains, voire, comme souvent dans nos campagnes, aux animaux domestiques ? On touche ici à une limite : une forme minimale et un maximum allusif. D'où l'existence, en Afrique, des « devises », que les spécialistes n'ont jamais hésité à classer comme un genre poétique, et qui consistent en une explicitation du nom [2].

Mais encore : la parole et l'écriture sont-elles en cela régies par les mêmes tendances ? Ne pourrait-on soupçonner un Meurtre du récit, dans certains passages de l'une à l'autre ? L'accompagnement gestuel, fondamental dans toute forme de littérature orale (et auquel je consacre le chapitre XI), ne pourrait-il être interprété comme teneur narrative, sur laquelle et par rapport à laquelle s'épanouit la polyphonie discursive ?

Ces raisons mêmes m'inclinent à écarter la narrativité comme critère générique, sauf en quelques cas extrêmes sur lesquels je m'expliquerai. Des termes tels que *conte, mythe, fable* et d'autres dessinent artificiellement, dans l'ensemble illimité des discours narratifs, des frontières à la fois imposées et sans cesse mouvantes. Fait-on intervenir des distinctions modales (elles-mêmes fragiles : je le montrerai au chapitre X) entre la prose et le vers, le dit et le chanté, on n'avance pas davantage sur la voie des

---

1. Ricœur ; Greimas 1970, p. 159 ; Greimas-Courtès, p. 248-249.
2. Awouma-Noah, p. 8-10 ; Poueigh, p. 93, 190-201.

spécifications : il y a, en plusieurs régions du monde, des contes chantés ; et, partout, des chansons narratives, de toute espèce et de toute durée : quel principe tranchera entre bonnet blanc et blanc bonnet ? Ici encore, l'histoire contribue à brouiller davantage le tableau : les exemples ne manquent pas, de chansons qui, tombant comme telles en désuétude, survivent plus ou moins longtemps sous formes de contes[1].

Il n'en reste pas moins qu'à l'abri de ces termes conventionnels de *conte* et *mythe*, anthropologues, folkloristes, narratologues ont poussé très loin la réflexion sur la littérature orale en milieu préindustriel ; et, pour sectorielle que soit cette avancée, et gauchie par des habitudes héritées de la linguistique, on ne saurait l'ignorer.

Depuis près d'un siècle, le « conte » (dont on n'a pas dénombré moins de soixante définitions !) a fasciné lettrés et critiques[2]. Cet attrait fut provoqué d'abord par le spectacle que, dans l'espace et dans le temps, offre en surface (et peut-être illusoirement) ce genre où transitent des formes de l'imaginaire aux apparences à la fois constantes, mouvantes et évolutives. Phase thématique de la recherche, qu'accompagna un vaste mouvement de collecte et de publication de contes, à travers le monde entier - mouvement qui se poursuit intensément de nos jours : ainsi en France, sous l'impulsion de J. Cuisenier. Dès les années trente, l'anthropologie s'empara de cette riche matière ; vers 1960, elle convergeait, grâce à la découverte des travaux de Propp, avec le structuralisme triomphant. Une sémiologie narrative naquit de cette union, exemplaire dans ses prétentions scientifiques au point de suggérer un peu plus tard les principes d'un renouvellement de la pédagogie du langage.

En un temps où chacun s'interroge sur la portée, voire la légitimité, des études littéraires, le conte présente en effet un aspect réconfortant : aux confins des domaines de l'écriture et de la voix, il semble en attester la continuité et l'homogénéité. Néanmoins, les méthodes issues du formalisme, constituées en vue de l'étude de monuments écrits, impriment artificiellement à ce qu'elles saisissent la marque de l'écriture : véritable mutation imposée à l'objet quand celui-ci, dans la pratique, ne tient en rien de cette dernière. Ce n'est pas sans raison que la sémiotique, depuis cinq ou six ans, pour sortir du monde proliférant et clos

1. Davenson, p. 169, 199.
2. Calame-Griaule 1980*a* ; Segre 1980, p. 693-694 ; n° 43 (1978) de *Le Français d'aujourd'hui*, et 45 (1982) de *Littérature*.

où elle était en passe d'étouffer, se détache des textes comme tels pour s'orienter vers l'analyse des types de discours... [1].

On formulerait des réserves analogues, à l'égard des diverses classifications proposées des contes, qu'elles soient thématiques ou fonctionnelles. L'immensité de la matière exige certes l'emploi de critères distinctifs, et ceux que l'on choisit ainsi ne peuvent être rejetés de façon pure et simple. Mais ils laissent ouverte la question principale, relative à l'usage de la voix. En situation réelle, les cases de toute classification deviennent perméables ; et les manifestations du sens, toujours plus ou moins hybrides [2]. Un discours concret, loin de renvoyer à des coordonnées typologiques, met en œuvre une énergie destructrice des coordinations.

Par tendance originelle, les analyses d'inspiration structuraliste réduisent l'idée de fonction à ce qui est interne au texte : elles reposent sur une opposition entre action et composition (ou de quelque nom qu'elles les désignent) analogue à celle que posa jadis Saussure entre langue et parole. A cette conception immanentiste, le poéticien - auquel les études sur le conte fournissent un indispensable terme de comparaison - préférera un pragmatisme comme celui de Fabre-Lacroix et d'Alvarez-Pereyre, branché sur le fonctionnement social et la réinterprétation individuelle incessante des discours.

Vers 1930, confie dans ses Mémoires un Eskimo (ou mieux : Inuit) canadien, conter faisait la vie : entre enfants on en organisait des concours ; le grand-père prenait son tambour et se mettait à chanter l'Arctique, les chasses, les danses, ses femmes, les guérisseurs d'autrefois... [3]. Cela, dans sa banalité, compte d'abord : chacun de ces récits, grâce à la chaleur d'une présence plus que par son prétexte, comblait un vide du monde, jamais le même puisque les jours changent ; et la nature de ce vide dans la sensibilité du conteur et de ses auditeurs en constituait la détermination la plus puissante, à laquelle les autres (thématiques, structurelles, linguistiques, tout ce qu'on voudra) servaient de matière et d'instrument. Les distinctions même se brouillaient, qu'à froid l'on opère dans la tribu, entre ce qui concerne l'homme et ce qui concerne les dieux.

Quel type de connaissance le conte véhicule-t-il, et quel rôle sociologique remplit cette connaissance, quelle finalité lui est attachée ? S'agit-il de pur divertissement, de récit initiatique, ou quoi d'autre [4] ? Ces interrogations ne concernent pas moins la

---

1. Pop 1970 ; Maranda-Köngäs, p. 21-36 ; Voigt 1977, p. 226-227.
2. Paulme ; Savard 1976, p. 58-59.
3. Thrasher, p. 26.
4. Agblemagnon, p. 140-141, 189 ; Copans-Couty, p. 12, 16-17.

52

poésie orale : j'insisterai, par la suite, sur leurs implications. Mais encore ne peut-on négliger les variations individuelles qu'opèrent sur ces règles, en vertu de leurs besoins particuliers et de la qualité de leurs rapports mutuels, le conteur et ses auditeurs. Le conte, pour celui qui le dit (comme la chanson pour celui qui la chante), constitue la réalisation symbolique d'un désir ; l'identité virtuelle qui, dans l'expérience de la parole, s'établit un instant entre le récitant, le héros et l'auditeur engendre selon la logique du rêve une fantasmagorie libératrice [1]. D'où le plaisir de conter, plaisir de domination, associé au sentiment de piéger celui qui écoute, capté de façon narcissique dans l'espace d'une parole apparemment objectivée. Quoique la séduction du chant opère, nous le verrons, à un autre niveau, l'effet n'en est pas d'ordre différent.

Dans les sociétés archaïques, le conte offre à la communauté un terrain d'expérimentation où, par la voix du conteur, elle s'essaie à tous les affrontements imaginables. D'où sa fonction de stabilisation sociale, laquelle survit longtemps aux formes de vie « primitive » et explique la persistance des traditions narratives orales, par-delà les bouleversements culturels : la société a besoin de la voix de ses conteurs, indépendamment des situations concrètes qu'elle vit. Plus encore : dans l'incessant discours qu'elle se tient sur elle-même, ce dont la société ressent le besoin, c'est de toutes les voix porteuses de messages arrachés à l'érosion de l'utilitaire : du chant, non moins que des récits. Besoin profond, dont la manifestation la plus révélatrice est sans doute l'universalité et la pérennité de ce que nous désignons du terme ambigu de *théâtre*.

Plusieurs traits permettent en effet de cerner, sous l'extrême diversité de ses manifestations, l'unité foncière d'une forme éminente et très élaborée d'art oral. L'artifice qui structure le discours y est d'ordre mimétique : il embrasse une situation entière... au point que l'effet de langage, élément parmi d'autres de cette situation, se réduit, dans les cas extrêmes, à presque rien, et parfois s'annule, l'acteur abandonnant aux spectateurs la mission de verbaliser ce qu'ils voient : ainsi, de la pantomime antique, de nos parades militaires, ou du théâtre expérimental des années soixante-dix, chez Robert Wilson, Richard Foreman ou Meredith Monk.

Une situation de communication orale primaire (l'acteur me parle) engendre une situation seconde (il parle à un autre acteur), posée fictivement comme primaire ; et la puissance du jeu sur ma

1. Wilson (A.).

conscience va jusqu'à effacer le sentiment de cette fiction : je m'identifie au récepteur de ces paroles, au porteur de la voix qui répond. Il semble qu'une communauté humaine ait besoin, pour subsister, d'éprouver de temps à un autre un tel dédoublement. En marge des formes canoniques d'un théâtre chez nous, dès le XIVe siècle, imbibé de littérature, se sont ainsi maintenues, avec l'opiniâtreté d'un instinct social, dans la culture européenne, les traditions d'une «dramatique populaire», jusqu'il y a peu très vivantes : prolongement folklorisé du *mistère* médiéval ou survivance de rites beaucoup plus anciens, des *maggi* italiens à certains *noëls* de Roumanie, aux processions à cantiques et aux «missions» encore fréquentes, vers 1940, dans nos paroisses paysannes [1].

La poétisation théâtrale rend superflue la description des circonstances : un décor, s'il y en a, symbolise celles-ci ; mais, par rapport à ce que perçoit immédiatement l'auditeur-spectateur, il le fait de façon redondante. Cette redondance pèse lourd sur le message dramatique, et périodiquement l'on voit resurgir des formes de théâtre «d'action» tentant de réduire l'écart entre les deux situations de communication et, par là même, de faire l'économie du décor. Les «chœurs parlés» qui, avant la Seconde Guerre mondiale, jalonnèrent l'histoire des mouvements de jeunesse européens, ne requéraient pas d'autre symbolisation que la présence même de la masse humaine à laquelle ils donnaient parole.

Ce qui est ici en jeu, c'est une qualité propre de la voix. Dans sa fonction première, antérieure aux influences de l'écriture, la voix ne décrit pas ; elle agit, abandonnant au geste le soin de désigner les circonstances. Les contes de tradition orale, on l'a souvent constaté, ne comportent pas de descriptions... sinon merveilleuses, c'est-à-dire servant à rejeter les circonstances présentes. Au théâtre, le geste a plus d'ampleur : la scène entière s'organise autour de lui. Dans la *commedia dell'arte* - l'un des termes ultimes atteints par la tradition théâtrale en Occident -, la gestualité se subordonnait le langage : les recettes qu'à la fin du XVIIe siècle donnait l'illustre Napolitain Andrea Perucci dans son *Arte* visent à régulariser, en la rendant irréversible, cette subordination [2]. Mais ainsi le geste, loin de l'étouffer, valorise le langage. Celui-ci explicite la signification du geste. Une tension se crée entre eux, dont procède la force théâtrale, mise au service, selon les temps et les cultures, de la commémoration, de l'invention ludique ou de la conjuration du destin.

1. Stewart ; Bausinger, p. 224-247 ; Abrahams 1972, p. 352-359 ; Bronzini, p. 8-38 ; Alexandrescu ; Finnegan 1976, p. 502-509.
2. Bragaglia, p. 159-271 ; Couty-Rey, p. 10-15.

Dans le Bali du XIVᵉ siècle, le théâtre, rituellement célébré, pour le peuple entier, à l'intérieur du palais royal de Gelgel, signifiait l'État même, en rendait manifeste la substance, au point que la finalité ultime de celle-ci semblait être de produire cet Acte, et la Parole qu'à son tour il engendrait. La relation des Églises chrétiennes médiévales à leur liturgie (autre forme de théâtre) ne différait guère de celle-là[1].

Dans la tradition théâtrale japonaise, le rituel recule au profit du jeu. Un art se constitue et se diversifie dans, par et pour une action pure, stylisant et codifiant le geste et le langage avec tant d'exactitude que la qualité la plus personnelle de l'acteur s'en trouve exaltée : sa voix même, le déploiement de ses tonalités, sa richesse phonique ; non seulement dans le *nô* ou le *kabuki*, genres très complexes, mais jusque dans les formes plus simples du *kodan* ou du *rakugo*[2].

En Chine, aux époques anciennes, il semble que l'ensemble des activités collectives aient convergé vers ce qui devenait un théâtre, en aient suscité les formes multiples, danse, jonglerie, fêtes paysannes, sports, rites chamaniques ou royaux, rassemblés autour d'une voix qui s'élève. Ou bien, inversement, une voix s'institutionnalisait en s'alliant au geste symbolisateur : la prédication bouddhique joua un grand rôle dans la formation de plusieurs modèles dramatiques d'Asie.

La voix humaine, ainsi liée, par œuvre d'art, à la totalité de l'action représentée, en unifie les éléments. En ceux-ci fictivement reposent sa cause et sa fin, et par là elle les justifie : circularité où des moralistes flairèrent, à certaines époques et dans plusieurs cultures, quelque diablerie. Le théâtre de marionnettes (lui aussi d'extension universelle) en constitue la contrepartie et comme l'exorcisme, puisque le jeu des poupées y trouve sens grâce à une voix qui ne leur appartient pas.

Toutefois, les liens du théâtre avec le rite et la danse, sa ressemblance avec le jeu ne l'identifient pas vraiment à ces activités-là, l'y rattachent plutôt par les canaux de quelque racine commune : ce qu'il y a de conflictuel, sous-jacent à toute culture. Je reviendrai à cette question aux chapitres V et XV. « Polyphonie d'information » comme disait Roland Barthes, le théâtre apparaît, de façon complexe mais toujours prépondérante, comme une écriture du corps : intégrant la voix porteuse de langage à un graphisme tracé par la présence d'un être humain, dans l'épanouissement de ce qui le fait tel. En cela, il constitue le modèle absolu de toute poésie orale.

1. Geertz, p. 334-335.
2. Sieffert 1978*b* ; Zumthor 1981*a*.

Je ne toucherai plus au théâtre que par brèves allusions dans la suite de ce livre : les problèmes qu'il pose sont d'ores et déjà l'objet d'une littérature critique surabondante. J'admets néanmoins comme un postulat que tous les faits poétiques dont j'aurai à traiter participent en quelque manière à ce qui fait l'essence du théâtre ; que tout ce qui est dit de celui-ci peut, d'une certaine manière, l'être d'eux.

C'est pourquoi le *texte* transmis par la voix est nécessairement fragmentaire. Certes, les analystes du fait littéraire, pour leur part, appliquent parfois à l'écrit ce même qualificatif, en vertu de l'inachèvement d'une Ecriture qui traverse le texte sans s'y arrêter ; en vertu de la tension qui s'instaure entre ce mouvement infini et les limites du discours... Ces traits se retrouvent dans le texte oral, qui ne peut, en tant que *texte*, séquence linguistique organisée, foncièrement différer de l'écrit. Mais la linguistique n'est que l'un des plans de réalisation de l' « œuvre » ; c'est de la combinaison de ces divers plans que provient ici la fragmentarité. La tension en effet à partir de laquelle cette « œuvre » se constitue se dessine entre la parole et la voix, et procède d'une contradiction jamais résolue au sein de leur inévitable collaboration ; entre la finitude des normes de discours et l'infinité de la mémoire ; entre l'abstraction du langage et la spatialité du corps. C'est pourquoi le texte oral n'est jamais saturé, ne remplit jamais tout à fait son espace sémantique.

De plus, au sein de la tradition à laquelle elle ne peut pas n'être point référée, la performance poétique orale se découpe comme une discontinuité dans le continu : fragmentation « historique » d'un ensemble mémoriel cohérent dans la conscience collective. Je reviendrai, au chapitre XIV, sur ce point. L'effet de fragmentation apparaît avec d'autant plus d'évidence que la tradition est plus longue, plus explicite, et embrasse des éléments plus diversifiés. Ainsi, chacun des contes amérindiens étudiés par R. Savard chez les Montagnais est découpé dans une vaste matière narrative, aux parties indissociables et assumant la totalité d'un Savoir : trésor où le narrateur puise à chaque performance selon son désir. Ainsi, plus généralement, toutes les cultures possèdent des « cycles » de légendes, d'épopées, de chansons, super-unités virtuelles dont le propre est de ne jamais s'actualiser qu'en partie.

Les formes d'oralité moins étroitement traditionnelles, comme la chanson contemporaine, estompent l'effet de fragmentation « historique ». Pourtant, telle chanson n'est-elle pas souvent, en fait, perçue et reçue comme fragment de l'ensemble constitué par telle mode, par la production de tel chanteur ou de telle maison de disques, sinon de telle salle de variété ? Ce qui provoque la demande du public, c'est l'ensemble ; ce qui lui répond n'est que fragment.

Cette économie du texte oral a si profondément marqué nos mœurs qu'elle semble avoir influé çà et là sur les modalités même de l'écriture. Quand se lancèrent, dans l'Europe du XIXᵉ siècle, les premiers journaux à grand tirage, n'était-ce pas (pour une part) une habitude héritée de l'oralité populaire qui poussa tant de romanciers à y débiter en tranches de feuilleton leurs ouvrages ? Et la fatigue dont nous témoignons aujourd'hui envers le discours suivi et organisé, le plaisir, que vantait Roland Barthes dernière manière, de ne plus écrire que de petites choses discontinues : tout cela n'est-il pas le symptôme d'une nostalgie ?

4. Inventaire

Universalité de la poésie orale. Oralité attestée dans le passé : problèmes d'interprétation. - L'oralité au présent : ses points d'ancrage culturels.- Types fonctionnels, survivances, reliques. - Traditions et ruptures.

On peut douter qu'il exista jamais dans l'histoire une culture dépourvue de poésie orale : la définition que j'en ai proposée au chapitre I est assez large pour embrasser un nombre presque illimité de réalisations. La question sera de classer celles-ci afin, par la suite, de pouvoir soumettre à l'analyse des genres et des espèces, à égale distance de particularités non théorisables et d'un universel tautologique.

La performance est présent. Tu ne peux me parler qu'à cet instant même, et je ne puis rien entendre du passé (réservons le cas de la parole enregistrée). Pourtant je sais que d'autres parlèrent et entendirent, ou le font en ce moment dans un espace différent du nôtre. De même, il y a la poésie orale qui s'adresse à moi, ici et maintenant ; celle qui, prononcée dans le passé, n'est plus qu'objet de recherche historique ; et celle qui, dans mon présent, s'entend au-delà de mon lieu : il est vrai que je détiens, en principe, la liberté de changer ce lieu, de sorte qu'aujourd'hui 8 juin 1981, écrivant ces lignes à Paris, France, je suis potentiellement l'auditeur de tel griot de ma connaissance à Bobo-Dioulasso. On resserrera donc la fourchette, pour ne conserver que le paramètre temporel et, en première approximation, considérer séparément une poésie orale appartenant au passé - non perceptible et seulement constatable en archive mais à ce titre indéfiniment déployée dans le temps - et une poésie au présent, perçue par l'oreille dans un espace concret mais (sauf exceptions) sans dimension temporelle pertinente.

Je tire de ma bibliothèque, à portée de bras, une édition de la *Chanson de Roland.* Je sais (ou présume) qu'au XIIe siècle ce poème était chanté, sur une mélodie que du reste j'ignore. Je le lis. Ce que j'ai sous les yeux, imprimé ou manuscrit, n'est qu'un morceau de passé, figé dans un espace réduit à la page ou au livre. Cette contradiction pose un problème épistémologique que seule la pratique permet, sinon de résoudre, du moins d'éclairer empiriquement. Par cumul d'informations sur les mentalités et les mœurs de cette époque lointaine, on tente de suggérer ce qui s'y passait, on suscite une représentation imaginaire de la *Chanson en acte*... et l'on s'efforce de l'intégrer au plaisir que l'on ressent (je le souhaite) à cette lecture ; d'en tenir compte, le cas échéant, dans l'étude historique que l'on fait du texte.

L'ambiguïté de la situation est à peine moindre si le texte poétique ancien nous a été transmis avec une notation musicale. Celle-ci, il est vrai, constitue une preuve, et la moins récusable, d'oralité. Elle autorise une reconstitution partielle de la performance : c'est ainsi que les disques, parfois excellents, enregistrés par divers médiévistes musicologues jusqu'à G. Le Vot nous permettent d'*entendre* les chansons de plusieurs troubadours à peu près contemporains du *Roland*. L'effet de distance temporelle et d'étouffement sensoriel est fortement atténué. Pourtant, il n'est pas aboli : preuve en soient les querelles d'école relatives à l'interprétation des mélodies anciennes.

En généralisant, je proposerais de classer les faits de poésie-orale-dans-le-passé selon la nature des indices d'oralité qui en permettent l'identification. Encore faut-il distinguer deux situations :

- ou bien nous possédons un texte écrit : reproduction ou résumé, imitation ou exploitation littéraire du texte prononcé lors de la performance ;

- ou bien nous n'avons qu'une place en creux, au mieux quelques débris repérables, mais pas de texte : une absence, prouvée.

Le premier cas pose des problèmes complexes d'interprétation ; le second, de reconstitution. Mais ces problèmes s'énoncent dans des perspectives différentes : l'interprétation opère sur le particulier ; la reconstitution, sur des tendances globales et des schèmes génériques.

Pourtant, qu'il y ait ou non texte, il suffit bien souvent que se dessine à l'horizon du chercheur une probabilité, même lointaine et purement analogique, d'oralité, pour que joue chez lui, historien ou ethnologue, un présupposé venu du romantisme (conforté par le positivisme ultérieur !) : au commencement était l'Oral. Vraisemblance chronologique, mal récusable si l'on remonte à un passé très lointain, mais que l'on ne saurait jamais tenir pour acquise : je ne la considérerai donc pas comme telle.

D'un texte conservé par écrit, l'oralité peut être établie, avec une probabilité plus ou moins grande, sur quatre espèces d'indices.

D'une part, les indices anecdotiques : un texte composé pour la lecture contient, sous forme de citation, un autre texte présenté comme un emprunt à la tradition orale. Ainsi, les poèmes insérés dans les chroniques japonaises du VIIIe siècle ; ou la *Chanson du roi Chlotaire,* du IXe français[1]. L'interprétation en fait souvent difficulté : comment mesurer, par rapport à la performance, la déviance de la citation, du seul fait qu'elle en est une? Le caractère probant de l'indice néanmoins reste fort.

En second lieu, les indices formels, résultant de procédés stylistiques que l'on suppose liés à l'usage de la voix : c'est sur cette considération que la plupart des exégètes admettent l'existance d'une tradition orale des psaumes bibliques, avant leur fixation par écrit ; que les sinologues repèrent, dans les poèmes du *Che-King* (IIe siècle avant notre ère), plusieurs chansons populaires archaïques, liées à des fêtes paysannes ; que l'on décèle, dans le *haikai* japonais, les traces d'une ancienne coutume de joutes poétiques improvisées, relevée au XVIIe siècle par Bashô qui la littérarisa en l'intégrant à la pratique d'autres genres[2]. L'expression dont se désigne le texte peut fournir un indice lexical minimum : ainsi, l'expression de «*chanson* de geste» qui figure dans plusieurs de ces poèmes.

D'autres indices, plus problématiques, sont parfois recherchés dans les allusions qu'est censé contenir le texte à divers événements, et qui nous renverraient à des circonstances impliquant une transmission orale : ce genre d'argumentation a été employé à propos de poèmes mozarabes des XIe et XIIe siècles découverts dans les années cinquante.

Enfin, on peut, de pratiques contemporaines, induire, à tort ou à raison, l'oralité ancienne d'un genre poétique, voire d'un texte particulier. Ainsi, l'existence, aujourd'hui encore, dans l'Asie du Sud-Est, de lectures publiques du *Râmâyana* semble prouver la haute antiquité d'une tradition orale de cette épopée... dont les versions écrites avaient déjà deux siècles d'âge au début de notre ère. Ainsi encore du chant d'hymnes védiques, que l'on entend de nos jours en Inde.

En l'absence de texte, les ambiguïtés augmentent et aucune question ne supporte de réponse qu'à un niveau de prudente généralité.

Une tradition écrite peut être rapportée entière à une tradition orale, simultanée ou antérieure, en vertu de vraisemblances tirées de l'histoire littéraire, comme telles hypothétiques. C'est ainsi

1. Brower-Milner, p. 42 ; Zumthor 1963, p. 51-53.
2. Lapointe, p. 131 ; Diény, p. 6-9, 64-65 ; *Dictionnaire historique du Japon* (Tokyo, Maison franco-japonaise), II, p. 24-25 (1970).

que procèdent les spécialistes envers les hymnes sumériens du second millénaire, la poésie japonaise du haut Moyen Age, ou la littérature chinoise de l'époque Song (X-XIIIᵉ siècles[1]).

Ou bien l'on se fie à des documents signalant, sans citation de textes ni référence explicite, l'existence d'une poésie orale en un temps et un lieu donnés. Ainsi, des condamnations monacales portées, aussi bien dans la Chine bouddhique que dans l'Occident chrétien, durant tout le Moyen Age, contre les chansons paysannes, amoureuses ou satiriques, les déplorations, les refrains de danse, on déduit l'existence de traditions correspondantes.

L'oralité passée échappant à l'observation, aucun de ces indices, quelle que soit sa pertinence, ne peut être apprécié ni exploité que de façon approximative et par référence aux caractères de l'oralité dans le présent. La connaissance à laquelle ils introduisent est une connaissance seconde, inévitablement problématique.

Les faits d'oralité dans le présent se distinguent de manière radicale selon qu'ils comportent transmission directe ou médiatisée : j'ai insisté sur ce point au chapitre précédent. La médiatisation implique en général inscription dans les « archives » sonores. Le texte est ainsi libéré des contraintes immédiates du temps : à l'instant de la performance, la chanson, le poème existent à la fois dans le présent et, virtuellement, dans un avenir que limite seule la résistance matérielle du disque ou de la bande. Dès l'achèvement de la performance s'ajoute à cette dimension, et dans les mêmes limites, le passé.

Je voudrais suggérer ici quelques critères de classement indépendants du caractère - direct ou médiatisé - de la performance. Je les fonde, par référence à mon propre présent (le seul où je puisse entendre), sur le mode d'intégration culturelle des messages poétiques transmis. Certains de ceux-ci, émis par des cultures étrangères à celle à quoi j'appartiens, citadin occidental du XXᵉ siècle, me parviennent d'un ailleurs que j'identifie comme tel : qu'il s'agisse d'une chanson de chasse entendue dans la brousse voltaïque ou d'un disque folklorique français. D'autres messages au contraire, issus de mon milieu culturel même, dans la chaleur de son actualité, je les perçois directement dans leur fonction et leur nécessité... même si quelque raison personnelle en motive de ma part le rejet.

Notre civilisation technologique, aux mythes encore dominés (en Europe du moins) par le modèle de l'écrit, tend à occulter les valeurs de la voix. Dans d'autres parties du monde, diffusée plus

1. Brower-Milner, p. 39-41 ; Alleton, p. 220.; Finnegan 1978, p. 493-494.

récemment et dans un sol moins propice à son rapide enracinement, cette même civilisation laisse mieux percevoir une réalité
qu'à long terme elle condamne mais avec laquelle, provisoirement, elle compose. Les sociétés africaines en offrent le parfait
exemple.

Quoique, contrairement à un préjugé répandu, elles connaissent
depuis des siècles l'usage de l'écriture, les cultures qu'elles
élaborèrent au cours de leur histoire faisaient de la voix humaine
l'un des ressorts du dynamisme universel et le lieu générateur des
symbolismes cosmogoniques, mais aussi de tout plaisir. (J'entends par *culture,* selon une opinion assez générale, un ensemble
- complexe et plus ou moins hétérogène, lié à une certaine
civilisation matérielle - de représentations, comportements et
discours communs à un groupe humain, dans un temps et un
espace donnés. Du point de vue de son usage, une culture
apparaît comme la faculté, chez tous les membres du groupe, de
produire des signes, de les identifier et de les interpréter de la
même manière ; elle constitue ainsi le facteur d'unification des
activités sociales et individuelles, le lieu possible d'une prise en
mains, par les intéressés, de leur destin collectif.) Les cultures
africaines, cultures du verbe, aux traditions orales d'une incomparable richesse, répugnent à ce qui brise le rythme de la voix
vive ; dans de vastes régions (à l'Est et au Centre du continent),
ne se pratique d'art que la poésie et le chant. Le Verbe, force
vitale, vapeur du corps, liquidité charnelle et spirituelle, se répand
dans le monde auquel il donne vie, dans lequel toute activité
repose sur lui. Dans la parole s'origine le pouvoir du chef et de
la politique, du paysan et de la semence. L'artisan qui façonne
un objet prononce (et, souvent, chante) les paroles fécondant son
acte. Verticalité lumineuse jaillissant des ténèbres intérieures,
mais encore marquée de ces traces profondes, le mot proféré par
la Voix crée ce qu'il dit. Il est cela même que nous nommons
poésie[1]. Mais aussi il est mémoire vivante, à la fois pour
l'individu (à qui l'imposition de son nom donna forme) et pour le
groupe, dont le langage constitue l'énergie ordonnatrice. Dans les
sociétés pré-coloniales, la louange du chef contribuait à maintenir
l'identité de son peuple : on en confiait la pratique à des
spécialistes ; les formes en définissaient des genres poétiques
reconnus.

Pourtant toute parole n'est point Parole. Il y a le temps de la
parole-jeu, ordinaire, banale ou superficiellement démonstratrice,
et le temps de la parole-force. Mais cette dernière peut être

1. Calame-Griaule 1965, p. 22-26, 174-180 ; Camara, p. 237-249 ; Jahn 1961,
p. 135-176.

destructrice : équivoque à la manière du feu, l'une de ses images. D'où une série d'ambiguïtés, sinon de contradictions, dans la pratique. On opposera, à la parole populaire, inconsistante et versatile, une parole plus réglée, enrichie de son propre fonds, archive sonore dont le maniement, dans certaines ethnies, est détenu par des «gens de la parole», socialement définis comme tels : ainsi les «griots» de l'Afrique occidentale. Mais, en même temps, la parole est femelle, une connaturalité lui attache la femme ; un anneau fixé dans la lèvre en assurera l'innocuité... C'est au cœur de ce monde fantasmatique que s'élève la voix de la poésie africaine : moins œuvre qu'énergie, «travail de l'être dans son éternelle répétition[1]».

L'opposition ainsi marquée est parfois nette ; souvent, elle apparaît mouvante ou floue. Historiquement, le blues appartient à un folklore noir du sud des Etats-Unis, datant du milieu du XIXe siècle. Pourtant, le rôle même qu'il joua dans la rapide séquence d'événements et d'innovations qui bouleversèrent les techniques musicales et l'art du chant au XXe siècle lui assure aujourd'hui des racines vivaces dans notre conscience culturelle. La distinction proposée n'en reste pas moins opératoire, car elle présente l'avantage de prendre en considération les jeux de forces historiques.

La fonction d'une poésie orale se manifeste en effet par rapport à l'«horizon d'attente» des auditeurs : en deçà de tout jugement rationnel, le texte répond à une question posée en moi. Parfois il l'explicite en la mythifiant, ou bien l'écarte, ou ironise à son propos ; toujours ce lien demeure, ce point d'ancrage dans notre affectivité profonde et nos fantasmes, dans nos idéologies, ou nos menus souvenirs quotidiens, voire dans notre amour du jeu ou notre goût pour les facilités d'une mode. D'où la force de persuasion particulière, pour les Français de ma génération, des chansons d'un Brassens comme de celles, au style d'attaque si différent, d'un Jacques Brel. Mais pourquoi ne nommer que ces deux-là ? Certaines chansons jouirent, durant plusieurs années, d'un tel pouvoir évocateur dans notre existence commune qu'on les entendait journellement, fredonnées par tout un chacun ; rares étaient ceux qui en auraient pu nommer les auteurs ; peu nombreux, même, ceux qui en connaissaient le texte de manière assurée : *Sombre dimanche* dans les années trente, ou *les Feuilles mortes* un quart de siècle plus tard...

Les grandes passions collectives accélèrent ce mouvement d'identification au point de provoquer, lorsque les circonstances se dramatisent, la participation chorale des auditeurs : ainsi furent

1. Heidegger, p. 233-234.

reprises en chœur, durant nos guerres, tant de chansons de soldats, calmant les peurs ou excitant les regrets compensatoires, le *Chant du Départ* ou la *Madelon* de jadis. Tant de sentiments s'investissent dans le poème ainsi collectivisé que le thème explicite en devient indifférent et le sens se résorbe dans le contexte : ainsi *le Temps des cerises,* dont seule la personnalité de son auteur fait ce qu'il passe pour être, une chanson de Communards[1] ; ainsi, la quasi mythique *Lily Marlène,* rengaine amoureuse tombée aux mains des armées et qu'en 1943-1944 chantaient, de part et d'autre du front occidental, les deux belligérants, chacun dans sa langue ; ainsi, les chansons révolutionnaires, les hymnes nationaux, toute cette poésie de qualité souvent médiocre, mais si bien enracinée dans notre tradition orale vivante qu'en dépit des textes imprimés on la chante de mémoire, souvent un couplet sur dix, avec des *tatatata* pour boucher les trous.

Lorsqu'en revanche elle vient d'un ailleurs culturel, la poésie orale est perçue par l'auditeur (à des degrés divers, selon les circonstances et les individus) comme exotique, minoritaire, marginale - différente en ce qu'elle manque de répondant immédiat. Le plaisir qu'elle procure n'est pas ici en question, et peut tenir à cette différence même.

Ce qui fait exotique ou marginal dans tel milieu peut être fonctionnel dans tel autre ; et ce que l'on ressent aujourd'hui comme différent sera peut-être assimilé ou réassimilé demain : le jazz, dans nos villes, aux premiers temps de sa diffusion hors des ghettos noirs. Mais, en coupe chronologique, à tout instant de la durée, ces contrastes dessinent le paysage du fait poétique. D'où la nécessité de saisir ce dernier par rapport à l'éco-système culturel où il se manifeste ; de le percevoir comme objet conflictuel, au croisement des lignes de force que, dans la plupart de nos sociétés, engendrent ces vacillations.

Aujourd'hui, toute forme, en effet, de poésie orale se détache sur un arrière-fond puissamment dramatisé. Une culture d'origine européenne - liée à la civilisation technologique et en voie d'universalisation rapide et brutale - domine chez la plupart des peuples le champ de l'imaginaire, tend à y imposer ses stéréotypes et en détermine, dans une mesure grandissante, les futurs possibles. Au sein de l'espace européen, il lui a suffi de deux ou trois siècles pour corroder, folkloriser et en partie anéantir les vieilles cultures locales, grâce aux irrésistibles instruments de colonisation intérieure que constituaient l'alphabétisation massive et la diffusion de la presse.

1. Brécy, p. 77-78.

D'où les oppositions, réactions sauvages de défense que, plus près de nous, on engloba sous le nom de «contre-culture» : ensemble de mouvements contestataires et marginaux, à la limite de l'action politique, le plus souvent indifférents à celle-ci... étroitement associés à certaines formes de poésie orale : je reviendrai sur ce point aux chapitres XIII et XV.

Entre-temps, effet des mêmes causes profondes, le déplacement des colonialismes projetait les formes les plus impérieuses de la civilisation désormais triomphante sur les terroirs africains et les archipels de l'Océanie, fracassant d'anciennes et vénérables cultures, savoureuses et fragiles, désarmées devant cette agression. En dépit du grand nombre de fragments qui en subsistent, le traumatisme entraîné par leur dégradation rapide ne constitue pas la condition la plus favorable à l'émergence de nouvelles formes originales de vie, de sensibilité et d'art, chez des peuples ainsi dépouillés de leur intimité.

Dans la plus grande partie de l'Asie, et spécialement en Extrême-Orient, où l'expansion européenne buta sur des civilisations très différentes et hautement structurées, une situation équivoque s'instaura : la plupart des antiques traditions originales furent marginalisées, de façon d'autant plus irréversible que s'implantaient mieux dans ces pays des régimes économiques importés d'Occident. Marginalisation indépendante du rapport numérique entre les groupes concernés : dans l'esprit des détenteurs du pouvoir, c'est la culture technologique internationale qui sert de référence. Lors même que les traditions nationales sont l'objet de mesures conservatoires, elles font désormais figure de fragments culturels, minoritaires parmi les facteurs du dynamisme historique.

Les effets des deux colonisations, interne et externe, se combinent, selon des modalités tenant au rythme des événements et aux particularités géopolitiques, sur le double continent américain. Traditions propres et habitudes mentales des autochtones, des Noirs importés, mais aussi de la majorité des immigrants sans fortune, européens et asiatiques, furent dans le même élan écrasées ou dénaturées sous le rouleau compresseur de la culture technologique.

Par bonheur, celle-ci pas plus qu'une autre ne fait bloc. Certes, toute culture tend au repli sur soi et à la redondance. Mais elle n'est jamais vraiment close. Hétérogénéité foncière, plus ou moins camouflée, et relative ouverture : par l'entrebâillement s'ébauchent des échanges portant, au gré des occasions plus même que des besoins, sur tel modèle économique, telle coutume politique, un trait de langue, un art, la poésie orale... C'est ainsi que peuvent resurgir et reprendre racine des formes d'abord refoulées. Ce qui déjà s'engageait sur la voie de la folklorisation se relève, assumé par une intention vive, utilisé comme point de départ d'une expression nouvelle, à la fois enrichie par une tradition et porteuse de valeurs toutes chaudes ; marquée par une sensibilité que je sens historiquement mienne, investissant une expérience créatrice. Un sens alors se transforme et se dépasse.

Si l'écart s'est trop creusé entre cultures dominante et dominée, un tel effort ne peut guère qu'avorter, avec les honneurs du musée : l'alphabétisation et l'industrialisation ont réduit, en peu d'années à partir de 1925, à l'état de souvenirs touristiques les traditions propres aux populations mongoloïdes de la Sibérie, en dépit d'une politique culturelle en principe généreuse[1].

Ou bien, au contraire, sollicité par l'autre, j'accuse la distance qui nous sépare, je découvre l'immutabilité de mes valeurs traditionnelles, dans ma crainte qu'enrichissement ne signifie contamination. Une émotion à fleur de peau s'attache dès lors à des formes extériorisées. Un sens est aboli ; la folklorisation, irréversible. Le participant devient spectateur ; la nécessité sociale, référence mythique. Sous prétexte d'écologie, la littérature peut feindre de s'abreuver à cette source tarie : la mode en remonte à Rousseau et au *Devin du Village*.

L'idéologie régnante peut s'emparer de ces survivances, comme au Québec, du temps de la Mère Bolduc, vers 1935-1940, le fit l'Église des chansons paysannes traditionnelles : à tel point que la chanson québécoise d'aujourd'hui a dû se faire, en grande partie, contre ce folklore. D'où les malentendus, lorsqu'un isolé tente l'autre aventure : le grand poète qu'est Gilles Vigneault fait presque inévitablement figure, auprès d'un public non québécois, de chanteur régionaliste[2].

Écartant provisoirement la perspective historique, je ramène à deux types les cultures différentes de la nôtre, en sursis dans le monde d'aujourd'hui. Certaines d'entre elles se trouvent menacées, à terme, soit d'assimilation, soit d'étouffement, mais possèdent encore une certaine cohésion interne, insuffisante néanmoins pour assurer à leurs traditions la pleine valeur fonctionnelle qu'elles possédèrent jadis. Ainsi dans la plupart des ethnies africaines, ou chez les Inuit du Canada. D'autres cultures, désintégrées, agonisent, parfois réfugiées dans la seule mémoire d'une tribu, d'une famille, d'un individu : de tel vieux paysan en qui le dialectologue ou le folkloriste en quête d'une tradition alpestre perdue trouve son dernier témoin... Dans le premier cas,

1. Taksami.
2. Millières, chap. I et III.

je parlerai de *survivances* culturelles ; dans le second, de *reliques*. J'applique cette distinction aux faits de poésie orale.

Des exemples de poésie orale « survivante » ? Dans l'embarras du choix, je citerai les ballades roumaines relevées par l'Institut du folklore de Bucarest et dont A. Amzulescu publia en 1964 un premier recueil de trois cent cinquante titres - soit, avec les variantes enregistrées, près de sept mille textes. Brèves histoires, de structure linéaire, de quelques centaines de vers, propres à de petites communautés rurales où les chantent, à l'occasion de certaines fêtes, des amateurs paysans ou des professionnels héritiers des *lautari* épiques attestés depuis le XVIe siècle dans toutes les régions formant aujourd'hui la Roumanie. Du plus illustre de ces chants, la belle *Mioritsa,* publiée pour la première fois, en milieu littéraire, en 1848, mais demeurée populaire, on ne compte pas moins de neuf cents versions ! Très vivante jusqu'à la fin du XIXe siècle, cette poésie a mal résisté à l'urbanisation du pays et ne se maintient guère que grâce à la sollicitude gouvernementale [1].

Exemple de « reliques » : les chansons piémontaises notées en 1908 à Usseglio par B. Terracini et publiées par lui en 1959. Une femme de soixante-dix-huit ans, dernière dépositaire du trésor poétique de ce village, lui avait alors chanté neuf courtes ballades lyrico-épiques, d'une trentaine de vers chacune, formant deux groupes linguistiquement distincts (l'un en dialecte, l'autre en italien) et qui représentaient sans doute deux traditions d'origine différente. Le témoin du reste s'intéressait à ces textes moins pour eux-mêmes que parce qu'ils lui rappelaient tel disparu dont elle les tenait, ou sa propre jeunesse...

Fluidité de ces distinctions : entre poésie fonctionnelle et survivance, la différence, dans les cas limites, tient au point de vue adopté par l'observateur. Ainsi, les chants de deuil des Limba de la Sierra Leone, élément essentiel des rites funéraires, restent probablement fonctionnels dans l'existence des villageois appartenant à cette ethnie, mais font, à l'échelle nationale, figure de survivance. Inversement, l'utilisation pour leur propagande, par les partis politiques nigérians, des chants alternés d'invective propres à la tradition yoruba, re-fonctionnalise une poésie qui sans cela n'aurait pu que « survivre ». Le *haka,* chant traditionnel des Maoris de Nouvelle-Zélande, a été réutilisé, depuis la Seconde Guerre mondiale, dans des cérémonies protocolaires et adapté à ces situations. En 1941, J. et A. Lomax découvraient, parmi les délinquants noirs des prisons du Texas, l'existence de

1. Renzi 1969 ; Knorringa 1978, et 1980, p. 15.

work-songs, remontant à d'anciens chants d'esclaves, adaptés au travail imposé aux prisonniers. B. Jackson les publia en 1972[1].

Entre survivance et relique, mêmes croisements de perspective. X. Ravier présente les chansons qu'il recueillit en 1959 dans les hautes Pyrénées en des termes correspondant à ma définition de la «survivance»; mais sa description du contexte sociologique m'inclinerait à parler de «reliques». Une douzaine de villages et hameaux du Lavedan gardaient alors le souvenir d'une tradition de poèmes chantés, en patois gascon, de ton dramatique, satirique ou pastoral, inspirés par quelque événement local passé, mésaventures d'un déserteur, partie de chasse mémorable, histoire d'amour ou querelle de bergers - parfois précisément datable, le plus ancien remontant à 1830-1840, le plus récent à 1943[2]. La donnée en était narrativement élaborée selon un mode de composition ternaire obéissant à des règles non explicitées, assez souples pour permettre une incessante «mouvance» du texte, de performance en performance. Composés à l'occasion d'une fête, d'une émotion collective, d'une commémoration, répétés au café, sur la place, à la sortie de la messe dominicale, ils étaient bientôt pris en charge par la communauté et tombaient dans une sorte d'anonymat. Lors de l'enquête de 1959, un certain nombre de témoins étaient capables d'en chanter et d'en évoquer l'histoire, mais toute pratique de la composition avait cessé depuis des années.

Un autre principe de classement doit intervenir, et recouper le premier : le rythme des traditions dans la culture en cause. On distingue ainsi des effets de rythme long, propres à ce que désigne ordinairement le qualificatif de *traditionnel;* des effets d'accélération, régionale ou universelle, au sein d'un réseau de traditions ; enfin, des effets de rupture.

La plupart de nos poésies «folkloriques» européennes appartiennent à la première classe. Dans la seconde, je rangerai celles de ces poésies qui, importées aux XVI-XVIIe siècles sur le continent américain, ne tardèrent pas à s'y adapter à une situation nouvelle : elles s'y développèrent de façon originale, au point de constituer dès le XVIIIe de vastes ensembles, aux traits fortement typés, demeurés néanmoins dans la continuité culturelle européenne et sentis comme un simple prolongement de celle-ci. On invoquerait par milliers (selon les relevés de M. Barbeau, de L. Lacourcière et de leurs équipes) les chansons paysannes du Québec, aux modèles venus de France, voire d'Ecosse ; ou, plus frappantes en vertu même de l'imprégnation anglo-saxonne qu'el-

---

1. Finnegan 1977, p. 154-155, 220-224, et 1978, p. 292 ; Vassal 1977, p. 33-34.
2. Ravier-Séguy.

les subirent, les complaintes, comptines, berceuses, chansons de quête de l'Acadie canadienne et des *cajuns* louisianais. On connaît mieux l'aventure des chansons à boire ou à aimer, des *shanties,* des ballades britanniques et irlandaises aux États-Unis : le tronc de cette vieille tradition nourrit une série de vigoureux greffons, en pleine floraison au début du XXᵉ siècle, *hillbilly, bluegrass,* chansons de l'Ouest [1].

Même phénomène en Amérique latine jusqu'en ses régions les plus éloignées. Le Chili central s'est constitué sa propre poésie populaire, aux genres typiques comme la *tonada,* sur une souche purement castillane et andalouse, à l'écart des influences indiennes sensibles dans le nord et le sud du pays. Même persistance au Mexique, où l'édition du *Cancionero folclórico* fournit, dans les deux volumes parus, près de dix mille chansons d'amour, issues de traditions espagnoles [2].

Entre 1850 et 1900, la survivance du *Romancero* ibérique fut tour à tour signalée au Nicaragua, au Venezuela, en Uruguay, en Argentine, dans les Andes ; à l'époque de la Première Guerre mondiale, dans les Grandes Antilles ; vers 1940 dans le sud des États-Unis et au Brésil [3]. Presque partout s'était produite une adaptation thématique et musicale. Au Brésil, la veine du *Romancero* alimentait hier encore la littérature de « cordel » ; au Mexique, elle a donné naissance à un genre encore productif il y a peu d'années, le *corrido...*

Parfois, l'effet d'accélération se produit sous l'impact d'un événement qui bouleverse les imaginations ou les consciences. En France, l'épopée napoléonienne suscita, par adaptation d'anciennes rengaines, toute une poésie de chansons « populaires », dont Béranger sut exploiter la verve [4]. Entre 1936 et 1939, la guerre civile s'accompagna, chez les Républicains espagnols, d'une floraison de très belles chansons combattantes, dont la plupart se fondaient sur des airs folkloriques basques, catalans, andalous, ou sur des chants patriotiques entrés dans la tradition depuis plus d'un siècle [5].

C'est, en revanche, d'une rupture (plus ou moins concertée) envers une tradition ressentie comme contrainte que tirent leur énergie d'autres espèces de poésie. Un refus du temps long, des règles modélisantes brise le rythme des répétitions habituelles : un cri s'élève, clame non. Peu importe en quels termes il le fait,

---

1. Dupont ; Rens-Leblanc ; Vassal 1977, p. 52-72, 78-83.
2. Clouzet 1975, p. 18 ; Alatorre 1975.
3. Menendez Pidal 1968, II, p. 343-353 ; Mendoza ; Zumthor 1980*b*, p. 231, 236-237.
4. Nisard, p. 495-496.
5. Disque *Le chant du monde* LDX-5-4279.

venus peut-être du fond des mémoires collectives. Ce qui compte, c'est une intention de libérer l'instant et le souci qu'il porte, peine ou joie. Le cri se réitère-t-il : on rentre dans le temps, mais qui sera celui d'une mode, temps destructeur de lui-même, qu'il dure une décade ou une saison.

Dans la situation qui est la nôtre, toute poésie orale médiatisée entre (sauf rares exceptions) dans cette classe, naturellement offerte aux récupérations commerciales. Mais l'histoire en est bien antérieure à l'invention des médiats : elle se dessine à travers l'Occident dès le XVIIIe siècle.

La rupture survient au moment où le changement des conditions d'existence atteint un point critique et touche à des valeurs éprouvées comme essentielles : ainsi, pour les générations qui vécurent l'industrialisation, l'urbanisation et, aux Etats-Unis, la conquête de l'Ouest. Chansons de pionniers, de chercheurs d'or, de vagabonds *(hoboes),* où subsistent bien des éléments issus de traditions européennes, mais fondus, à ce puissant creuset de nations et de poésie, en une affirmation de soi originale. Après 1960, en milieu urbain et dans le sillage du *folk revival,* même explosion parmi les militants du mouvement des droits civils.

L'action personnelle d'un homme peut être ici déterminante. Le grand poète alsacien patoisant Nathan Katz, nourri aux traditions de son terroir alémanique, les assume et les rejette à la fois, en universalise le discours sur les lèvres de ceux qui récitent ou chantent ses vers. Sans doute faudrait-il citer dans ce contexte le chansonnier et chanteur soviétique Vladimir Vissotsky, au public d'ouvriers et de jeunes ; ou le Géorgien Ikoudjava, Brassens moscovite ; ou les chansons du Polonais Chyla, aux formes proches apparemment du folklore mais corrodées d'ironie parodique, et musicalement neuves [1].

La poésie orale de tradition à rythme long sera fonctionnelle dans telle société, survivance dans telle autre, et relique ailleurs. Depuis, il est vrai, que voyageurs, ethnographes, folkloristes ont systématisé leurs observations *in situ,* un mouvement universel tend à faire perdre leur fonction aux poésies traditionnelles, tombées au rang d'objet de science ou de curiosité. L'histoire des cent cinquante dernières années apparaît à cet égard comme un irréversible déclin : le terme n'en est pas tout à fait atteint aujourd'hui et qui sait les survivances à qui demain peut-être la ferveur écologiste redonnera quelque fonction ?

Les peuples qui habitent le centre-sud de l'Asie soviétique, Turkmènes, Ouigours, Kazakhs, possédaient encore vers 1850

1. Hell ; disques *Le chant du monde* LDX-7-4358 et 4581.

une grande épopée où cristalliser leur conscience nationale face à la pensée russe. A la fin du siècle, la colonisation des îles océaniennes laissait, pour peu de temps encore, subsister de fortes traditions poétiques dans l'archipel hawaïen. Au cours des années trente furent recueillis, à l'ultime instant de leur existence fonctionnelle, les beaux chants mystiques des Gond de l'Inde, qui passaient alors pour le peuple le plus pauvre de la terre ; les *yukar* épiques des Aïnos du Japon septentrional ; vers 1940, chez les Zoulou et les Sotho d'Afrique du Sud, chez les Akan du Ghana, les derniers chants de louange des chefs, genre ancien et répandu jadis sur une grande partie du continent. Les ethnologues, entour 1950-1960, repéraient, à travers le tiers monde, alors même que l'urbanisation et le transistor étaient sur le point de les frapper à mort, les dernières traditions poétiques assez intégrées à la vie sociale pour y remplir une fonction forte : chansons d'amour des îles Gilbert ; poèmes de circonstance des Tonga ; chants de combat des guerriers somalis ; et le vaste ensemble des poèmes mythologiques que se chantaient les aborigènes de la Terre d'Arnhem en Australie... [1].

On ne peut qu'aligner des exemples, presque au hasard, de cette fanfaronnante braderie d'un héritage. Hier encore, le cycle épique de Soundiata maintenait efficacement, pour le peuple mandingue et les ethnies voisines, le souvenir d'un passé, gage d'avenir. En 1975-1976, dans les bidonvilles de Lagos, conteurs ou chanteurs continuaient à évoquer des dieux et des héros pas encore complètement morts. Qu'en est-il aujourd'hui ? En 1980, des femmes de la Haute-Volta, en confectionnant leur bière de mil, chantaient les paroles anciennes intégrant ce rite aux mystères cosmiques. L'ont-elles fait en 1981 ?

La précipitation des durées historiques, propre à la culture technologique, joue au détriment de ces formes de poésie, dont la force et le sens proviennent de leur continuité et de leur grand âge. Encore l'Afrique, tardivement acculturée, reste-t-elle plus proche des ruines de son passé. En revanche, l'ensemble, matériellement considérable, formé par les poésies traditionnelles amérindiennes des Etats-Unis et du Canada constitue, au mieux, un réseau de survivances, du reste très diversifiées, et fondées sur une centaine de langues ou dialectes différents. Les « chansons personnelles », où un individu projette ses rêves en discours fantasmatique libérateur, conservent sans doute, dans les populations où certains en composent encore, quelque chose de leur fonction originale. Mais les chansons de rencontres intertribales,

---

1. Finnegan 1977, p. 12-13, 29, 82, 100, 113-114, 120, 172, 204, et 1978, p. 13-36, 98-109, 319-355 ; Chadwick-Zhirmunsky, p. 7-19.

lorsqu'elles subsistent, ont été récupérées par le *show-business* : reliques frelatées[1]. Les chants cérémoniels, jadis sacrés, propriété tribale collective, ont mieux survécu : des enregistrements, opérés à un demi-siècle d'intervalle, témoignent d'une remarquable fixité, en dépit (ou à cause même ?) de leur folklorisation.

Chants magiques des Algonquins du Nord-Québec, malgré la disparition des longues expéditions de chasse qui les motivaient ; hymnes navaho à la louange de la terre ou du cheval ; chants de fête pueblo, invocations cosmiques anciennement attachées aux rites de la moisson ; chants médicinaux des Apaches... On ne fait qu'entrevoir, à travers les récits des voyageurs, la richesse de cette oralité à l'époque du premier heurt avec la civilisation des Blancs[2]. Peut-être, depuis lors, les populations autochtones de l'Amérique du Nord ont-elles accompli dans le domaine poétique le même, gigantesque, réajustement culturel que, par ailleurs, elles accomplirent en adaptant l'usage du cheval, des armes à feu, de l'art militaire et de pratiques agricoles : refaçonnant le système de leur existence sociale, ré-orientant le trésor de leurs traditions vivantes... de sorte que ce qui en survit au-delà du génocide représente en partie les débris d'une œuvre culturelle héroïque, relativement récente.

Il en va de même, pour l'essentiel, moins dramatiquement, de ce qui est devenu pour nous le folklore français : les centaines de chansons comme celles qu'éditèrent Davenson naguère, ou S. Charpentreau. Peut-être quelques berceuses ou comptines remplissent-elles encore çà et là, au sein de familles conservatrices, une ombre de fonction. Mais l'ensemble ne constitue qu'une somme de virtualités que jamais un même individu ni un groupe n'est en mesure de réaliser toutes. Des 252 chansons enfantines rassemblées par S. Charpentreau, je connais personnellement le tiers, 82 numéros. J'incline à prendre mon propre témoignage pour représentatif car on chantait beaucoup, autour de moi, dans mon enfance, et j'ai toujours aimé chanter. Or, des 82 chansons en question, il n'y en a pas plus de 38 que je sache en entier, texte et mélodie : le plus souvent du reste, avec diverses variantes textuelles ou musicales par rapport à la version publiée. Je ne connais qu'en partie 44 autres : en général, le premier couplet et le refrain ; de trois d'entre elles, le refrain seul. J'inclus dans ces nombres 15 chansons apprises adulte, entre vingt-cinq et trente-cinq ans, et qui appartenaient au répertoire familial de ma femme : de l'une d'elles, donnée en français par Charpentreau, je ne sais qu'une version en patois savoyard.

---

1. Vassal 1977, p. 18-19.
2. Savard 1974, p. 8 ; Finnegan 1977, p. 83, 100-104, 204, et 1978, p. 204-233.

Combien de ces textes mes enfants sont-ils aujourd'hui désireux - et capables - de chanter aux leurs ? J'ai interrogé deux de mes filles. L'une, vingt-huit ans, universitaire, mère de famille, me fournit les chiffres suivants : connues en entier : 48 chansons; en partie : 8. L'autre, vingt-cinq ans, célibataire, artiste : en entier : 23; en partie : 26. Mon gendre, qui me dit tenir de sa femme bonne partie de ses connaissances en ce domaine, compte 29 chansons sues en entier et 20 incomplètement. J'ai, par l'intermédiaire de ma fille, ébauché un sondage en dehors de ce milieu lignager : une mère de famille parisienne de cinquante ans : 43 chansons en entier, 12 partiellement; deux célibataires de vingt-vingt-cinq ans : homme : 56 en entier, 10 en partie ; femme : 70 entièrement, 12 en partie. Deux facteurs hiérarchisés interviennent : ce que j'appellerais la culture familiale, et la durée mesurée en classes d'âge.

Rien pourtant ne se perd fatalement. A tel de ces textes survivants une fonction peut être, imprévisiblement, rendue un jour. Un artiste, l'ayant recueilli, lui conférera une nouvelle existence, intégrée à la culture vivante de son temps, comme le fait une Catarina Bueno pour des chansons folkloriques italiennes. Ou bien, au sein d'un mouvement régionaliste plus ou moins politisé, des chansons traditionnelles, par les échos qu'elles éveillent et l'espoir dont, par là, elles deviennent porteuses, se trouvent promues chants d'action, appel au regroupement et à la découverte de soi : comme dans la Bretagne des sœurs Goadec, aux *festou-noz* des années soixante [1].

Une tradition poétique sur laquelle, à la faveur de l'événement, joue un effet d'accélération, redevient pour un temps fonctionnelle. Néanmoins, ce mécanisme a parfois des ratés : les formes récentes du *Romancero* dont A. Galmes de Fuentes et D. Catalan recueillirent les traces entre 1920 et 1950 restent pourtant des survivances; et reliques, les deux poèmes italiens, ballade et récitatif dramatique, composés, au cours des années vingt, dans la vallée du Pô, sur le brigand calabrais Musolino... [2]. L'Afrique contemporaine, en revanche, a bien réussi, en plusieurs lieux, l'adaptation fonctionnelle de formes poétiques coutumières. J'ai signalé les chants politiques nigérians; ils ont leur équivalent en Zambie. Au temps de Bokassa, en Centrafrique, divers groupes de musiciens diffusèrent des chansons à la louange du Maître, enregistrées par les soins de celui-ci; le couronnement impérial

---

1. Vassal 1980; cf. série d'émissions de France-Culture « La renaissance des musiques traditionnelles », janvier 1981.
2. *Drammatica*, p. 445-464.

inspira particulièrement ces poètes[1]! De façon plus subtile, au Kenya, durant la guerre des Mau-Mau, les partisans de ces derniers chantaient impunément en kikuyu leurs appels à la révolte, sur l'air du *God save the king...*

Même diversité de destin pour les créations nouvelles, issues d'une rupture du tissu traditionnel : initialement fonctionnelles, elles retombent aisément à l'état de survivances, sinon de reliques. Ainsi, de la plupart des œuvres de chansonniers ouvriers ou paysans de la fin du XIXe siècle, comme celles, assez poignantes, du Beauceron Gaston Couté, en dépit de la dévotion et du talent avec lesquels B. Meulien et G. Pierron travaillent à leur rendre vie. Couté, contemporain de Bruant, collaborateur du *Libertaire* et de *la Guerre sociale* où il publiait «la chanson de la semaine», usant de son patois comme Rictus de l'argot, mourut à trente et un ans en 1911, à la veille du jour où allait disparaître le monde à qui s'adressait sa voix[2].

1. Finnegan 1977, p. 230 ; dossier communiqué par J.-D. Penel à Bangui, décembre 1980.
2. Ringeas-Coutant ; disque *Alvaris* 819.

II. Les formes

II. Les formes

5. Formes et genres

Niveaux de formalisation. - Les formes en oralité : linguistiques et socio-corporelles. - Macro et micro-formes. - Principes de classification. - Valeurs sociales de la voix. - La «force» et l'«ordonnance».

Une forme n'est qu'exceptionnellement stable et fixe ; elle comporte une mobilité, provenant d'une énergie qui lui est propre : à la limite et paradoxalement, *forme* égale *force*. Le grand poète et mystique ismaélien Nasir Udin Hunzaï m'a fait l'honneur, en février 1980, de venir à mon séminaire chanter plusieurs de ses compositions. Interrogé, de divers points de vue, sur la «forme» de celles-ci, il nous donna des réponses différentes mais qui toutes témoignaient de ce que, dans sa conscience poétique, la «forme» n'est pas un schème, qu'elle n'«obéit» à aucune règle, car elle *est* règle, sans cesse recréée, rythme «pur» (au double sens de ce mot), n'existant que par et dans la passion particulière à chaque moment, à chaque rencontre et à chaque qualité de lumière.

La production d'une œuvre d'art, c'est la délimitation d'une matière, modélisée, pourvue d'un début, d'une fin, animée d'une intention au moins latente. En perspective socio-historique, la forme est ainsi, selon une expression de J. Roubaud, «mémoire des changements de sens».

S'agissant d'œuvre poétique, il est commode de maintenir la distinction courante entre éléments «sémantiques» (relatifs à l'émergence d'un sens), «syntaxiques» (aux relations des parties), «pragmatiques» (à l'usage fait de cette œuvre) et «verbaux» (touchant à la matérialité des signes). Cette distinction sera néanmoins dépouillée de toute rigidité. Dès, en effet, que l'analyse embrasse deux ou plusieurs œuvres, une comparaison s'institue, fondée sur l'examen des invariants et des variables que l'on y décèle. La tâche du poéticien est d'ordonner les invariants. Or ceux-ci relèvent de plusieurs niveaux de manifestation où les règles de variabilité (quantité, qualité, durée, combinaison des variables) peuvent différer beaucoup : niveau anthropologique des archétypes, mythes, symboles ; niveau idéologique des schèmes représentatifs, formules, idées reçues ; niveau littéral des traits textuels.

Il n'y a pas en revanche de « niveau esthétique » définissable : c'est là, en poétique historique ou comparée, que se pose le problème de l'altérité mutuelle de l'œuvre et de son analyste[1]. Nul doute que la valeur esthétique d'une œuvre ne tienne (de manière indirecte) à sa « fonction », dans le sens où j'ai pris ce terme au chapitre précédent. Mais juger de ce rapport relève, au sein d'un milieu culturel donné (je l'ai signalé au chapitre II), d'une compétence sociale, d'un *consensus* présidant à la fois à la production et à la réception de ce qui est qualifié poésie : tous facteurs instables dans l'espace et le temps.

La différence des registres sensoriels que mettent en cause poésie orale d'une part, poésie écrite de l'autre, implique, à l'évidence, que leurs formes respectives ne peuvent être identiques. Ni les niveaux où elles se constituent ni les procédures qui les produisent ne seront même comparables *a priori*.

Dans les cultures à rythme lent, le fonctionnement de la mémoire collective détermine le mode de structuration poétique. Le poème y apparaît « relecture » plutôt que « création » : son ère ontologique est la tradition même qui le supporte. La performance, seule manifestation de l'œuvre, équivaut à ce que serait pour nous une lecture isolée et unique, nécessairement flottante et incomplète. La parole est « monumentarisée » par les marques (d'une extrême subtilité, bien souvent) de son intégration à la tradition. Dans les cultures à rythme plus rapide, l'ère de l'œuvre se déplace ou se rétrécit, au gré des efforts d'adaptation ou des ruptures : parfois elle tient dans les étroites limites chronologiques d'une mode[2]. Néanmoins, tout poème oral, en toute situation, fait pour l'auditeur référence à un champ poétique concret, extrinsèque, autre que ce qu'il perçoit ici et maintenant. La poésie écrite, certes, elle aussi renvoie à des modèles externes : elle le fait avec moins d'urgence et de netteté.

C'est pourquoi la structuration poétique, en régime d'oralité, opère moins à l'aide de procédés de grammaticalisation (comme le fait, de façon presque exclusive, la poésie écrite) que par le moyen d'une dramatisation du discours. La norme est moins ici définissable en termes de linguistique que de sociologie. Mais (pour cette raison même) la poésie orale comporte généralement plus de règles, et plus complexes, que l'écrite : dans les sociétés

1. Jauss 1977, p. 11-26, 411-420 ; Zumthor 1980*a*, p. 35-41 ; Finnegan 1977, p. 25-26.
2. Kellogg, p. 532-533 ; Zumthor 1972, p. 71-82.

à forte prédominance orale, elle constitue souvent un art beaucoup plus élaboré que la plupart des produits de notre écriture. Dans l'intention de marquer ces nuances, je distingue, de manière aussi constante que possible, entre l'*œuvre*, le *poème* et le *texte*. L'œuvre, c'est ce qui est communiqué poétiquement, ici et maintenant : texte, sonorités, rythmes, éléments visuels ; le terme embrasse la totalité des facteurs de la performance. Le poème c'est le texte et, le cas échéant, la mélodie de l'œuvre, sans considération des autres facteurs. Le texte, enfin, sera la séquence linguistique auditivement perçue, séquence dont le sens global n'est pas réductible à la somme des effets particuliers produits par ses composants successivement perçus.

De la coexistence de ces trois entités résulte la difficulté que l'on éprouve à saisir ce qu'ont (par hypothèse) de spécifique les formes textuelles de la poésie orale. Ethnologues et folkloristes s'y sont, dans les années soixante et soixante-dix, à diverses reprises essayé [1]. Mais leurs études ne prennent guère en considération que les faits relevés dans des sociétés à tradition longue et presque toujours en situation d'oralité primaire : cela même interdit d'en généraliser les conclusions. Sur ces tentatives ont fortement influé les thèses de Parry-Lord et la théorie « formulaire » (que je discuterai au chapitre VI), dans la perspective de recherches anthropologiques sur les civilisations antérieures à l'écriture. Les auteurs sont ainsi amenés à privilégier les traits de style comportant quelque analogie (supposée) avec tel ou tel caractère mental ou social typique : standardisation de l'expression et des thèmes ; usage d'épithètes, devises ou autres procédés de qualification pour distinguer genres, classes et individus ; lourdeur de l'appareil cérémoniel ; intégration de l'histoire au présent et écrasement des marques de la durée ; abondance verbale...

Parfois, cependant, une monographie, contrainte par les exigences de son objet, change un peu l'éclairage et se libère d'idées préconçues : ainsi le livre de J. Dournes sur les Jöraï d'Indochine, ou le bref ouvrage de T. P. Coffin sur les ballades traditionnelles en Amérique du Nord. Les formes linguistiques comme telles, y compris les structures narratives, profondes ou de surface, constituent pour Coffin comme pour Dournes un élément inerte et, du point de vue des auditeurs, esthétiquement neutre [2]. Ce *texte* devient art au sein d'un lieu émotionnel, manifesté en performance, et d'où procède et où tend la totalité des énergies

---

1. Pop 1968 ; Lomax 1968 ; Buchan, p. 53-55.
2. Coffin, p. 164-173 ; Sherzer, p. 193-195 ; Dournes 1976, p. 125-257 ; Zumthor 1981*c* ; Kerbrat-Orecchioni, p. 170.

constituant l'œuvre vive. C'est ainsi la performance qui, d'une communication orale, fait un objet poétique, lui conférant l'identité sociale en vertu de quoi on le perçoit et déclare tel.

La performance est donc à la fois un élément important de la forme, et constitutive de celle-ci. Relativement au texte seul (tel qu'après fixation par écrit on *lit* une chanson), la performance agit à la façon d'un bruitage : du reste, souvent ressentie comme telle, non sans quelque irritation, par les personnes trop exclusivement attachées aux valeurs de l'écriture. A ce bruitage le texte réagit et s'adapte, se modifie en vue de surmonter l'inhibition qu'il entraîne.

C'est pourquoi, dans la nécessité d'adopter une démarche analytique, je considérerai, séparément, d'abord les formes linguistiques, puis les autres... en insistant d'emblée sur ce qu'a d'artificiel cette coupure, et d'ouvert chacune de ces deux séries, du fait même qu'elle ne prend existence que par l'autre.

Quant aux formes linguistiques, j'adopterai deux optiques distinctes et les envisagerai :

(1) dans ce chapitre, à l'échelle de textes entiers et de groupes de textes : perspective des *macro-formes,* de l'ordre des modèles et des « genres » ;

(2) au chapitre VII, dans la texture du poème : perspective des *micro-formes,* définissables à la fois dans l'ordre des agencements lexico-syntaxiques (« style ») et dans l'ordre des effets de sens (« thèmes »), spécialement ceux dans la production desquels intervient une convention sociale.

Je ne parlerai qu'incidemment de « thèmes », car, peu spécifiques de l'oralité, ils traversent horizontalement toutes les classes de discours, et leur étude, plutôt que de la poétique, relève de l'histoire, de la sociologie ou de l'anthropologie de l'imaginaire.

Les *macro-formes* débordent plus ou moins le plan linguistique. Elles embrassent en effet les modalités langagières des textes oraux qu'elles déterminent ; mais celles-ci sont mal dissociables des éléments expressifs non linguistiques, lesquels dépendent de circonstances elles-mêmes liées à la fonction sociale remplie par la performance : chaîne d'implications que l'on pourrait, en principe, analyser à partir de l'un quelconque de ses anneaux.

Quant aux formes non linguistiques, je les regroupe sous l'appellation de « socio-corporelles » : j'entends par là l'ensemble des caractères formels ou des tendances formalisantes résultant, dans leur origine ou leur finalité, de l'existence du groupe social, d'une part ; et, de l'autre, de la présence et de la sensorialité du corps : à la fois le corps physiquement individualisé de chacune des personnes engagées dans la performance, et celui, plus difficilement cernable mais bien réel, de la collectivité, tel qu'il se manifeste en réactions affectives et mouvements communs [1].

C'est par simplification terminologique que je parle ici de *formes*, au pluriel. Il s'agit des composantes diverses d'une *Forme* unique dans chaque poème (dont elle est *la* seule «forme») - et unique en ce qu'elle ne se reproduit jamais, échappant comme telle à la durée, lors même que ses composantes, au contraire, ont tendance à se reproduire indéfiniment.

Par nature ou selon les circonstances, les différentes composantes formelles du poème sont inégalement codifiées : certaines avec rigueur ; d'autres, incomplètement ou de manière très souple ; quelques-unes enfin échappent à toute codification. Ces dernières ne peuvent être décrites que par rapport à une seule performance. Je classe, très sommairement, les autres en deux groupes, selon qu'il s'agit de codes «stricts» ou «flous» : la distinction entre ceux-ci, flottante et adaptable, se fonde sur la proportion de *signes* (arbitraires), *signaux* (métonymiques) et *symboles* (métaphoriques) qui les constituent en pratique.

La discussion, au chapitre III, des «genres» de la littérature orale, a permis de circonscrire le concept auquel j'applique le terme de *macro-forme*. A la fois ensemble de virtualités formelles, zone d'application de compétences individuelles, ébauche de modèle abstrait, faisceau d'énergies et modalité d'une tradition, la macro-forme constitue, par opposition à la matière première et lointaine du discours poétique, sa matière rapprochée et déjà partiellement informée, que la lettre formalisera de façon définitive en l'actualisant. Programme et désir d'être, elle comporte deux éléments, respectivement racine de ce désir et aspect d'une programmation : ce que je nommerai la *force* et l'*ordonnance*.

La présence de ce double facteur est sans doute le seul caractère tout à fait universel des macro-formes poétiques. La manière dont celles-ci s'organisent et fonctionnent (c'est-à-dire la nature et les règles des «genres» qu'elles engendrent) diffère beaucoup selon les contextes culturels. Ainsi, toutes les cultures ont produit une poésie d'amour, de conjuration, ou de combat : mais de le constater ne nous avance guère ; et, plus l'on cherche à préciser cette information, plus l'on court le risque de se perdre dans le foisonnement des réalisations régionales ou particulières.

Le nombre et la fixité des macro-formes semblent inversement proportionnels au degré de complexité technologique de la culture

1. Scheub 1977, p. 363.

en cause ; plus ils s'accroissent et (contrairement à l'opinion répandue chez nous) plus croît la force inventive des poètes, ainsi que la capacité du langage de créer un univers imaginaire et d'en imposer socialement la pertinence. L'une des poésies les plus savantes du monde était, il y a un demi-siècle encore, celle des Inuit, dans une langue où un seul mot signifiait à la fois « respirer » et « composer un chant »...[1]. Dans l'Europe d'aujourd'hui, en revanche, la totale dé-fonctionnalisation de ce qui est devenu notre « chanson folklorique » donne à cette poésie (prise dans son ensemble) un aspect hétéroclite, interdisant les généralisations. Anciens succès de « caf' conç' », chants patriotiques du XIXᵉ siècle, parodies grivoises, satires politiques veuves de leur contexte, reliefs des bergeries galantes d'âge classique, reliques médiévales, ritournelles accompagnatrices de danses oubliées : tout cela, pêle-mêle, remplit nos recueils de « vieilles chansons françaises », où de temps à autre l'un de nos poètes ou de nos chansonniers trouve une incitation, une image, un rythme, un thème d'émotion, sans que l'on puisse en cela invoquer encore une tradition.

Les médiats nous ramènent apparemment à la situation archaïque : ils exigent des genres à règles fixes, film policier, western, spot publicitaire. C'est là un penchant de tout art « populaire » destiné à une consommation quantitativement illimitée[2]. L'absence de toute différenciation n'en est que plus remarquable dans le seul art exclusivement oral véhiculé par ces médiats : la chanson. Seul son style musical sert parfois à la désigner de façon spécifique, et plus souvent le nom d'un chanteur vedette : rien qui concoure à la définition d'une classe sentie comme régulière.

Toute l'évolution de la chanson européenne, depuis les premiers débuts de l'ère technologique et industrielle, a tendu à la dissolution des différences, à l'effacement du vocabulaire même qui contribuait à les maintenir. *Ballade* ou *rondeau* n'ont en français d'usage qu'archéologique ; *vaudeville* (qui qu'ait été le mystérieux Olivier Basselin, des Vaux de Vire) du XVIᵉ au XVIIIᵉ siècle en vint, par glissements successifs, à désigner un type de chanson à couplets, les couplets chantés à la fin d'une comédie, ou bien une parodie, voire un pot-pourri, avant de devenir en 1792 le nom d'un théâtre parisien. Les derniers termes particuliers qui, en français, survécurent, peu à peu vidés de leur sens, *complainte* et *romance,* n'apparaissent plus, depuis une cinquantaine d'années, hors d'un langage approximatif et appau-

---

1. Finnegan 1977, p. 178-183, et 1978, p. 225-227.
2. Burgelin, p. 102-107.

vri, que dans de rares titres où ils introduisent une touche de pittoresque, comme *la Romance de Paris* de Charles Trenet ou la *Complainte des Infidèles* que chanta Mouloudji. On ne dit plus aujourd'hui que *chanson* [1].

C'est pourquoi je m'épargne ici de passer en revue les nombreuses et assez incohérentes suggestions qui, depuis le milieu du XIXᵉ siècle, ont été avancées en vue de cataloguer et classifier les poèmes oraux progressivement découverts et recueillis. Du rapport d'Ampère en 1852 aux travaux de Coirault dans nos années cinquante et au volumineux Manuel de Brednich en 1973, on a, pêle-mêle ou tour à tour, avec plus ou moins de subtilité, invoqué des considérations historiques, sociales, stylistiques, spatio-temporelles, rythmiques ou musicales [2] : il en résulta des listes de genres ou espèces au nombre oscillant de douze à la trentaine, selon le principe retenu et l'étendue de l'information.

Certaines d'entre elles présentent un grand intérêt ethnologique : celle, générale, de Bausinger ; celles, particulières, des compilateurs du *Cancionero folclórico* mexicain, de C. Laforte pour les chansons québécoises ; celles, dans leur domaine propre, de plusieurs africanistes. Aucune néanmoins n'est tout à fait satisfaisante : plus en effet l'objet d'une recherche tend à l'universalité, plus il devient problématique d'établir une hiérarchie entre les éléments qu'y distingue l'analyse. Par ailleurs, la dispersion et l'usure des terminologies traditionnelles rendent assez délicate la prise en compte des désignations génériques propres à chaque langue. Pourtant, on ne peut les écarter entièrement, car souvent elles seules permettent de briser le carcan des classifications ethnocentriques. Il n'est, ainsi, pas indifférent que les Yoruba possèdent onze expressions spécialisées pour désigner les espèces de poésie chantée ; ni indifférent que les Manobo, des Philippines, selon E. Maquiso, possèdent un terme universel pour toute espèce de chant ou de récitatif, un autre, spécial, pour le chant proprement dit, mais quatre autres, particuliers, désignant : l'un, le chant d'amour ; l'autre, le chant de guerre, le chant de semailles et le chant de moisson ensemble ; deux, enfin, les chants de deuil... [3].

De ces spéculations résultent du moins, globalement, deux indications sûres : ce que j'ai nommé la *force* constitutive d'une

1. Vernillat-Charpentreau, p. 68-69, 218-221, 248.
2. Laforte 1976, p. 4-8 ; Brednich.
3. Bausinger, p. 66-90, 247-265 ; Alatorre 1975, p. XLV ; Laforte 1976, p. 8, 26, 46-50, 117-120 ; Du Berger 1971, § 11/3 à 11/8 ; Finnegan 1976, p. 79 ; Agblemagnon, p. 119-133 ; Maquiso, p. 24.

macro-forme se définit en termes de fonctions; l'*ordonnance,* selon la nature de ce dont elle comporte la programmation.

Les fonctions définitoires de la *force* s'organisent autour de l'un ou l'autre de trois axes. Le premier n'est autre que la causalité instrumentale; en fait, la qualité de l'intermédiaire humain, exécutant de la performance. Sur cet axe se regroupent des formes réservées à l'usage d'une classe d'âge, de l'un des sexes, des membres d'un corps professionnel, ou liées à l'exercice d'un travail déterminé.

Le principe qui régit ces répartitions semble inscrit dans la langue même, en tant que structure sociale. Les faits observables aujourd'hui ne révèlent, certes, que des similitudes approximatives, néanmoins assez constantes pour permettre de supposer une homologie profonde. Dans les sociétés même où une longue tradition d'écriture a dépouillé la voix de son autorité première, l'oralité de la communication reste (à l'exclusion de l'écriture) liée à certaines situations de discours : le récit anecdotique, le «potin», les confidences faites au dépositaire des secrets du groupe, épicier ou bistrot; histoires drôles à sens politique, sous les régimes oppresseurs, où elles occupent la dernière marge de liberté; la conversation, partout au monde objet de règles et de censures, et que plusieurs cultures ritualisèrent[1]; l'exercice ludique et agonistique qu'est le marchandage...

La poésie orale est l'une de ces situations : éminente certes, mais où l'on entend plus ou moins confusément l'écho des autres. De celles surtout qui prolongent parmi nous des coutumes aussi antiques sans doute que la voix humaine, à chaque mutation culturelle réadaptées aux circonstances. La consultation médicale, par ce qu'elle comporte de dialogue (et par les rôles qu'ainsi elle instaure), assume une situation et un discours dont le modèle premier relève des sorcelleries ancestrales : modèle que ranime de nos jours la cure psychanalytique. L'énonciation y redevient thérapeutique : par la vocalisation des affects, les pures associations sonores, le rythme du langage et la position même du locuteur. Dans le même lieu mais non plus face à face, l'analyste pratique une écoute qui fait, de son propre corps, l'écho de la voix de l'autre, moins encore de son sens que de sa sonorité, surdéterminée de valeurs symboliques dans la scène qui se joue entre eux.

L'enseignement, bon gré mal gré jusqu'aujourd'hui, tient pour une grande part du même modèle : moins en vertu de ce que la voix y communique, que du transfert qu'institue la relation

---

1. Certeau, p. 66, 150-155; Giard-Mayol, p. 95-105; nº 30 (1979) de *Communications.*

enseignante. Peu importent les différences qui, d'un type de culture à l'autre, modifient le contenu de l'enseignement : ici, une science, et là, une sagesse ; chez nous, des matières, dans d'autres sociétés, une manière de vivre ; tantôt visant à la promotion individuelle, tantôt à la maturation collective. Le trait fondamental demeure inchangé.

La diffusion des médiats eut tôt fait d'éliminer les pratiques scolaires traditionnelles : formules mnémotechniques incantatoires, rythmées, parfois versifiées, poésie médiocre et bien vivante que chantonnait avec le maître une classe entière, le *Barbara celarent* des scolastiques ou la liste des départements de mon enfance ; et tant de textes lus à voix haute, régurgités de mémoire, les centaines de vers de Virgile ou d'Homère qui m'habitent encore, mais que seul le son de ma propre voix me permet aujourd'hui de retrouver... [1]. Pourtant, à peine rejetées ces vieilleries, voici que nous multiplions jusqu'au vertige séminaires, tables rondes, colloques et congrès, stratégies indispensables, dans notre monde, au progrès des connaissances : mais aussi, par-delà le langage écrit que l'on y débite, longue quête universelle d'une restauration de la voix.

En revanche, la voix n'a, de sa fonction primitive, presque rien perdu dans les traditions religieuses... au sein desquelles, du reste, se constituèrent et se maintiennent plusieurs formes de poésie orale. Dans la relation dramatique, en effet, qui confronte au sacré l'*homo religiosus,* la voix intervient, de manière radicale, à la fois comme puissance et comme vérité. Comme puissance : voix au souffle de laquelle se réalisent les formules magiques et qui, dans la transe, chasse hors de lui l'initié en proie à son dieu : vaudou antillais, *macumba* brésilienne, mais aussi bien rites des Shakers, aux États-Unis du XIXe siècle, des Chlustes en Russie tsariste et, de manière moins véhémente, dans nos mouvements charismatiques [2]. Cette voix-là s'exalte en glossolalie, posant, au-delà d'un langage où tout a été dit, la parole d'un absolument autre ; fiction vocale, vidée de narrativité ; remontée aux sources enfantines de toute voix.

Comme vérité : non seulement moyen de transmission d'une doctrine ; mais, dans son vécu, fondatrice d'une foi. La prédication des Églises instituées en offre un exemple affaibli. L'effet le plus fort en éclate dans la marginalité : chez les convertisseurs illuminés, les hérésiarques errants comme, aujourd'hui encore, les prêcheurs sauvages, hantant les côtes du pays yoruba, au Nigeria, ou les *folk preachers* noirs américains, dont B. A. Rosen-

1. Barthes ; Fédry 1977*b*, p. 584-585 ; Greimas 1979, p. 3-4 ; Fabbri, p. 10-11.
2. Rouget, p. 85-86, 127-128, 205-211, 231-232, 398 ; Collier, p. 21 ; Compagnon.

berg étudia l'art oratoire, qu'il rapproche de celui de chanteurs épiques.

La poésie orale est apte à assumer des fonctions analogues. La plupart des cultures possèdent ou ont possédé une poésie orale (généralement, des chansons) destinée à soutenir, en l'accompagnant, l'exécution d'un travail, surtout s'il est fait en groupe. En Afrique, toute tâche manuelle s'accompagne normalement de chant. Dans les sociétés traditionnelles, cette poésie a valeur rituelle ; le travail devient danse et jeu, il engendre une passion ; le chant y engage, avec l'énergie du verbe, la puissance propre de la voix. Parfois très élaborée, ailleurs réduite à des formes brèves et répétitives, cette poésie exerce une fonction double : elle facilite, en le régularisant, le geste de la main, mais aussi elle contribue à désaliéner l'ouvrier qui, en chantant, se concilie la matière travaillée, et s'approprie ce qu'il fait. Fictivement, s'inversent les relations apparentes : le travail semble n'être plus que l'auxiliaire du chant, dans les corvées collectives de paysans noirs, *dopkwe* du Bénin, *egbe* yoruba, la *coumbite* haïtienne, la *troca dia* du Brésil ; dans les chœurs de pagayeurs congolais que décrivait avec admiration Gide en 1926, mais dont on recueille des exemples dans toute l'Afrique[1].

Chez nous, depuis que l'industrie, en imposant au travail manuel des rythmes artificiels, en a réduit à rien la part créatrice, ces formes de poésie ont rapidement disparu. A. Lloyd et D. Mc Cormick en publièrent en 1967 et 1969 les derniers exemples, recueillis chez les mineurs gallois et les tisserandes de l'Écosse septentrionale. Peut-être reste-t-il encore aux gens de ma génération le souvenir des cris de marchands, poésie de tradition séculaire, dont certains retentissaient encore, vers 1925, dans le Paris ou la Genève de mon enfance. J. L. Collier en entendit encore, vers 1950, dans un quartier noir de New York[2].

Tantôt le poème constitue l'un des aspects du travail même, ainsi les chansons de semailles, de moisson, de vendange ; tantôt, son usage représente le privilège d'un groupe professionnel fermé. Si le contexte culturel valorise hautement ce groupe, sa poésie professionnelle peut devenir, dans la société en cause, un art majeur : ainsi, les éloges de bovins, chez les Tutsi du Rwanda ou les Peul du Mali, peuples pasteurs et guerriers pour qui la possession de troupeaux indique la noblesse de l'homme[3]. Plus

1. Finnegan 1976, p. 230-240 ; Jahn 1961, p. 260 ; Roy 1954, p. 239-248 ; Gide, p. 21, 289-292 ; Collier, p. 19-20.
2. Finnegan 1977, p. 218-219 ; Neuburg, p. 247, 296 ; Collier, p. 23.
3. Finnegan 1976, p. 206 ; Smith 1974, p. 300-302 ; Seydou ; Burke, p. 35-46, 50 ; Poueigh, p. 153-156 ; Vassal 1977, p. 67-69.

souvent, c'est au contraire de la relative marginalisation du groupe que ses chansons de travail semblent tirer leur vigueur : ainsi, en Europe, entre le XVIe et le XIXe siècle, les chants de soldats, de marins, de bergers ; en Amérique du Nord, de cow-boys.

De même, une tendance générale, dans l'usage des langues naturelles, semble pousser à la spécification de certaines formes en vertu de distinctions d'âge ou de sexe. Inégalement accusée selon les cultures et les groupes, cette tendance influe sur le statut de plusieurs formes poétiques chantées : je reviendrai sur ce trait aux chapitres V et XII. Chez nous, la tendance s'atténue aujourd'hui, mais resta longtemps vigoureuse. Elle délimite encore assez bien une oralité enfantine, enracinée dans les premières expériences vocales du nouveau-né, sémantisée par elles, et qui constitue, au sein de notre univers technologique, le dialecte de la dernière tribu de la pure parole. L'adolescent ne s'en éloigne que lentement, à regret, souvent dans la révolte. Et le seuil qu'il franchit alors l'introduit à cette « culture de jeunes », dont on a tant parlé depuis qu'elle se généralisa dans nos années cinquante : fondée sur un rejet des lieux adultes et du monde de l'écriture, revendication furieuse de la voix sauvage, confortée par l'adhésion commune à quelques symboles, thèmes imaginaires et pratiques, dont la plus universelle (largement récupérée par l'industrie !) n'est autre que l'audition de « tubes » produits par les idoles[1]. Autour de la chanson et par son moyen, s'instaurent des rites de participation, pourvoyeurs de héros.
Cependant, aux premiers temps de la vie de l'enfant, avant même que ne s'instaure avec lui un dialogue parlé, la mère entre dans son jeu, y réadaptant spontanément sa parole : timbre, hauteur, rythme, modulés pour chantonner une berceuse, énoncer quelques mots en *babytalk*... Serait-ce là le fondement (ou l'indice ?) d'une oralité spécifiquement féminine, facteur principal (selon ethnologues et dialectologues) du maintien des traditions au sein du groupe ? Chez certains peuples, la langue des femmes n'est pas identique à celle des hommes (dans le Japon médiéval, leur écriture même différait) ; parfois elle s'en distingue par la pose de la voix. Nous-mêmes, dans nos langues, feignons avec amusement de percevoir au passage, selon l'un de nos stéréotypes, tel « mot de femme », un « ton de femme ». Les deux registres que possède physiologiquement toute voix humaine engendrent, en chacun de nous individuellement, dans chacune de nos cultures collectivement, une tension analogue à celle qui

---

1. Burgelin, p. 158-170.

provient de la distinction des sexes, et non étrangère à celle-ci[1].

Jeux d'intonations, ellipses, chutes libres, rejaillissements, errances érotisées harmonisant le « papotage », parole sans mémoire ni sujet, lieu de plaisir impuni, moins expression de quelque réalité autonome, que prise de corps, désir vacant, accédant ainsi à la communicabilité, hors dessein[2]. Ou bien la « litanie », dire-dire-dire incantatoire, réitération ritualisée, éternel recours inavouable à la toute-puissance de l'autre en même temps qu'exténuation du langage et de ses mensonges. En profondeur, la plongée, l'essor puis l'arrachement que signifie pour la femme le passage du silence à la parole : cet élan du corps, lâchez tout, et voici qu'elle s'expose, présente entière dans sa voix. L'écho d'un chant très ancien y résonne, antérieur aux interdictions de la loi, antérieur peut-être au langage même : c'est pourquoi, si spontanément, elle chante.

Côté mâles, on alléguerait inversement le « baratin » de l'approche amoureuse, usant avec rouerie des nuances vocales et des ambiguïtés du vocabulaire. Langage d'homme, langage de femme : ces spécifications restent d'ordre virtuel, mais très général, et bien des cultures les ont exploitées à leurs propres fins.

Il est vrai que la spécialisation de certains genre poétiques selon les sexes découle, le plus souvent, de la coutume professionnelle : en Afrique ou chez les Indiens Pueblo, les chansons rythmant le pilage du mil sont, en fait et de droit, chansons de femmes. Cette coïncidence n'explique pas tout. Dans les villages africains, la population féminine forme une communauté de vie et de travail très stable, possédant son trésor propre de chansons : chants de travail, mais aussi chansons de malmariée, chansons destinées à accompagner la danse des hommes, chants des rituels féminins, chansons taquines, improvisées et d'usage interne au groupe, comme les moqueries que l'on s'adresse entre co-épouses.

Divers interdits, inégalement respectés en pratique, interviennent, dans plusieurs sociétés, pour maintenir cette répartition des tâches poétiques. C'est en vertu de croyances religieuses peut-être liées à des rites de fécondité que l'antique *harawi* inca était confié aux seules femmes, que souvent leur est réservée la fonction de chanter le *lamento* sur les morts ! Des convenances politiques impérieuses leur refusent, dans certaines ethnies d'Afrique occidentale et au Rwanda, le droit d'exécuter les chants relatifs aux détenteurs du pouvoir : généalogiques, panégyriques ou guerriers. Ailleurs, c'est une coutume sociale, devenue aléatoire : ainsi, la poésie orale des gauchos est exclusivement

1. Rondeleux, p. 49-50, 53 ; Husson, p. 80 ; Calame-Griaule 1965, p. 54.
2. Pessel, p. 18-20 ; Cixous-Clément, p. 170 ; Lamy, p. 63-70.

masculine au Brésil, en Uruguay, en Argentine ; elle ne l'est pas au Chili. Quand, à la fin du XIXᵉ siècle, le *romance* ibérique entra, au Brésil, dans la pratique de la *cantoria*, on le considéra comme une création originale, œuvre d'hommes, les femmes restant maîtresses de la *cantiga* traditionnelle. Mais sans doute s'agit-il là de tendances psycho-sociologiques plus que d'organisation poétique. Les « chansons d'amour », en revanche, même si le discours en est sexuellement marqué, échappent à ces servitudes. Pourtant, des exemples alexandrins, puis médiévaux, ont posé la question de l'existence, dant tout l'Occident, d'une longue tradition de « chansons de femmes » à thèmes érotiques. Tels les antiques *winileodos* germaniques ou les *cantigas de amigo* portugaises. Dans la Galicie polonaise et en Serbie, on désignait, au XIXᵉ siècle, de l'expression de « chansons de femme » l'ensemble de la poésie orale amoureuse, tandis que l'appellation de « chansons d'homme » renvoyait aux ballades héroïques [1].

La berceuse, type poétique d'extension universelle, remplit une fonction plus différenciée : chantée par la mère, ou quelqu'un qui en tient le rôle, elle est destinée à être écoutée par le jeune enfant. Tout autre usage que l'on peut en faire est une imitation de celui-ci... sauf, apparemment, chez les Zoulous, dont chaque enfant a sa propre berceuse, composée pour lui, et qui lui reste pour la vie, comme un nom ou une devise. Mais, d'une manière générale, c'est abusivement que les collections de « chansons enfantines » font place à la berceuse : par le mode de sa performance, c'est une chanson de femme. Sa forme néanmoins, déterminée par l'image que l'on se fait de l'auditeur, partage un certain nombre de traits formels (linguistiques et musicaux) avec les chansons d'enfants proprement dites [2]. La même équivocité caractérise l'ensemble des chansonnettes en usage dans les relations entre parents et tout-petits : pour faire sauter l'enfant sur les genoux, pour l'encourager dans ses premiers pas, l'inviter à dormir ou (comme on en a relevé des exemples dans toutes les langues romanes et germaniques) pour montrer et compter les doigts de la main.

En dépit des grandes différences qui, de culture à culture, affectent le mode d'insertion des enfants dans le groupe humain, il n'y a pas de société au monde sans chansons fonctionnellement appropriées à cette classe d'âge... parfois de façon historiquement seconde, car l'origine lointaine du texte peut être

1. Finnegan 1978, p. 206 ; Valderama, p. 308 ; Camara, p. 120, 231, 252 ; Smith 1974, p. 299 ; Anido, p. 144 ; Fonseca 1981, I, p. 45-46 ; Lord 1971, p. 14 ; Bec, p. 57-62 ; Elicegui ; Burke, p. 51.
2. Charpentreau, p. 9-30 ; Finnegan 1976, p. 299-302 ; Knorringa 1980, p. 19 ; Roy 1954, p. 27-71.

littéraire : ainsi, de soixante-dix des deux cent cinquante « chansons enfantines » publiées par S. Charpentreau. Cette poésie n'en représente pas moins parmi nous l'une des principales manifestations d'oralité spécifiquement enfantine : modulation du langage, rythmé aux souffles du corps, aux mouvements du sommeil et de l'éveil, aux flux fantasmatiques du rêve et des mots mêmes.

Plus conservatrice que d'autres, la tradition poétique enfantine semble comporter plusieurs universaux : tendance à s'évader du langage adulte, du moins à discourir sur ses franges extrêmes, avec indifférence envers le sens dénotatif ; prédominance du rythme sur l'évocation et la demi-teinte ; jeux de mots, de syllabes, jongleries sonores, cocasseries ; usage ludique ou hyperbolique des nombres ; répétitivité ; perméabilité aux influences linguistiques étrangères : dans l'Acadie canadienne, les chansons d'enfants sont plus anglisées que les autres ; dans l'Afrique dite francophone, plus densément fourrées de mots français ; et c'est ainsi, je le présume, que nombre d'antiques formules de conjuration se sont intégrées à ce trésor[1]. C'est, par ailleurs, à propos de la chanson enfantine que se pose le plus clairement un problème sur lequel je reviendrai au chapitre X : qu'entendre par *chant* ? Peut-être un élément physiologique (l'immaturité des cordes vocales) intervient-il ici pour réduire souvent la mélodie à une simple scansion.

La chanson constitue généralement pour l'enfant un aspect de son jeu : à titre de rite introductif, comme les comptines, servant à désigner le ou les joueurs chargés de tel ou tel rôle ; à titre de composante dramatique, dans les jeux théâtralisés, fréquents en Afrique, comme ceux des jeunes garçons rwandais mimant des combats de bovins, ou les danses de fillettes, au clair de lune, dans les villages malinké ; à titre, parfois, d'illustration ou de glose, comme dans les chansons dont l'enfant s'accompagne en imitant les gestes d'un adulte au travail ; enfin, de soutien rythmique, dans les rondes - comme le *gbagba* des écolières centrafricaines de Bangui, dont J.-D. Penel n'a pas recueilli, en 1979-1980, moins de cent sept chansons différentes, apparemment improvisées[2] !

Le lien avec le jeu se distend, dans les chansonnettes adressées à un animal capturé (chez nous, l'escargot) ; dans les formulettes déclinant une série telle que les jours de la semaine, ou les lettres de l'alphabet ; dans les chansons de fin d'année scolaire, en usage

---

1. Parisot, Introduction ; Jaquetti ; Dupont, p. 65-66, 173-183, 306 ; Finnegan 1976, p. 305-310.
2. Penel, p. 27-63.

dans quelques pays d'Europe. Il revêt une autre valeur, sociale et oppositive, dans les chansons de quête enfantine, constitutives du folklore de certaines fêtes[1].

Quelle figure d'enfance projette peut-être, de nos jours - dans le mouvement de rejet des valeurs adultes où prit racine la « culture juvénile » de masse -, la vogue dont jouit la chanson chez nos jeunes ? Non pas, en effet, n'importe quelle chanson. Deux éléments, mouvants au gré de modes à rythme très rapide, semblent nécessaires pour, d'un texte et d'une mélodie, faire un « tube »[2] : un certain accord thématique et lexical avec le discours adolescent ordinaire (copains, amours, vagabondage, marginalité), et la médiation d'une vedette, héros, figure paternelle qui s'impose au monde sans (on le suppose) avoir subi les sombres conditionnements sociaux, un Elvis Presley, un Bob Dylan, un John Lennon.

La vedette, professionnel de la chanson, n'est concevable et admirable que comme telle. Autre critère de qualité : bien des cultures en effet (je reviendrai sur ce point au chapitre XII) distinguent entre le chant professionnel et le chant d'amateur, autrement fonctionnalisés. Ailleurs, une opposition aussi forte se marque entre chant individuel et chant communautaire. Certains chants ne prennent sens et fonction que chantés par un groupe : danseurs, buveurs, soldats ; selon C. Laforte, dans la tradition française du Québec, la forme qu'il nomme « chanson en laisses » était spécialement destinée au chant choral, tel celui des « coureurs des bois »[3]. C'est ainsi que, sans doute, on voit réémerger dans les pratiques adolescentes de la société technologique de très vieux archétypes socio-poétiques.

Second axe selon lequel peut s'ordonner la *force* constitutive d'un genre oral : sa finalité immédiate et explicite, lorsqu'elle s'identifie à la volonté de conservation du groupe social. Telle est, à l'évidence, pour la société de nos jeunes, la finalité principale de ses « tubes ». Mais bien des formes poétiques sont ainsi dynamisées : le fait est évident au sein des sociétés traditionnelles, souvent camouflé chez nous sous les prétextes esthétiques. Ainsi la plupart des ethnies africaines pratiquent les « devises », courts poèmes ajoutés au nom ou au titre d'un humain, d'un animal, d'une divinité, voire d'un objet, et qui, en en explicitant le sens, l'intègre à une histoire... avec

1. Charpentreau, p. 31-48 ; Du Berger, § 11/10 ; Georges, p. 178-181 ; Boucharlat, p. 34-35 ; Camara, p. 125.
2. Burgelin, p. 169-174.
3. Clastres, p. 123-124, 129 ; Laya, p. 179 ; Laforte 1981, p. 264 ; Sargent-Kittredge, p. XIX-XX.

une telle efficacité que la devise de certains génies déclenche la transe chez ceux qui l'entendent [1]. De la devise au chant de louange, le passage est aisé. Lors de l'imposition du nom au nouveau-né, chez les Malinké, le père improvise (tandis que dansent les femmes) une tirade épique sur l'ancêtre dont vient ce nom.

Si la louange s'adresse au chef, elle exalte le Pouvoir. Le panégyrique est l'un des genres poétiques les plus répandus dans les sociétés à État, en Afrique, en Océanie, l'était dans l'Amérique précolombienne où la propagande de l'Inca en imposait les thèmes. Riche de stéréotypes et généralement lié de façon stricte par des règles quasi rituelles, ce type de poème revêt, dans les sociétés traditionnelles, des formes référant au passé du groupe, et plus ou moins apparentées à l'épopée : chants d'auto-louange (comme en connurent beaucoup de sociétés archaïques) d'un guerrier vantant ses propres hauts faits réels, présumés ou fictifs ; généalogies africaines [2], amplifiées au Rwanda en poèmes dynastiques si exactement transmis que A. Kagamé, vers 1950, put en les entendant remonter jusqu'au XVIe siècle l'histoire de ce peuple ; *izibongo* bantous, complexes et hautement spécialisés, accumulation de métaphores hyperboliques et d'allusions héroïques, parfois juxtaposées sans syntaxe narrative...

Cette veine n'est pas épuisée : il y a quelques années, le griot Kaba, en Guinée, chantait la généalogie du président Sékou Touré. Récupération politique ? Pas plus que les chants syndicalistes swahili recueillis par W. Whiteley vers 1960. Plutôt, convergence avec la tradition qui, dans la société technologique, assume cette fonction cohésive au moyen de chants patriotiques, de chansons partisanes ou protestataires ; qui, dans le Japon du miracle économique, a engendré les hymnes d'entreprise comme celui de la Matsushita Electric [3] !

La même fonction s'exerce avec agressivité dans les poèmes guerriers, dont on peut distinguer trois espèces, d'extension universelle : l'incitation au combat, l'éloge des combattants passés et le chant destiné à soutenir l'action dans la bataille. Les deux premières espèces jouèrent, dans certaines sociétés traditionnelles, un rôle culturel considérable. Ainsi, chez les peuples bantous : au Rwanda, l'apprentissage des chants militaires faisait partie de l'éducation des jeunes hommes ; dans le royaume zoulou, ces chants constituaient un élément cristallisateur de la

1. Finnegan 1976, p. 111-112, 128 ; Rouger, p. 118, 144-152 ; Camara, p. 198.
2. Finnegan 1976, p. 206-220 ; Vansina 1965, p. 148 ; Smith 1974, p. 302 ; Bowra 1978, p. 9-22.
3. Camara, p. 299 ; Finnegan 1976, p. 90, et 1977, p. 217.

volonté nationale, depuis le règne de Shaka, cultivé, organisé, systématiquement exploité par le pouvoir ; aujourd'hui encore, conservées en mémoire, plusieurs vieilles chansons de guerre furent adaptées aux luttes politiques ou sociales [1]. Aussi bien, dans nos sociétés industrielles, la poésie guerrière subsiste fragmentée, assumée en motifs oratoires par nos chansons patriotiques ou révolutionnaires.

Les chants de chasse des peuples africains, amérindiens, asiatiques [2], s'y apparentaient de près, exaltant la valeur morale, la séduction du péril, la puissance imprévisible de l'adversaire et de la nature : scandant la préparation ou la conclusion des grandes expéditions collectives, accompagnés de danses, voire de mimes, transformant en spectacle les réunions des sociétés cynégétiques ou les funérailles d'un chasseur illustre.

L'instinct de conservation sociale n'est pas moins, quoique implicitement, à l'œuvre dans les formes, plus rares, de poésie orale narrative contant quelque événement passé, qui jadis importa pour la communauté... même si peut-être il lui indiffère aujourd'hui [3] ; ou dans les formes gnomiques, fréquentes chez les sociétés traditionnelles, où elles contribuent à la transmission du savoir commun : dans nos campagnes encore, tant de dictons rimés et rythmés sur le temps qu'il va faire.

Les dynamismes sous-tendant ces stratégies de défense et d'affirmation collectives se nuancent ou s'infléchissent dans la poésie religieuse orale. Celle-ci embrasse les variétés de chant rituel : en Occident, les liturgies chrétiennes et juives, dont l'exécution orale est soutenue par une transmission écrite, souvent ancienne ; de même, le chant coranique ; ailleurs, les hymnes hindous et bouddhiques ; dans les cultes africains, les chants et danses célébrant les grandes divinités ou accompagnant initiations, circoncisions, excisions [4] ; les incantations mélanésiennes, celles, jadis, des chamans mongols ou amérindiens ; les chants - parfois très brefs : réduits à une phrase répétée - provoquant la transe ou provoqués par elle, et auxquels G. Rouget consacra récemment un beau livre. L'introduction récente de liturgies catholiques en langue vulgaire a favorisé la création d'un genre nouveau, en plein essor dans le tiers monde : la « messe » en vernaculaire, et sur des rythmes populaires locaux. J'en ai entendu ou l'on m'en a signalé au Congo, au Zaïre, au Chili, en

---

1. Finnegan 1976, p. 140, 208-220.
2. Finnegan 1976, p. 101, 207, 221-230 ; *Recueil*, p. 74.
3. Roy 1954, 141-169.
4. Dieterlen ; *Recueil*, p. 54-65 ; Camara, p. 184-186 ; Finnegan 1978, p. 146 ; Roy 1954, p. 311-351.

Argentine, au Brésil, certaines d'une grande beauté[1]. Au Ghana, l'Église méthodiste a suscité des formes nouvelles, très vivantes, de chant ecclésial improvisé.

Seconde espèce : les prières chantées, cantiques, poésie de confortation ou d'adoration, d'usage privé ou public et non spécifiquement cérémoniel. Ainsi, en pays d'Islam, les longs poèmes homilétiques dont certains ont pénétré jusqu'au cœur de l'Afrique, comme le célèbre *Chant de Bagauda* hausa ; ainsi, en Éthiopie, les *gene* coptes, brefs et allusifs, fruits d'un art sophistiqué, exigeant une longue et savante initiation. Toutes les Églises chrétiennes possèdent une vaste gamme de cantiques, d'origine littéraire ou folklorique, généralement diffusés par l'écriture mais d'emploi exclusivement oral. En Afrique, depuis les indépendances, un louable effort d'adaptation des pratiques indigènes a permis aux Missions de créer ainsi une poésie de bonne qualité musicale et même chorégraphique. On sait le rôle du chant dans les mouvements charismatiques ; dans les rassemblements religieux porteurs de revendication sociale, comme celui du prophète congolais Matswa naguère ; et ce qu'il fut durant le XIXe siècle pour les communautés chrétiennes noires d'Amérique, sous des formes que continuaient à animer en profondeur les traditions du vieux continent perdu[2].

Dans les situations de conflit religieux, à plusieurs reprises, dans l'histoire européenne, le *cantique* en assuma l'enjeu. En France, selon H. Davenson, cette forme de poésie, issue des guerres de religion, fut alors créée par les Huguenots en marge de la liturgie, puis par les catholiques pour y répondre. En Irlande, la résistance à l'occupant anglais suscita, au cours des XVIIIe et XIXe siècles, une série de cantiques populaires à la louange de la Vierge ou de l'Eucharistie[3]. Cantiques, sous leur vêture laïque, les chansons pastorales destinées à un public de tièdes ou d'incroyants, dont le père Duval, à partir de 1956, fit un genre à succès : les six cent mille disques vendus en quelques années répandirent plusieurs des chansons les plus originales que l'on ait entendues au début des années soixante, évoquant le *blues* et les formes anciennes du jazz.

Dernière espèce : chansons illustrant une fête religieuse périodique. Ainsi, dans toute l'Europe, les *noëls,* dont la tradition,

1. Disques : Philips 625.141 QL *(Missa Luba),* 6349.191 Phonogram *(Missa do vaqueiro)* et 14806 *(Chants de lumière) (Missa criolla)* ; Pathé EMI, PAM 68026 *(Missa a la chilena);* Barclay 40055 (collection Voyages) *(Missa por un continente).*
2. Finnegan 1976, p. 91, 167-186, 282 ; Collier, p. 68.
3. Davenson, p. 54-57 ; Finnegan 1978, p. 169-170, 358-359 ; Vernillat-Charpentreau, p. 187-188.

attestée depuis le XVᵉ siècle, mais peut-être plus ancienne, véhicule pêle-mêle des souvenirs littéraires, liturgiques, populaires, beaucoup de mélodies empruntées à des chansons profanes, plus tard même à des airs d'opéra [1]. Dans diverses régions de la chrétienté, jusqu'au Québec et en Acadie, on chantait hier encore des cantiques d'Épiphanie et de Chandeleur durant les quêtes qui, ces jours-là, se faisaient de maison en maison dans le village : coutumes christianisant, sans doute, d'antiques traditions païennes, à la manière des chants de Carnaval et de mascarade, négativement liés au Carême.

Troisième axe d'organisation dynamique : une finalité plus confuse, modelée sur les circonstances, qu'il s'agisse de les magnifier, de les déplorer ou de les craindre. C'est là, dans notre société, le seul critère relativement net de distinction parmi la masse de la poésie orale.

Evocation, plus ou moins stylisée, de circonstances de l'existence personnelle : chansons à boire ; chansons exaltant l'émotion qu'inspire un paysage ; appelant l'amour ou conjurant la mort : thèmes jumeaux, souvent liés, aux réalisations profondément uniformes dans leur extrême diversité. La sexualité en effet comme la mort, en tant que vécues, sont des faits culturels ; physiologiquement fondés, le sexe et la mort n'en sont pas moins produits de l'histoire. La déploration du mort, chantée ou scandée, dramatisée de sanglots ou de cris, s'intègre, dans la plupart des sociétés pré-industrielles, au rituel des funérailles ; parfois elle les précède ou les suit. On a supposé, non sans vraisemblance, que c'est là l'une des formes primordiales du discours poétique. Elle s'est intégrée, à titre de motif dramatique, à l'art épique universel ; mais elle a engendré, dans la plupart des cultures pré-modernes, des traditions autonomes, parfois très complexes. L'ampleur qu'avaient encore, il y a peu, les *lamentos* dans les régions méditerranéennes rurales, témoignait pourtant d'une extrême retenue par rapport aux chants africains comme les *imbey* du Cameroun, incluant un éloge épique du défunt et de ses ancêtres [2]. Les chants de funérailles, relayés chez nous depuis plusieurs siècles par le chant liturgique ou par une musique profane non spécialisée, constituent encore, dans la plupart des ethnies africaines, un élément de théâtralisation, conçu comme tel, au point qu'un même mot désigne, chez les Dagaa du Ghana, le texte chanté et la danse qui l'accompagne [3]. Chez les Iroquois

1. Davenson, p. 52-53 ; Poueigh, p. 249-255 ; Dupont, p. 283.
2. Finnegan 1976, p. 242-243, 247-252 ; Haas, p. 23 ; Dugast, p. 36-37.
3. Finnegan 1976, p. 147-155 ; Gide, p. 155 ; Wilson, p. 72.

des États-Unis et du Canada, vers 1955 encore, cette forme de chant revêtait une valeur politique, et la réunion périodique du Conseil de la « Confédération des Cinq Nations » commençait par le *lamento* des chefs décédés pendant l'exercice.

Quant à la poésie amoureuse, au discours personnalisé par un *je*, un *tu*, ou, sous un couvert narratif, impersonnel, un très petit nombre de motifs typiques la formalisent, en chants généralement assez brefs ; motifs primaires, fondés dans l'expérience du désir, universaux de l'imaginaire érotisé : de la vue à l'espoir, au plaisir et à l'amertume. Cependant, l'institution matrimoniale, valorisée par la collectivité et engagée dans la complexité des relations économiques, fait - autant que les cycles du corps et de l'affectivité, qu'elle s'asservit ou contrarie - figure d'élément naturel. C'est pourquoi sans doute tous les folklores au monde sont riches de chants nuptiaux. La culture occidentale, dès le Moyen Age, les intégra dans la tradition des chansons d'amour : le mariage devient, dans cette topique, le terme désirable... ou l'obstacle, comme dans les *maumariées,* stylisant en un même discours l'appel érotique et le regret de l'enfermement[1]. Dans quelques régions, comme dans la France médiévale ou, aujourd'hui encore, en Acadie, la chanson prend occasion, non du mariage, mais de ce qui fut son pendant moral et social, l'entrée d'une jeune fille au couvent.

Circonstances collectives, embrassant tout ce qui, « actualité » d'un groupe social, réalise en quelque façon, sous l'impact du « fait divers », les virtualités qu'il sait être les siennes : cela même qui nourrit le *topical song* américain. Événements affectant l'ensemble d'une communauté, catastrophe naturelle, guerre ; plus souvent un incident moins retentissant mais lourd d'une signification que la poésie rend immédiatement perceptible. Ou bien quelqu'un de ces menus retours périodiques d'un destin fabriqué par les puissants : comme le recrutement des armées dans la Russie tsariste, source d'un cycle de chansons.

De nos jours, ce genre fait partout référence à la vie politique, spécialement dans les États à régime centralisé du tiers monde. R. Finnegan cite les chants mongols relatifs à la mainmise chinoise sur le pays en 1919, ou à telle campagne culturelle : la poésie orale remplit ici, outre la sienne propre, la fonction d'un journalisme engagé, sinon dirigiste. Le fait est fréquent aujourd'hui en Afrique. Dès le lendemain de la Seconde Guerre mondiale, et davantage à mesure que mûrissaient les indépendances, une poésie orale d'actualité politique (fondée sur des traditions locales de panégyriques ou d'invectives) accompagna le progrès des

1. Finnegan 1976, p. 253-258 ; Dupont, p. 245-246 ; Roy 1954, p. 74-139.

mouvements d'émancipation, puis les campagnes électorales : en Tanzanie, en Zambie, en Guinée, au Sénégal, au Nigéria ; au Kenya, durant l'insurrection des Mau-Mau ; dans la République sud-africaine, des refrains en langue vernaculaire ironisent sur les tracasseries policières[1]. Parfois, l'événement ne concerne qu'un groupe très limité, un individu, mais suscite de la part de celui-ci un discours poétique qui tend obscurément à le dignifier en l'universalisant : ainsi des complaintes, très maladroites, recueillies par J.-C. Dupont en Acadie, et composées, à l'époque de la Première Guerre mondiale, par tel amoureux qu'avait éconduit la belle ou son père[2].

L'Europe, du XVIIIe siècle au début du XIXe, a connu une variété de chansons définies par les circonstances topographiques de leur performance : spécialement destinées à un public urbain et aux lieux publics de la ville, distinguée comme telle au sein de la littérature de colportage : les *street ballads* anglaises, les « chansons de rue » françaises[3]. Il ne semble pas qu'une telle différence soit encore sensible aujourd'hui : les médiats l'ont annulée.

Tous les types ainsi énumérés, assez flottants, se prêtent, avec ou sans modification formelle, à l'*ironie* et à la *parodie*. Les termes éculés de *satire* et *satirique* en désignent l'un des effets.

J'emprunte, dans l'embarras du choix, un exemple aux chansons enfantines. Beaucoup d'entre elles, en France, conservent des traces, aujourd'hui mal discernables, de ce qui fut, il y a longtemps, allusion caustique à tel personnage public aimé ou haï : Henri IV, Guillaume II, Bismarck... ou le roi Dagobert, prête-nom de Napoléon ! L'effet d'ironie a cessé, après quelques générations, d'être sensible. On ne peut que présumer ce que fut sa force originale. En décembre 1980, alors que je séjournais à Bangui, D. Jouve me communiqua les textes d'une série de chansons de ronde, recueillies quelques mois plus tôt sur les lèvres de fillettes d'une école primaire de la ville[4] : dans une forme et sur une trame thématique traditionnelles elles brodaient des allusions acerbes, à plusieurs reprises presque obscènes, à l'ex-empereur Bokassa et à son entourage féminin. A partir d'éléments puisés dans les conversations familiales, ces enfants avaient spontanément recréé un cycle épico-légendaire, aussitôt fixé dans cette forme poétique accueillante et bien fonctionnelle :

1. Finnegan 1976, p. 235, 272-298, et 1978, p. 56-58, 67-68 ; Camara, p. 270-272.
2. Dupont, p. 210-211, 222-223.
3. Neuburg, p. 123-124, 142-143.
4. Jouve-Tomenti.

l'ogre, l'ogresse et leur tribu haïe ; anthropologie et magie sexuelle avec, pour finir, le héros libérateur...

Le mode de programmation que comporte une macro-forme interfère, dans la délimitation d'un genre, avec la nature de sa force constitutive. Il varie, selon le caractère de l'organisation textuelle prévue, quant au type, au volume et au contexte du discours.

J'exprime en termes d'opposition l'amplitude des diverses variations du programme discursif. J'entends, empiriquement, par *opposition* des contrastes graduels plutôt qu'absolus. Celles qui affectent le type de discours sont pour l'essentiel de deux ordres :

1. « Sacré » *vs* « profane » : d'une part, porteur ou créateur de mythes ; d'autres part, ludique, ou éducatif sur le plan du simple savoir-faire. La différence entre ces discours flotte parfois quand on la considère dans l'abstrait : elle prend sa réalité dans la performance, au niveau de la réception. La production de tel chansonnier contemporain, dans un même festival, sera reçue comme un message mythique ou idéologique par une partie des auditeurs, comme un jeu par les autres.

2. « Lyrique » *vs* « narratif », termes utilisables en pratique (en dépit des incertitudes dont il a été question au chapitre III) à condition d'en borner la définition aux éléments manifestes, ainsi que le fait P. Bec à propos du Moyen Age français, et, tacitement, R. Finnegan lorsqu'elle présente, comme un trait pertinent général, la faiblesse et la relative rareté des éléments narratifs dans la poésie africaine (opinion, du reste, fort contestée !)[1]. Alors que le « narratif » implique une concaténation linéaire d'unités interdépendantes, le « lyrique » comporte une addition circulaire ou non ordonnée d'unités plus ou moins autonomes. Ces critères du reste exigent que l'on range, au côté du « narratif », le « dramatique », et au côté du « lyrique », le « gnomique ». Il résulte de ces particularités que le poème « lyrique » ou « gnomique » est en général plutôt bref, et que les très longs poèmes sont presque nécessairement « narratifs » ou « dramatiques ».

On touche ainsi à un autre ordre de variations : celles qui concernent le « volume » du discours. Je donne à ce terme deux acceptions, selon qu'il se réfère à la durée de la performance (long *vs* bref) ou à la distribution des locuteurs (monologue *vs* dialogue ou polylogue). Dans plusieurs cultures, longueur ou brièveté appartiennent aux caractéristiques d'un genre, senties

---

1. Bec, p. 21-23 ; Finnegan 1976, p. 211-212, et 1977, p. 13 ; Alatorre, p. XVI-XVII ; Genette 1979, p. 15-17, 33-41.

FORMES ET GENRES

comme telles : en Roumanie, un *noël* ne dépasse jamais cent
vers ; une ballade épique, environ huit cents. De nos jours, en
dépit de son imprécision, le mot *chanson* implique, dans l'esprit
de tous, une brièveté ordinairement, chez les disquaires, mesurée
en minutes et secondes.

Les formes plurilogiques (dialogue ou polylogue) se rangent en
deux classes, également opposables au monologue : selon que les
voix alternent régulièrement, en vertu ou non d'une périodicité
fixée (« chant alterné »), ou qu'elles le font conformément à des
exigences thématiques externes (« chant dramatique »).

Le chant dramatique, accompagné de danse et d'un minimum
de figuration, ne se distingue du théâtre que dans la mesure où,
au sein d'une même culture, le sentiment général l'en dissocie.
Telle la *cantata* chilienne, créée au temps de l'Union populaire ;
ainsi la très belle cantate de *Santa Maria de Iquique* de Luis
Advis, inspirée par le souvenir d'un massacre de mineurs,
alternance de chants entre chœur et soliste, intermèdes instrumentaux et récitatifs. En revanche, c'est comme une forme de
théâtre populaire proprement dit qu'est signalée la *kantata*
togolaise, à thèmes bibliques, sortie, à la fin des années quarante,
de la pratique des chorales chrétiennes [1].

Le chant alterné s'échange entre deux chanteurs ou deux
chœurs, le plus souvent entre un soliste et un chœur. Dans ce
dernier cas, le texte se découpe d'ordinaire en couplets et refrain ;
mais celui-ci ne reste pas toujours (comme il le fait dans la
pratique occidentale moderne) le même pendant toute la durée du
chant. Historiquement, on peut tenir pour assuré que l'usage du
refrain constitue un trait spécifique d'oralité : les formes poétiques écrites qui l'adoptèrent l'ont emprunté à quelque genre
oral. La preuve en a été faite en ce qui concerne le Moyen Age
européen. Le refrain choral manifeste de la manière la plus
explicite le besoin de participation collective qui fonde socialement la poésie orale. Je reprendrai cette question aux chapitres XI et XIII.

L'ère de diffusion du chant alterné, sous ses diverses formes,
embrasse l'horizon entier de l'histoire et des cultures connues.
En Occident, c'est une constante du discours poétique, de
l'Antiquité grecque à l'époque romane et à nos folklores, jusqu'à
telle ballade de Woody Guthrie comme *Dusty old dust,* et
d'autres après lui. Certains peuples, en en resserrant par convention la forme, en ont fait un genre très élaboré, quoique souvent
improvisé et d'une extrême habileté d'exécution : au point que
celle-ci semble parfois figurer allégoriquement la lutte de l'indi-

1. Clouzet 1975, p. 90-96, 135-149 ; Agblemagnon, p. 132.

101

vidu en proie aux complexités du jeu social. Ainsi, des *ajty* kazakhs qui, au XIXᵉ siècle, célébraient les victoires sportives ; des *pantuns* malais, en usage récemment encore, quatrains analogues, par leur style, aux *haikai* japonais, et improvisés alternativement par les participants d'un concours de poésie, ou par deux amoureux, par un danseur et sa partenaire, par les deux familles à une cérémonie nuptiale. Vers 1930, dans l'île indonésienne de Buru, hommes et femmes du village, en groupes opposés, improvisaient alternativement de courts chants de moquerie réciproque : genre si bien enraciné dans les mœurs que l'idiome local en distinguait cinq variétés. Des faits semblables ont été relevés en Afrique, en Espagne il y a peu d'années [1].

Lorsque le chant alterne entre deux chanteurs isolés, il prend souvent la forme dite, selon les époques et les langues, *défi*, *altercatio*, *tenzone* et autres termes de sens voisin : dispute stylisée, en principe improvisée mais étroitement réglée et destinée à mettre en valeur la virtuosité des poètes. Sorti d'usage en Europe à la fin du Moyen Age, le défi s'est conservé dans quelques villages aragonais et surtout en Amérique latine : *desafíos* brésiliens - dont le «Dictionnaire des improvisateurs» publié en 1978 distingue douze variétés formelles -, ou la *paya* chilienne, dont les Parra tentèrent, il y a une vingtaine d'années, de faire une arme politique [2].

Sous l'appellation de « contextuelles », je regroupe trois types de variations. Les deux premières se définissent relativement à un contexte explicitement fourni par une tradition ou par l'écriture :
- contexte linguistique, auquel on réfère en parlant de « prose » ou de « vers » ; ou mélodique, relativement auquel on évoquera le « parlé » ou le « chanté » ;
- contexte gestuel, désignant spécialement la danse.

Aucun de ces termes ne possède la netteté qui, à première vue, paraît le caractériser. Ils n'en appartiennent pas moins à la zone centrale du champ conceptuel où, me semble-t-il, il convient d'asseoir une poétique de l'oralité. C'est pourquoi j'en traiterai plus en détail par la suite, aux chapitres X et XI.

Le dernier type, enfin, de variation se définit par rapport à un contexte implicite, suscité par le discours même, selon qu'il est ou non improvisé. Sur cette question, je reviendrai au chapitre XII.

1. Winner, p. 29-34 ; Finnegan 1976, p. 103, 232-234, et 1978, p. 73 ; Huizinga, p. 122-123 ; Gide, p. 67 ; Laya, p. 178 ; Fernandez, p. 466.
2. Burke, p. 111 ; Fernandez, p. 464-465 ; *Dicionário*, p. 14-44 ; Clouzet, p. 89-90.

6. L'épopée

Études sur l'épopée : définition du genre. - Histoire et mythe. Durée et finalité. - Le discours épique ; le style formulaire. - L'épopée dans le monde.

Le genre poétique oral le mieux étudié jusqu'ici en tant que tel, au-delà des relevés ethnographiques ou de hasardeux rapprochements historiques, c'est l'épopée. Nos poétiques portent ainsi témoignage parmi nous de la permanence du modèle homérique dans une mythologie culturelle imprégnée de classicisme.

Référence ultime de toute Poésie, image archétypale du Poète, Homère en effet devient, vers 1780 en Allemagne, objet d'application d'une nouvelle idée, dialectique, du temps, de l'Histoire et de la philologie. Wolf, le premier, posait la question de l'oralité initiale de l'*Iliade* et de l'*Odyssée*. Mais il le faisait de manière étroite, dans la seule perspective de l'unité de leur composition et de l'authenticité de leurs parties. Jamais, durant le XIXe siècle, les discussions que provoqua la «question homérique» ne firent éclater ces limites ; néanmoins, au sein du mouvement général qui poussait le Romantisme européen à la découverte des «poésies populaires», elles orientèrent quelques chercheurs vers l'investigation de «poèmes héroïques» : dès les années 1820, Karadzic en recueillait un nombre impressionnant en Serbie ; en 1860, Rybnikov constatait, dans les régions écartées du nord-ouest de la Russie, la vitalité des ballades épiques, les *bylines*, dont chacun alors admettait qu'elles avaient depuis longtemps disparu.

Vers 1900, peu de régions de l'Eurasie avaient échappé à cette prospection. Le matériel s'accumulait : vaste poésie orale narrative, polymorphe et inégalement comparable aux diverses formes de folklore. Elle n'avait pourtant suscité encore aucune interrogation d'ordre proprement poétique. Au cours des années trente, l'horizon se dégagea du côté des chercheurs anglo-saxons : dès 1930, paraissait le livre d'Entwistle sur les ballades européennes ; en 1932, le premier volume de la synthèse tentée par H. et N. Chadwick, *The Growth of Literature*, rameutant les informations alors disponibles sur les «poésies primitives». Ce fut alors que M. Parry eut le mérite de poser, en termes techniques, la question du fonctionnement de ces textes. A la suite d'une campagne en Yougoslavie dans les années 1934 et 1935, il ramenait à Harvard trois mille cinq cents enregistrements de chanteurs épiques et des milliers de fiches ; mais il commençait à peine à consigner cette expérience dans un livre, d'ores et déjà intitulé *The Singer of Tales*, qu'il mourut prématurément. Son disciple A. B. Lord releva le titre, dans un ouvrage de synthèse paru en 1960 et qui fit grand bruit. L'influence s'en étendit, non sans soulever de violentes polémiques, aux études sur le Moyen Age : dans ce domaine particulier les travaux de Parry et Lord rencontraient et confirmaient ceux de R. Menendez Pidal sur le *Romancero* et la *Chanson de Roland* [1].

Cependant, Parry avait inspiré d'autre part C. M. Bowra qui, dans le sillage des Chadwick, publiait en 1952 son *Heroic Poetry*, aujourd'hui encore unique ouvrage d'ensemble que nous possédions sur l'épopée. Bowra embrassait le fait épique dans toute son envergure historique, de *Gilgamesh* à nos jours. Par malheur, asservi à des présupposés hérités du Romantisme, il s'embarrassait de théories génétiques qui limitaient sa perspective, bornée par une conception rigide de l' « héroïque » : éliminant les poèmes non expressément guerriers ou trop brefs, les panégyriques, les déplorations, son livre, tout indispensable qu'il est devenu comme source d'information, fourmille de contradictions qui en affaiblissent la portée.

Depuis lors, en partie sur les incitations de Lord et autour des collections constituées à Harvard, un tel nombre de monographies et d'études sectorielles ont été consacrées à l'épopée « vivante » que E. R. Haymes en publia dès 1973 une bibliographie (aujourd'hui bien dépassée !), complétée en 1975 par une introduction aux doctrines de Lord [2].

Je reviendrai par la suite sur ces dernières, dont aucune poétique de l'oralité, tout en les passant au crible critique, ne saurait négliger l'apport. Lord, en effet, peu soucieux de théoriser, nous a du moins fourni pour la première fois un cadre adéquat de description du fait épique. Pionnier de ces recherches, il a, en insistant sur la spécificité de l'oral et de ses mécanismes producteurs, définitivement empêché le retour aux confusions de l'histoire littéraire traditionnelle [3]. La conception classique du « poème épique », telle que l'imposèrent chez nous les commentateurs d'Aristote, inspirée par une idéologie de l'écriture, doit être

---

1. Lord 1971, p. 8-12 ; Menendez Pidal 1959, p. 413-463.
2. Haymes 1973 et 1975 ; Lord 1975.
3. Foerster ; Marin, p. 25-43.

désormais, sinon récusée, du moins dissociée de la notion d'épopée.

La définition de l'épopée n'en fait pas moins difficulté. Le terme réfère-t-il à une esthétique, à un mode de perception, ou à des structures de récit ? Certains lui font embrasser toute espèce de poésie orale narrative, spécialement d'argument historique, sans préjugé de solennité ni de longueur. Pour D. Tedlock, un genre épique proprement dit, caractérisé par des règles de versification, n'existe qu'au sein des cultures semi-lettrées ; dans les sociétés primairement orales, l'équivalent fonctionnel en serait le conte : thèse que semblent confirmer les faits relevés en Amérique du Nord, chez les Indiens et les Inuit (ainsi, le cycle de Kivioq, au Canada), mais infirmer d'autres enquêtes. À la limite, on poserait, comme D. Bynum, qu'*épopée* et *épique* ne sont que des désignations métaphoriques de la poésie orale, fondées sur le grec *epos*... lequel renvoie, chez Homère, simplement au mot porté par la voix[1].

Sans doute convient-il de distinguer, à la suite de Staiger, l'*épopée* comme forme poétique culturellement conditionnée, donc variable, et l'*épique,* classe de discours narratif relativement stable, définissable par sa structure temporelle, la position du sujet et une aptitude générale à assumer une charge mythique qui l'autonomise par rapport à l'événement. De ce point de vue, c'est du côté du roman plutôt que du conte que l'on trouverait des passerelles invitant aux acrobaties comparatistes[2]. Néanmoins, c'est en ces termes ou de semblables que l'on peut saisir ce qui fait la fragile mais réelle unité, inter- et super-culturelle, de l'épopée, à travers ses nombreuses manifestations.

Récit d'action, concentrant en celle-ci ses effets de sens, économe d'ornements annexes, l'épopée met en scène l'agressivité virile au service de quelque grande entreprise. Fondamentalement, elle narre un combat et dégage, parmi ses protagonistes, une figure hors du commun qui, pour ne pas sortir toujours vainqueur de l'épreuve, n'en suscite pas moins l'admiration. Cette prudente définition ne laisse pas de soulever bien des questions. A quels archétypes remontent nos formes les plus anciennes d'épopée, celles qui engendrèrent les traditions hier encore vivantes ? Dans le domaine indo-européen, n'ont-elles pas projeté en discours le mythe des trois ordres distingués par Dumézil, régulateurs du mouvement cosmique ? Le combat épique comporte-t-il une dimension érotique ? Est-il nécessairement guerrier ?

---

1. Lord 1971, p. 6 ; Tedlock 1977, p. 507 ; Charron 1977, II, p. 273-505 ; Bynum, p. 245, 248 ; Bowra 1978, chap. I.

2. Marin, p. 45-47 ; Oinas 1968.

Intègre-t-il une composante philosophique ou religieuse ? Chaque aire culturelle apporte à ces interrogations ses propres réponses. La longue liste de thèmes épiques dressée par Bowra tient du fourre-tout. Les chercheurs de l'Institut du folklore de Bucarest ont établi, pour les sept mille ballades roumaines recueillies, des catalogues thématiques comptant jusqu'à deux cents numéros [1].

Reste que l'*épique* déborde l'*épopée,* et que les cas incertains ne sont pas rares. Ainsi, l'on a relevé au Rwanda, région où ni la traite des esclaves, ni les missions, ni la colonisation n'ont trop lourdement sévi, près de cent quatre-vingts poèmes dynastiques, retraçant l'histoire du pays depuis une époque assez ancienne : sont-ce des « épopées » ? En est-ce une, que l'*izibongo* bantou, mixte de panégyrique et d'évocations guerrières ? Tel chant de bataille balouche de vingt vers est-il « épique » au même titre que les longues chansons de geste ouzbeks ? les brèves ballades héroïques des peuples de race iranienne, que les amples compositions des peuples de race turque ? la *qasida* arabe que les vieilles *hamasa* de Turquie ? Inversement, les Kazakhs ne disposent pas d'un terme propre pour désigner ce que nous pouvons considérer comme leurs poèmes épiques... [2].

En recourant à la terminologie suggérée au chapitre précédent, on peut du moins tenter de dégager le lieu et le « moment » d'où surgit la *force* constitutive de l'épopée, et les termes où se programme son *ordonnance*.

On ne saurait, me semble-t-il, mettre sérieusement en doute l'existence d'un modèle sous-jacent commun à toutes les formes de chant épique. Mais, si l'on en juge à ses manifestations dans l'espace et le temps, l'un des traits de son *ordonnance* détermine les autres ainsi que certains aspects de sa *force :* le volume du discours. Selon en effet que le chant est bref ou long, il est, à plusieurs niveaux, différemment marqué.

Brièveté et longueur, pour être des notions relatives, sont en fait bien distinctes et reconnaissables au sein des cultures et des régions où les deux types coexistent : comme, en Asie centrale, les chants héroïques des populations de l'Altaï et des monts Sayan d'une part, ceux de la haute vallée de l'Iénisséi de l'autre ; ou, dans notre Moyen Age, la chanson de geste française et le *romance* espagnol. Des milliers de vers d'un côté, quelques

---

1. Bowra 1978, chap. II et III ; Elliott, p. 235-239 ; Duby, p. 16-17 ; Knorringa 1978, p. 8-9.
2. Finnegan 1976, p. 109, et 1978, p. 121-122 ; Burness, p. 129-158 ; Chadwick-Zhirmunsky, p. 106-107, 190-193 ; Bynum, p. 242-243 ; Marin, p. 14-15, 59-62 ; Zwettler, p. 29-30 ; Winner, p. 68.

dizaines ou centaines de l'autre : épopée de type homérique, d'une part ; et de l'autre, ce que je nomme ici *ballade,* dans un sens plus restreint que le *ballad* anglo-saxon, désignant toute espèce de chanson narrative. Il s'agit là de deux réalisations différentes de la macro-forme épique, sans rapport prouvé de subordination mutuelle : les seuls exemples sûrs d'épopées longues issues d'une combinaison de ballades sont des compilations littéraires, comme le *Kalevala* finlandais et le *Kalevipoeg* estonien de Kreutzwald en 1857 ; des entreprises semblables furent risquées en notre siècle, mais échouèrent, en Yougoslavie et en Arménie soviétique. L'hypothèse inverse de Bowra, faisant de la ballade une forme chronologiquement postérieure au type homérique, n'apparaît pas mieux fondée [1].

Les ballades rassemblées par Lönnrot dans le *Kalevala* comptaient de cinquante à quatre cents vers. Les *bylines* russes, de cent à mille, quoique, de nos jours, Marfa Kryukova en ait composé plus de deux mille. Les ballades anglo-saxonnes et celles de Roumanie, types les mieux étudiés d'épopées brèves, dépassent rarement cinq cents vers. Ce sont là des nombres comparables, communs à des cultures assez diverses et correspondant, on peut le supposer, à une structure profonde identique. Edson Richmond en a esquissé une définition, à la fois thématique et narratologique, fondée sur un ensemble de poèmes européens. Les études de Buchan, les remarques de Bowra et d'autres la confirment : construction d'un récit à épisode unique, en gradation dramatique, ou cumul hyperbolique de brefs épisodes juxtaposés ; personnage unique, parfois collectif (trois frères représentant une famille ou un clan), luttant contre plus fort que lui, souvent contre un groupe social, en bandit, hors-la-loi, prophète méconnu ou vengeur solitaire ; ce héros peut être féminin, mais paré de toutes les vertus mâles ; le décor dans lequel il se meut accuse ces contrastes [2].

Par opposition avec l'épopée de type homérique - plus diverse, moins linéaire, moins exclusivement centrée sur le thème guerrier -, les traits propres de la ballade paraissent d'autant plus nets que sa structure rythmique et mélodique comporte des récurrences régulières : strophes ou couplets des modèles anglo-saxons, germaniques, scandinaves. Lorsque les vers s'enchaînent sans coupures périodiques, comme dans le *Romancero* espagnol ou les chants épiques des Balkans, les différences de ton avec l'épopée longue tendent à s'atténuer. Or, les cultures où l'on

1. Bowra 1978, p. 356-357, 550-553, 561 ; Chadwick-Zhirmunsky, p. 26.
2. Bowra 1978, p. 330-336 ; Oinas 1972, p. 106 ; Chadwick 1936, p. 27-76 ; Conroy ; Edson Richmond, p. 86-89 ; Buchan, p. 76-80.

constate cet effacement semblent souvent avoir neutralisé les oppositions de longueur : les poèmes serbes et bosniaques s'étendent sur une gamme allant de trois cents à trois mille, exceptionnellement treize mille vers ; les ballades grecques et albanaises, de quelques centaines à plusieurs milliers[1].

Nos plus anciennes épopées médiévales avaient, autant qu'on en peut juger, en moyenne de deux à quatre mille vers. Cet ordre de grandeur semble assez commun à l'épopée longue. Les chants épiques d'Asie centrale recueillis aux XIXᵉ siècle présentaient à peu près cette durée chez les Ouzbecks, les Kazakhs, les Kalmouks ; chez les Karakirghiz, en revanche, Radlov entendit, d'un même poème, des versions variant de six à quarante mille vers. La limite supérieure des dimensions du genre est en effet très élevée : seules les conditions sociales de la performance (lieu, époque, périodicité) la fixent plus ou moins. J. Dournes me signale que sur les plateaux indochinois la déclamation de certaines épopées dure cinq à six heures ; les épopées béti, au Cameroun, jusqu'à douze heures[2].

L'*Ulahingan* étudié aux Philippines par E. Maquiso comporte un nombre élevé d'épisodes dont chacun peut être l'objet d'une performance isolée : jusqu'ici, le plus bref que l'on ait enregistré dure trois heures et demie ; le plus long, dix-huit heures, en trois séances. Mme Maquiso évalue à une centaine le nombre des épisodes existants ; mais, depuis des siècles, il s'en crée sans cesse de nouveaux, par variation, addition, démultiplication : un chanteur, en 1965, prétendait en connaître mille trois cent cinquante-cinq... chiffre à prendre, sans doute, symboliquement, néanmoins significatif[3]. Sans doute est-ce ainsi que, pendant sa période de tradition orale, se constitua l'immense *Mahabharata* hindou, dont le noyau fut une geste royale du Xᵉ siècle avant notre ère et qui, lors de sa fixation par écrit, se trouva comporter cent vingt mille versets.

Des trois éléments de ce que j'ai nommé la *force* générique, le premier, le médiat humain, semble réglé par une coutume curieusement unanime : l'épopée longue est prononcée par un homme. Cette règle ne souffre, à ma connaissance, aucune exception. L'épopée brève peut, dans certaines cultures, occasionnellement l'être par une femme. L'aptitude à chanter ou réciter les formes brèves provient de la mémoire individuelle et de la qualité vocale ; elle n'exige pas de formation particulière. Les formes longues requièrent la maîtrise de techniques précises :

1. Bowra 1978, p. 39, 330, 354-355.
2. Ngal, p. 336 ; Alexandre 1976, p. 73.
3. Maquiso, p. 25-37.

l'exécutant est un spécialiste, souvent un professionnel. Dans quelques cultures, il appartient à une caste déterminée ou, comme au Cameroun, à une association initiatique à laquelle s'attache un haut prestige.

Dans la tradition d'un peuple, l'épopée constitue souvent un vaste ensemble narratif, assez rigoureusement formalisé, mais dont chaque récitant, dans chaque occasion, ne communique jamais qu'un épisode. Aucun individu de certaines ethnies africaines n'a, de sa vie, récité ni entendu la totalité de l'épopée nationale, dont pourtant il connaît par ouï-dire l'existence et, en gros, le contenu. Aucun diseur de l'*Ulahingan* ne le connaît en entier ; aucun des chanteurs tibétains consultés jusqu'ici n'a pu réciter toutes les parties du *Ge-sar* : leurs allusions semblent indiquer que quelqu'un de leurs confrères, dans l'Est, en serait capable...

La finalité expresse de l'épopée, relative à la fonction vitale qu'elle remplit pour le groupe humain, s'exprimerait en termes d'espace : moins l'espace géographique définissant une aire d'expansion, une «patrie», que l'étendue morale, cultivée et aménagée par les générations, vécue comme une relation dynamique entre le milieu naturel et les modes de vie. De cette relation, l'épopée déclare que c'est une conquête. Comme toute poésie orale, elle s'exerce au sein de cet espace ; mais elle feint de se déployer dans un espace plus large encore. Pour l'auditoire à qui elle est destinée (qui se la destine), elle est auto-biographie, sa propre vie collective qu'il se raconte, aux confins du sommeil et de la névrose. C'est en ce sens que, fût-elle provoquée par le souvenir de l'événement le plus proche et le moins incertain, elle instaure une fiction ; et celle-ci constitue aussitôt, comme telle, un bien collectif, un plan de référence et la justification d'un comportement. Il n'y a pas d'«âge héroïque», et le «temps des mythes» n'est pas celui de l'épopée : il n'y a que l'incessante fluidité du vécu, une intégration naturelle du passé au présent. L'information transmise par le poème peut ainsi, au long de la tradition, se modifier avec les circonstances. Ne reste en mémoire que ce qui est socialement utile. L'épopée des Gonja ghanéens chanta longtemps sept ancêtres mythiques, rapportés aux sept chefferies existantes. Soixante ans après les premiers enregistrements, le nombre des héros était réduit à cinq, l'évolution politique ayant aboli deux chefferies anciennes...[1]. L'épopée n'a rien d'un musée. Il n'y a pas d'histoire à proprement parler, mais une vérité perpétuellement recréée par le chant.

Ainsi étroitement impliquée dans ce qui fait la stabilité et la

1. Okpewho, p. 75 ; Marin, p. 42-43 ; Goody-Watt, p. 307-310.

continuité du groupe, l'épopée n'est pas moins joie de conter et d'entendre conter. Si elle instruit et conforte, c'est par cette joie. L'épopée nie le tragique. Les catastrophes ne sont qu'une occasion d'honneur. Le héros fût-il écrasé, le peuple broyé par son malheur, le discours épique transcende la mort, individuelle et collective. Il pose un modèle d'action, désigne la source et la fin d'une éthique, donne à un Ordre la forme des rythmes. Durant les deux campagnes où E. Maquiso et son équipe enregistrèrent l'*Ulahingan* des pauvres Manobo, l'audition de ce poème au magnétophone fit, sur les jeunes de la région, un effet de choc au point que plusieurs d'entre eux exprimèrent le désir d'apprendre à le chanter. Toute une culture moribonde semblait vouloir reprendre vie, ainsi révélée à elle-même. C'est pourquoi, sans doute, le chant épique narre le combat contre l'Autre, l'étranger hostile, l'ennemi extérieur au groupe - que ce dernier soit une nation, une classe sociale ou une famille [1]. Seul peut-être le *Heiké* japonais, loin d'user de cette procédure brutale, suggère l'unanimité d'un peuple par le récit de déchirements civils : d'où une méfiance envers l'héroïsme, d'où la nuance, l'impression de fugacité menaçante, l'absence de gloire sans remords.

L'épopée tend à l'«héroïque», si l'on entend par ce mot l'exaltation d'une sorte de surmoi communautaire. On a constaté qu'elle trouve son terrain le plus favorable dans les régions frontalières, où règne une hostilité prolongée entre deux races, deux cultures, dont aucune ne domine évidemment l'autre. Le chant épique cristallise l'hostilité et compense l'incertitude de la compétition ; il annonce que tout finira bien, proclame du moins que nous avons le bon droit pour nous. Par là, il incite puissamment à l'action. Durant la conquête de l'Algérie, vers 1840, les officiers français excitaient au combat les auxiliaires recrutés dans la tribu des Beni Amer en faisant chanter des ballades épiques par leur poète Si Mest'fa. J'ai entendu dire, il y a deux ou trois ans, que la radio somalienne conviait à l'antenne des chanteurs de geste afin de soutenir les guerriers engagés dans la campagne de l'Ogaden.

Si telle est la finalité globale du genre épique, son pré-texte, facteur d'*ordonnance* et générateur du récit, semble pouvoir se ramener à l'un ou l'autre de deux types : ceux que Bowra dénomme «chamanique» et «héroïque», considérant le premier comme historiquement antérieur au second. Rien n'est moins sûr, et la distinction exige beaucoup de nuances. Je préfère opposer

1. Bowra 1978, p. 29-30, 70-79 ; Havelock, p. 93-95 ; Elliott, p. 243 ; Maquiso, p. 7 ; Sieffert 1978*a*, p. 21-22.

« historique » à « mythique », comme termes d'une double polarisation agissant dans le même champ discursif. L'opposition entre
profane et sacré, pertinente dans la plupart des autres genres
oraux, se trouve ainsi plus ou moins neutralisée par l'épopée. Mise
en jeu de forces réputées humaines, d'une part ; représentation
hyperboliquement mimétique d'actions appartenant au domaine
(très variable selon les cultures) de l'expérience ; et, d'autre part,
forces réputées surhumaines, formes figurales fantasmatiques
engendrant la représentation d'un univers senti et voulu comme
à jamais différent. Mais entre l'un et l'autre de ces types idéaux,
la frontière est mal contrôlée. Le statut ontologique des personnages (humains-divins) ne se distingue que dans un nombre limité
de cultures ; et pour celles même qui ne confondent pas le
conquérant et son dieu tutélaire, le temps et la tradition se
chargent de brouiller la distribution.

Parmi les épopées à prédominance « historique », on citerait
aussi bien le *Soundiata* mandingue, le *Heiké* japonais, ou la
Chanson de Roland, dont un plus ou moins grand nombre de
séquences narratives portent quelque reflet, direct ou indirect,
d'événements militaires ou politiques du passé national. La dose
d' « historicité » échappe à toute mesure globale : la poésie du
Soundiata semble véhiculer assez d'informations confirmées sur
le Mali médiéval pour constituer, aux yeux des historiens, une
source valable[1]. Il faut en revanche un fort éclairage archéologique pour lire en filigrane dans l'*Odyssée* l'histoire des migrations helléniques du premier millénaire. L'éloignement dans le
temps brouille, certes, l'image ; mais là n'est pas la question.
L'histoire fournit au poète épique un cadre narratif malléable,
important moins par les informations qu'il comporte que par
l'émotion qu'il va provoquer. Une même action, d'un poème à
l'autre, d'une version à l'autre, peut être rapportée à un héros
différent, ou l'inverse ; des personnages d'époques différentes,
réunis sous un même toit.

Des cycles entiers véhiculent ainsi durant des siècles, sous le
masque de transpositions successives et aléatoires, les marques
ineffaçables d'un événement fondateur... dont la permanence,
justement, constitue le cycle. Les invasions tatares du XIIIᵉ siècle
se profilent encore à l'arrière-plan de bien des *bylines* russes,
dont le contexte historique réel, selon les données de l'érudition,
dut être plutôt des querelles de voisins entre Grands-Russiens et
Petchénègues : tout y est ré-interprété en fonction d'un souvenir
majeur, occulté mais actif dans l'inconscient collectif. Les figures
d'Ivan le Terrible, de Pierre le Grand, de Catherine II tour à tour

1. Niane 1975*a*, p. 7-11, 21-22, et 1979, p. 9-10, 152-153.

engendrèrent d'autres cycles ou s'intégrèrent aux précédents. L'épopée serbe, aux sujets très diversifiés, empruntés à toutes les guérillas lancées contre les Turcs depuis le XVIᵉ siècle, porte la marque originelle de la bataille de Kossovo ; les ballades albanaises, des victoires de Scanderbeg [1].

Au gré de ces réfections incessantes, une circulation tend à s'établir, qui de l'historique mène au mythique, parfois de celui-ci à celui-là. Le contexte culturel s'y montre plus ou moins favorable. Dans les sociétés sans écriture, ces échanges sont intenses. Le *mvet* camerounais met en scène des tribus imaginaires, situées dans un espace utopique - que, du moins, poète et auditeurs éprouvent tels, mais dont on a prouvé qu'ils furent jusqu'au XVIIIᵉ siècle la patrie bien réelle et l'ethnie ancestrale du peuple qui alors émigra dans la forêt. Quant au thème narratif principal du *mvet*, il exalte la lutte de l'homme contre les Puissances naturelles, visibles et invisibles, et son accession à l'immortalité. La tradition du *Ge-Sar* tibétain, dont M. Helffer recueillit au Népal et publia en 1979 un fragment d'une durée de six heures, est attestée depuis le Xᵉ siècle ; diverses versions écrites en circulaient, à titre de livre édifiant, dans les lamaseries avant l'invasion chinoise : centré sur la figure, historique sans doute, d'un conquérant aspirant à la royauté universelle, le *Ge-Sar* constituait une somme culturelle et religieuse si dense et complexe que certains bardes ne pouvaient en chanter les parties qu'en les lisant sur un manuscrit [2].

Le long *Ulahingan* fournit l'exemple typique d'une épopée à forte prédominance « mythique ». A travers les neuf versions, sur bien des points divergentes, enregistrées entre 1963 et 1975, subsiste le même schème narratif profond : patriarcat initial, tyrannie imposée, fuite vers la liberté, messager du salut, visions, signes miraculeux annonciateurs d'une restauration définitive, découverte du *sarimbar,* véhicule divin qui s'élève au ciel sous la conduite d'Agyu, héros-père divin, enfin établissement général dans la joie du Paradis... [3]. Schème d'origine biblique, mâtiné de traditions locales ? Cela n'est pas impossible ; mais on sait que les populations autochtones de Mindanao furent jadis refoulées par les musulmans venus d'Indonésie : ce souvenir historique veillet-il encore dans le mythe ? Au cours des années vingt et trente de notre siècle, trois Messies successivement se présentèrent aux Manobo, parlant, assuraient-ils, le discours des dieux et promettant de conduire leurs fidèles au paradis d'Agyu leur ancêtre.

---

1. Bowra 1978, p. 22-26, 86, 388, 511-512, 523 ; Oinas 1972, p. 100.
2. Ndong Ndoutoumé ; Helffer, p. 1-8.
3. Maquiso, p. 56-57.

L'une de ces équipées engendra des troubles sanglants avec les musulmans de la région et, dans la secte aujourd'hui encore survivante, de pauvres diables continuent d'attendre le *sarimbar*.

Aucune épopée n'est totalement dépourvue d'ingrédient historique, quelle que soit l'opacité mythique de son discours. A nos yeux d'Occidentaux, le *Romancero* ancien, voire (en dépit du personnage) les ballades anglaises de Robin Hood, sont plus « historiques » que les récits voltaïques sur la princesse Yennenga, ravie par un cheval fougueux, perdue en forêt, fécondée mystérieusement et souche de la dynastie mossi... En vertu de quels critères ? Le trait universel de l'épopée, plus encore que son argument guerrier, c'est cette interpénétration d'éléments, contraires dans notre mentalité moderne, mais indissociables pour les civilisations traditionnelles. La naissance du héros épique africain est toujours extraordinaire : Akoma Mba, chez les Fang, demeure cent cinquante ans dans le sein de sa mère [1]. Le personnage est peut-être « historique » ; mais l'épopée procède par collage d'indices affectifs et de métaphores allusives, sur un fond qu'ils dissimulent.

Ce « merveilleux » du reste n'est que l'ornement anecdotique du « mythe » : celui-ci relève de la programmation générale du discours. Mais à son tour il tient peut-être à l'histoire en vertu d'implications très lointaines : J.-D. Penel, dans un essai inédit portant sur des faits centrafricains, signale que la plupart des sociétés sans Etat ignorent les mythes de création du monde (liés à l'existence d'un pouvoir fort), mais que leur mythologie concerne plutôt la répartition de la terre entre les hommes. Peut-être une distinction de cette espèce rendrait-elle compte de la diversité des modèles épiques où s'est vue intégrée l'histoire. On opposerait de même les mythes confirmant un ordre et ceux qui montrent une sorte de va-et-vient entre ordre et désordre, entre affirmation et contestation : résolvant au plan de l'imaginaire quels conflits oubliés entre dominateurs et dominés ? Paradoxalement, et non sans ironie, on soutiendrait que la fonction sociale traditionnellement remplie par cette interpénétration épique du mythe et de l'histoire a été assumée pour nous - aux temps mêmes où s'instaurait notre univers technologique - par les philosophies systématiques. Hegel, Marx, Auguste Comte, nos derniers poètes épiques...

Le type de discours épique comporte des traits virtuellement universels ; d'autres, différant selon les milieux culturels, demeurent stables dans chacun d'eux. Partout, ses structures et son fonc-

1. Okpewho, p. 93.

tionnement ont été longuement élaborés au cours du temps : discours traditionnel, au sens fort de ce terme, relativement fermé, présentant parfois des aspects d'archaïsme mais, surtout, riche de références internes, d'allusions à lui-même, accroissant grandement sa significance. Une tonalité générale y préside[1]. Quoique l'on ait relevé çà et là des parodies épiques, quoique l'humour, sinon le grotesque, puisse contribuer à la figuration héroïque, l'épopée est foncièrement grave. Aristote définissait comme « pathétique » la poésie d'Homère. Dans plusieurs régions du monde, des récitants épiques, interrogés, qualifient leur chant de triste, malheureux, parfois en lient l'exécution aux longues nuits obscures, receleuses de périls[2].

Quoiqu'il intègre souvent monologues et dialogues, le discours épique est « impersonnel ». Les poèmes aïno constituent les seules exceptions que je connaisse à cette règle : leurs héros se content eux-mêmes. L'énoncé use de structures conventionnelles, senties par les usagers comme définitoires d'un genre, et souvent spécialisées dans l'exercice d'une fonction : introduction (d'ensemble ou d'épisode), conclusion, descriptions emblématiques, modalisées selon le contexte proche, brodant sur la trame du récit de menus « détails vrais » typiques, « effets de réels » qui font de l'épopée un genre mimétique : ceux-là qui donnent leur cachet aux ballades d'*outlaws* anglo-saxonnes, qu'il s'agisse du *Scottish Border* ou du *Far West* : aux histoires de *matamoros* du *Romancero fronterizo* hispanique ; ceux qui peuplent les épopées mongoles de princes invincibles à la course, de princesses ravies, de chevaux parlants, ou montrent le roi au téléphone dans une épopée serbe chantée vers 1930...[3].

Les formes brèves semblent suivre avec plus de rigueur des patrons pré-déterminés et tirent leur force expressive d'une utilisation plus serrée des procédés ainsi hérités. D. Buchan a fourni, de ce point de vue, une remarquable analyse des ballades anglaises, et y montre la persistance et l'efficacité de modes de composition simples mais aisément diversifiables, binaires ou ternaires, ainsi que de tournures narratives indéfiniment reproductibles malgré le renouvellement des thèmes[4] : une certaine évolution du système s'est dessinée du reste, nettement, depuis le XVIe siècle, mais dans une parfaite cohérence.

Les formes longues, en revanche, se constituent, relativement

1. Bowra 1978, p. 493.
2. Finnegan 1977, p. 110-112 ; Bynum, p. 251-253.
3. Bäuml-Spielmann, p. 70 ; Havelock, p. 87 ; Bowra 1978, p. 163, 178-179, 189-197, 475.
4. Buchan, p. 87-144.

à la donnée traditionnelle, à la fois par contraction et par expansion, sans que se marque une progression nécessaire : l'art du poète consiste non seulement à tirer le fil du récit sans le rompre, mais à en adapter la matière et les nuances à la demande fuyante, instable, à tout moment distraite, de l'auditoire ; à maintenir l'intérêt tout en soulageant l'effort physique qu'exige des participants la durée de la performance. D'où les accumulations, les digressions, les glissements associatifs, les passages au gnomique, au lyrique, une technique, tantôt raffinée tantôt relâchée, de fugue. Le récitant, à chaque moment de la performance, se concentre sur l'épisode en cours, et perd plus ou moins de vue l'ensemble : d'où son indifférence à la chronologie et, en général, sa difficulté à conclure. Par là même, l'idée aristotélicienne d'unité, applicable à l'épopée courte, ne l'est aucunement à l'épopée longue, dont la valeur ultime serait plutôt la *plénitude* [1].

L'épopée est composée en vers : évidence dans les traditions occidentales, ce caractère a été contesté ailleurs. La prose alternerait avec le vers dans la pratique des peuples de l'Asie centrale, sinon de quelques ethnies africaines. C'est là une question technique, que je discuterai au chapitre IX. Quant au vers utilisé, quelle qu'en soit la structure, il est rarement, dans l'épopée longue, regroupé en strophes ou couplets [2].

L'épopée est « chantée ». Il convient de prendre ce terme dans un sens large, ainsi que je le définirai au chapitre X. Certaines épopées, même très longues, comme l'*Ulahingan*, sont entièrement psalmodiées en récitatif. Les poèmes brefs sont en général mélodiques. Dans quelques cultures, le chanteur fait alterner deux registres, l'un plus plat, l'autre plus tendu. Souvent, comme en Asie centrale, le jeu d'instruments accompagne la déclamation épique, au point que le chanteur y est désigné, à la façon des *guslar* yougoslaves, du nom de son instrument plutôt que de son poème. Ailleurs, comme dans le *mvet* africain, l'intervention chantée d'un chœur peut entrecouper le récit.

Aucun spécialiste ne doute plus aujourd'hui que le discours épique ne soit le fruit d'un art raffiné. Toutefois, ses aspects globaux ont, au cours des trente dernières années, été beaucoup moins interrogés que ses micro-formes. C'est sur ce plan-là qu'à tort ou à raison on a tenté de répondre (en d'autres termes que nos Classiques hantés par Homère et Virgile) à la question : y a-t-il un « style épique » identifiable comme tel ? Destinée à être transmise par la voix, l'épopée partage, on peut le présumer, les caractères linguistiques généraux de toute poésie orale : je les

1. Okpewho, p. 179-193.
2. Chadwick-Zhirmunsky, p. 336 ; Helffer, p. 461 ; Bowra 1978, p. 36-39.

115

examinerai au chapitre VII. Mais elle semble présenter quelques traits spécifiques sur lesquels, à la suite de leur découverte par Parry et Lord, les commentateurs ont mis récemment un accent trop souvent exclusif[1]. Quelque abus que l'on puisse reprocher à ces spéculations, elles n'en ont pas moins abouti à la définition d'un mode d'expression assez complexe, dénommé en français « style formulaire ».

Plutôt que comme un type d'organisation, ce dernier peut être décrit comme une stratégie discursive et intertextuelle : le style formulaire enchâsse dans le discours, au fur et à mesure de son déroulement, et intègre en les y fonctionnalisant, des fragments rythmiques et linguistiques empruntés à d'autres énoncés préexistants, en principe appartenant au même genre, et renvoyant l'auditeur à un univers sémantique qui lui est familier. Ces fragments, les *formules*, apparaissent dans le chant épique en nombre très inégal selon les époques, les poètes, les circonstances. Le tissu textuel des épopées slaves et asiatiques présente, semble-t-il, un haut degré de densité formulaire. On a essayé de mesurer celui-ci dans les épopées du Moyen Âge européen : la norme aurait été, pour les chansons de geste françaises les plus anciennes, de trente à quarante vers formulaires sur cent. Au reste, les recherches de Fochi sur les ballades roumaines suggèrent que le style formulaire, loin d'être, au sein d'une tradition épique, une marque d'archaïsme, serait le produit relativement tardif d'une évolution[2]. La structure du vers et les contraintes qu'elle engendre jouent sans doute ici leur rôle, non moins que le talent des chanteurs et l'habitude acquise.

Chaque poème constitue une unité de parole, originale, régie par des lois qui lui sont propres ; les formules s'y insèrent en tant que termes non marqués, trouvant dans et par cette insertion leur fonction et leur sens. On a observé chez diverses populations, en particulier en Asie, que des formules voyagent d'un genre à l'autre, du proverbe à l'épopée et au conte, masse de manœuvre polyvalente au service de discours qui sont, eux fortement marqués : c'est là ce que J. Dournes appelle le « formulisme », à la fois état d'esprit et mode d'expression[3].

Plusieurs définitions de la formule se complètent tout en se contredisant en partie. Chacun s'accorde sur le fait banal qu'il s'agit d'un schème textuel indéfiniment réutilisable : l'interprétation de cette donnée diffère selon l'ampleur de la visée théorique.

---

1. Lord 1959 ; Bowra 1978, p. 221-253 ; Burke, p. 122-128.
2. Lord 1971, p. 17-22, 131 ; Duggan 1975, p. 81-82 ; Fochi, chap. v ; Winner, p. 69-71 ; Bowra 1978, p. 222-223.
3. Dournes 1976, p. 133-178.

Pour H. Bausinger, toute pratique culturelle peut être formularisée : la formule constitue une *Kulturgestalt,* dynamisme formalisateur, propriété collective du groupe humain. Deux types s'en distinguent, comportant un certain nombre de variétés : les formules «fonctionnelles», exerçant une contrainte sur le discours, et les formules «ludiques» où, à l'égard de cette contrainte, se manifeste dialectiquement la tension du jeu. En revanche, dans une perspective linguistique, V. Zavarin et M. Coote prennent en considération tout stéréotype, coutume langagière assez stable déterminant les choix lexicaux et syntaxiques dans telle ou telle situation[1].

Pour Parry, dont la théorie s'élabora à partir des «épithètes homériques», la formule était un groupe de mots à structure métrique fixe, exprimant une certaine idée ou image nucléaire. Le poème épique met en œuvre un système de formules reliées les unes aux autres par des rapports assez complexes d'équivalence, de complémentarité, d'opposition, soit sémantiques, soit fonctionnels. La manière dont le poète épique domine et exploite ce système constitue (à ses propres yeux et à ceux de ses auditeurs) l'un des critères jugeant son art. Avec Lord, ses élèves et ses contradicteurs, la définition s'est assouplie et, sur quelques points, précisée. On n'insiste plus tellement aujourd'hui sur la séquence lexicale que sur les facteurs structurants tels que la prosodie, la syntaxe ou la distribution de termes clés[2]. A côté de formules au sens strict, on identifie des expressions formulaires : les unes et les autres manifestent à la surface du discours épique des structures latentes qui, plus que toute apparence verbale, forment le propre de l'épopée. Certes, le premier rimailleur venu est capable d'imiter ou d'adapter dans une œuvre écrite un ensemble de formules épiques orales : si leur facticité nous frappe alors, c'est que l'écriture a tranché leurs racines, et réduit à l'état de truc stylistique ce qui ne prenait sens que par rapport à une conception profonde, implicite, du monde.

M. Nagler a systématisé cette conception du style épique oral en proposant une définition *générative* de la formule. Ce terme renvoie pour lui à un ensemble de correspondances phonétiques, syntaxiques, lexicales, rythmiques, sémantiques, constituant dans l'esprit du poète oral le modèle sous-jacent à toutes les occurrences formulaires. Chaque formule fonctionne comme un allomorphe, non de telle autre formule, mais du modèle, et l'ensemble des formules, en série jamais close, tisse dans le texte un réseau résistant et souple, entre les parties duquel circule un sens.

---

1. Bausinger, p. 66-90 ; Zavarin-Coote.
2. Goody 1979, p. 199-200 ; Lord 1975, p. 9-17 ; Chasca, p. 22-43.

Le modèle en effet entre en jeu, à chaque niveau (des sons, des mots, des configurations syntagmatiques et prosodiques) au moyen d'un double embrayage : interne, sur la phrase formulaire ; externe, sur le texte entier. Il en résulte qu'en principe toute formule se situe au carrefour de huit perspectives relationnelles. En fait, souvent l'une ou l'autre de celles-ci se brouille ou même s'efface tout à fait. Ainsi, Zavarin et Coote distinguent des formules «analytiques», pourvues de signification concrète dont aucun contexte ne permet une interprétation plus large, et «synthétiques», propres à désigner tout objet ou situation analogue à son référent premier. D'autres placent l'accent sur tel ou tel niveau de réalisation du système : spécialement, le niveau sémantique, ou celui du rythme. Certains privilégient deux ou trois niveaux indissociables : rythme et lexique, comme J. Dournes ; rythme et grammaire, comme L. Renzi à propos des ballades roumaines ; rythme, syntaxe et lexique, comme je l'ai proposé pour l'épopée médiévale française. Divers travaux sur l'épopée brève, comme ceux de R. Knorringa, précisant Renzi, ou de W. Anders sur les ballades anglo-saxonnes, ont montré que le fonctionnement du style formulaire y est largement comparable à ce qu'il est dans l'épopée longue [1].

Les formules existent *dans* une tradition, et ne peuvent en être dissociées. La tradition collective - telle culture en tant que permanence historique - retient une quantité plus ou moins considérable de formules, à tout instant disponibles pour tout poète instruit de son art. Il arrive que certaines d'entre elles, à la manière de traits dialectaux, n'aient au sein du territoire en question qu'une aire de diffusion limitée : cela n'altère en rien le rendement du système. D'autres formules, propres à un poète particulier, qui parfois les tient d'un maître, relèvent d'une compétence personnelle, à la fois durable, stable et répétitive. L'étude des textes médiévaux a suggéré par ailleurs une distinction entre formules «internes», qui n'apparaissent que dans un seul poème, et «externes» communes à plusieurs.

Divers classements ont été proposés : formules d'introduction, de dialogue, d'action, de qualification adjectivale ou adverbiale selon R. H. Webber, à propos du *Romancero ;* formules vides, pleines, matricielles, gnomiques, adjectivales, de dialogue, d'appel au public, selon I. Okpewho relativement à l'Afrique. Quoique peu d'études sérieuses (comparables à celles de J. Duggan sur la *Chanson de Roland* et de L. Helffer sur le *Ge-Sar*) aient été jusqu'ici consacrées à cette question, il semble bien qu'il existe

---

1. Zavarin-Coote, p. 2 ; Dournes 1976, p. 134-142 ; Renzi 1969, p. 17-70 ; Zumthor 1972, p. 333 ; Knorringa 1978 ; Anders.

un certain nombre d'universaux épiques, relatifs aux valeurs et à l'exploitation de l'expression formulaire [1].

De balancement en balancement, note J. Dournes, se compose un thème harmonico-mélodique. Le réseau des associations et correspondances est de plus en plus largement utilisé à mesure que se déroule le discours tandis que, par là même, la polysémie se réduit et la marque personnelle du chanteur gagne en évidence : rejeux, variations sur thème *obligé* puisque préalablement connu, en principe, de l'auditeur ; diversité au sein du même, fondement d'une technique dont les moyens, assez diversifiés, seuls diffèrent plus ou moins [2]. La formule fixe et maintient ; tendant à l'hyperbole, elle témoigne de l'acceptation, par le poète, de la société pour laquelle il chante : mais, cette société, il l'accepte moins par choix personnel qu'en vertu du rôle à lui confié par la collectivité, de conservateur et de héraut.

C'est dans et par la formule qu'au fil du poème s'opère la reconnaissance épique : analogue peut-être à l'effet produit, dans les cultures les plus archaïques, par les listes de noms ou les catalogues qu'elles dressent et préservent avec soin, et dont l'expression formulaire pourrait initialement provenir. A la fois signe et symbole, paradigme et syntagme, la formule neutralise l'opposition entre la continuité de la langue et la discontinuité des discours.

L'étude du style formulaire a fini, sous l'impulsion de Lord et de ses élèves, par se développer en une discipline quasi autonome, au détriment des autres éléments poétiques de l'épopée. Souvent, en effet, elle se réduit, chez les épigones, à une chasse aux formules, assez dérisoire. Lord pourtant a toujours pris soin de distinguer entre *formule* et ce qu'il appelle *thème* (dans un sens où d'autres emploient plutôt *motif*). Cette distinction semble référer chez lui aux deux plans constitutifs du poème, celui du *récit* (les structures narratives profondes) et celui de l'*histoire* (les unités sémantiques manifestées) : elle n'a jamais été vraiment explicitée ni élaborée autant qu'il le faudrait ; d'où les méprises, les omissions, les généralisations hâtives, dont la réputation de la « théorie » a grandement, et en partie à juste titre, souffert.

C'est le Moyen-Orient, on le sait, de l'Irak à la mer Égée, qui nous a légué, grâce à des transcriptions tardives, les plus anciens monuments épiques : *Gilgamesh* akkadien, *Su-nir* sumérien, Homère... Ces exemples restent à nos yeux isolés dans le temps :

1. Webber, p. 181-203 ; Okpewho, p. 138-143 ; Duggan 1973 ; Helffer, p. 381-399, 408-422, 430-437.
2. Dournes 1976, p. 180-181 ; Havelock, p. 89-93.

il est peu vraisemblable qu'ils l'aient été réellement. Au cours des vingt siècles de l'ère chrétienne, on aurait du mal à trouver une longue période où des documents ne nous signalent pas, çà ou là dans le monde, l'existence d'une épopée vivante. On peut tenir pour assuré que, durant le petit nombre de millénaires qui constituent pour nous l'« histoire », la pratique épique fut continue, quoique non générale dans l'espace.

Il se pourrait en effet que certaines régions ou certains types de cultures aient ignoré l'épopée : on cite l'Egypte ancienne, la Chine ou l'ensemble des civilisations amérindiennes. Encore faut-il s'entendre sur les définitions. R. Finnegan considère comme fragment d'une épopée chinoise orale du XIe siècle la *Ballade du dragon caché* [1]. Plusieurs auteurs, jusqu'à ces dernières années, ont mis en doute qu'il y eût des épopées africaines. Peut-être les sociétés noires traditionnelles en avaient-elles mal dégagé la notion : chez les Fang, Boulous et Béti du Cameroun, le même mot *mvet* désigne à la fois un instrument de musique, celui qui en joue, le récit héroïque qu'il chante en s'accompagnant, les connaissances dont il témoigne ainsi : à peu près tout ce que nous mettons sous le terme de *culture*.

La plupart des chercheurs admettent néanmoins aujourd'hui que de nombreuses ethnies, surtout en Afrique occidentale et centrale, ont possédé une grande poésie épique, en train de mourir sous nos yeux [2] : épopée peule de *Silâmaka,* recueillie par C. Seydou ; ouolof de *Madior ;* toucouleur de *Kambili,* dont le héros est le roi Samory, l'adversaire des Français à la fin du XIXe siècle ; ou l'ensemble épique, comparable par certains aspects à notre modèle classique, versions et parties diverses du *Soundiata,* exaltant la mémoire du conquérant fondateur de l'empire du Mali. Le *Bagré* ghanéen, étudié par J. Goody en 1972 sur une version de quelque douze mille vers, présente un aspect différent, rituellement dramatisé : la déclamation en est découpée par des récitations mythiques qui l'interrompent et que reprend en écho l'auditoire. Au Cameroun, P. Alexandre a recensé une cinquantaine de chants épiques d'une durée d'audition de quatre à dix heures ; J. Clark recueillit en 1971 l'*Ozidi* nigérian, dont le chant s'étendit sur sept nuits consécutives ; au Zaïre, l'existence d'un genre épique encore vivant a été progressivement révélée, en particulier chez les Luba, au cours des années soixante-dix. Plus au sud, il faut atteindre les territoires du peuple zoulou pour retrouver cette forme de poésie, dans le cycle de chants narratifs et panégyriques relatifs à Shaka.

---

1. Finnegan 1978, p. 493-510.
2. Jahn 1961, p. 170 ; Kesteloot 1971b ; Eno Belinga 1978, p. 25-28 ; Okpewho.

La question se pose donc : y a-t-il ou non un lien entre le type de société et l'épopée ? Celle-ci ne surgit-elle que dans ces conditions sociologiques déterminées ? La première émergence d'une épopée se produit-elle dans les groupes dominés par une caste de guerriers ou de prêtres ? L. Kesteloot me disait en 1980 voir dans l'épopée et la poésie érotique courtoise des faits inséparables, caractéristiques des sociétés féodales ou claniques. Mon collègue M. Voltz, de l'université de Ouagadougou, excellent connaisseur des ethnies de la région, m'assurait que les populations paléo-soudanaises de la Haute-Volta, vivant en sociétés segmentaires (lignagères ou villageoises), sans organisation étatique, ignorent toute forme de poème héroïque, mais que les fonctions sociales et mythiques remplies ailleurs par celui-ci le sont chez elles par les figurations des masques : dessins abstraits, à valeur d'écriture, remémorant indéfiniment un mythe d'origine [1]. Les conquérants mossi, maîtres du pays depuis le XVIe siècle, importèrent l'État et l'épopée, mais restent aujourd'hui encore exclus des cérémonies masquées.

Je ne doute pas de la justesse de cette théorie, étayée de solides considérations sémiologiques. Mais est-elle généralisable ? Il semble qu'on l'appliquerait aisément à l'Asie centrale ; moins bien à l'est de ce continent. L'épopée mongole se constitua dans le sillage de Gengis Khan : une sorte d'étrange et lointaine parenté l'unit, aux XIIIe, XIVe siècles, à travers l'immensité de l'Eurasie, aux dernières chansons épiques de l'Europe féodale, non moins qu'au cycle arménien de *David de Sassoun* ou au *Digénis Akritas* byzantin d'Anatolie... Ces traditions, fruit des bouleversements politiques survenus à travers l'Asie intérieure à l'époque de notre haut Moyen Age, restèrent vivantes jusqu'au début, sinon au milieu, de notre siècle. Elles proliférèrent au sein des populations politiquement les mieux encadrées : Turkmènes, Kirghiz, Kazakhs et apparentés, chez qui diverses formes d'épopée orale maintenaient avec une étonnante rigueur les souvenirs d'un passé héroïque : ainsi, les chants consacrés à la lutte contre Ermak Timofeevitch, conquérant russe de la Sibérie, concordaient chez la plupart des peuples de race turque. On a identifié sans peine dans l'épopée yakoute le récit d'événements du XVIIe siècle. La circulation des légendes et des poèmes dut être intense, en dépit de la barrière des langues : le héros-bandit turkmène Körögh était chanté par les Kazakhs, de même que le *Visraminiani* géorgien refaisait le *Vis-er-Ramin* persan ; que le *Gesserkhan* mongol s'apparente au *Ge-Sar* tibétain, dans le nom duquel semble percer le *Kaisar* grec ou le *Caesar* romain.

1. Voltz.

INTRODUCTION À LA POÉSIE ORALE

En dépit de la rapide désagrégation des vieilles cultures sibériennes depuis les années trente de notre siècle, le territoire extrême-oriental de l'URSS offre un nombre considérable de survivances épiques, dont la collecte n'est pas encore terminée. Dans la République populaire de Mongolie, C. R. Bawden put en 1967 se faire chanter plusieurs poèmes épiques par un berger d'une ferme collective, homme d'âge mûr, capable de fournir des renseignements explicites sur son art et sur les changements qui l'ont affecté depuis une trentaine d'années[1].

Chez tous ces peuples (non moins que chez les Tamil de Ceylan; en Indonésie ou, çà et là, en Polynésie), un lien existe indubitablement entre l'épopée et quelque forme d'État. Il pourrait n'en pas aller ainsi ailleurs. Les Aïno du Japon septentrional, aujourd'hui à peu près assimilés mais que l'on tenait naguère pour l'une des populations les plus arriérées du monde, possèdent plusieurs épopées mythiques : le *Kitune Shirka,* enregistré dans les années vingt, ne comptait pas moins de six mille vers; de l'*Ainu yukar,* on a relevé des versions de trois à dix mille vers; l'*Oina yukar* se chante encore. La petite tribu des Manobo a maintenu son immense *Ulahingan* en subsistant péniblement, pendant des siècles, en marge des sociétés qui successivement dominèrent les Philippines...[2].

A mesure qu'elle se défaisait des critères logiques de l'aristotélisme, la critique romantique tendit à voir dans l'épopée la manifestation par excellence des sociétés « primitives ». Nous savons qu'il n'en est rien, même si l'on entend par *primitif* « chronologiquement premier ». Les récits épiques turcs attribués au chanteur Dede Korkut, contemporain des migrations médiévales, pourraient tenir leur origine d'une poésie de cour antérieure[3]. Au Japon, où les influences poétiques venues du Continent se limitèrent pendant des siècles au lyrisme savant, l'épopée apparaît subitement, deux cents ans après le roman de *Genji...* comme une *Chanson de Roland* qui, de loin, succéderait à la *Recherche du temps perdu.* La trilogie formée du *Hôgen,* du *Heiji* et du *Heiké,* suscitée par les événements militaires et politiques qui secouèrent l'Empire entre 1150 et 1180, resta de tradition orale jusqu'à une époque récente; aujourd'hui encore, on compte dans le pays une dizaine de récitants professionnels du *Heiké.* Simultanément pullulaient au long des siècles les versions écrites : plus de cent cinquante! Personne ne met en doute le rôle joué par le *Heiké,* l'une des plus fascinantes épopées

1. Finnegan 1978, p. 463-492.
2. Kindaiti, p. 56-61 ; Maquiso, p. 1-8.
3. Finnegan 1978, p. 413-414.

122

de l'humanité, dans la prise de conscience nationale non moins que dans la fixation de la langue [1].

Notre civilisation technologique répugne à l'épopée. Peut-être les communications de masse ont-elles rendu inutile la médiation de formes poétiques spécialisées, et ont-elles récupéré la fonction épique fondamentale : l'exaltation du héros et de l'exception exemplaire. On pourrait le soutenir, qu'il s'agisse de réalisations filmiques comme le western ou, plus généralement, du système de vedettariat régissant le marché de la chanson, de la littérature et des arts [2]. Elvis Presley, héros vainqueur dans sa défaite...

Ces substitutions ne sont assez nettement perceptibles que dans les secteurs de pointe de la culture contemporaine, où elle se manifeste avec le plus d'agressivité. Dans les mentalités et pratiques coutumières, l'exclusion de l'épopée est moins évidente. Refoulée sous ses formes traditionnelles autonomes, elle en parasite d'autres. Bien des chansons révolutionnaires françaises, de la prise de la Bastille à la Commune et au-delà, comportent une « veine épique », du reste assez difficile à définir : une mythification de l'histoire vécue par redondance narrative et universalisation du sens. Parmi les chansons pyrénéennes que recueillit X. Ravier, plusieurs peuvent être considérées comme des ballades héroïques : à la manière du *Tom Joad* de Woody Guthrie ou du *Noël d'Ajoie* de Jean Cuttat.

Dans les sociétés où les traditions orales ont conservé quelque chose de leur vigueur ancienne, des témoignages multiples attestent l'extrême plasticité des formes épiques héritées, leur résistance à l'hostilité du milieu lettré, leur capacité d'absorber les motifs nouveaux, de coller au vécu sans profondément s'altérer et - comme les héros qu'elles chantent ! - de ne pas mourir sans longues luttes. Le poète malais Dokarim chantait encore à la fin du XIXᵉ siècle les guerres alors menées par les Hollandais à Sumatra ; un chanteur du *Kambili*, Seydou Camara, en 1973, introduisait dans ses vers l'« Homme de Paris », c'est-à-dire De Gaulle ; une version du *Soundiata* remplace les flèches par des balles de fusil et montre le héros confectionnant sa poudre avec de l'or, de l'argent et de la centaurée, mixture magique utilisée par les archers... Telle épopée camerounaise met en scène le major allemand Dominik ; d'autres, des épisodes de la Seconde Guerre mondiale, voire Zorro ! Même jeu aux îles Fidji. En Yougoslavie circulèrent pendant la guerre des partisans des récits épiques sur Tito. En Russie soviétique, la Révolution rendit,

1. Sieffert 1978*a*, p. 7-25.
2. Cazeneuve, p. 91-94 ; Burgelin, p. 114-122 ; Gili.

plusieurs années durant, vie intense aux *bylines,* officiellement déclarées art prolétarien. Marfa Kryukova, née en 1876, d'une famille de chanteurs connue depuis quatre générations par les folkloristes, eut son heure de célébrité dans les années trente : elle chanta l'héroïque Chapaev et l'expédition dans l'Arctique ; elle composa et colporta un long poème retraçant la vie de Lénine, de l'adolescence aux funérailles ; autour du grand homme en figure de *bogatyr,* guerrier épique traditionnel, se profilent sur fond d'histoire très récente Krupskaya, Vorochilov, Staline et Trotsky le Traître... Le genre mexicain du *corrido,* attesté depuis le milieu du XIXᵉ siècle, mais issu formellement du *Romancero,* résistait encore il y a vingt ans à la pression du monde télévisionnaire, comme le montre le beau poème sur Gregorio Cortez recueilli par A. Paredes chez les Chicanos du Rio Grande[1].

1. Bowra 1978, p. 116-117, 339-340, 441-446, 469-471, 562-563 ; Okpewho, p. 75, 176 ; Finnegan 1978, p. 474 ; Paredes 1958.

7. A ras de texte

Une grammaire de la poésie orale ? - Tendances générales : composition ;
distribution des traits linguistiques. Les récurrences.

C'est pour la première fois en 1936 qu'a été suggérée, par
J. Meier à propos du *Kudrun* germanique, l'idée d'une spécificité
linguistique de la poésie orale. Cette idée, les psaumes bibliques
l'inspiraient par ailleurs aux exégètes, dans la foulée des travaux
de M. Jousse. Pour évidente qu'elle fût devenue vers 1950, elle
demeurait néanmoins abstraite. La diffusion, après 1960, de la
théorie de Parry-Lord lui permit de se préciser... au moyen d'une
généralisation téméraire. Bien des chercheurs en effet, surtout
dans les pays anglo-saxons, n'hésitèrent pas à poser l'équation :
style oral = style formulaire. Dès 1966 des protestations s'éle-
vèrent, d'abord isolées. Mais l'opinion commune aujourd'hui par
réaction penche au scepticisme et tend à refuser de voir dans la
formule une marque sûre d'oralité [1].

Il est clair qu'elle ne suffit pas. La théorie formulaire ne tient
pas compte de la nécessité interne du *texte* poétique. Du point de
vue linguistique, oral ou écrit, un texte reste un texte, du ressort
des méthodes critiques (quelles qu'elles soient) dont il est, comme
texte, par définition, l'objet. Il comporte nécessairement des
marques de ce statut : ce qu'un conteur navaho nommait son « joli
langage » et que les poètes africains identifient de diverses
manières. C'est moins sur ces marques elles-mêmes que devra
s'interroger une poétique de l'oralité, que sur les rapports
instables d'où résulte, au niveau des concaténations d'éléments
et de leurs effets de sens, l'économie particulière du texte *dit :*
ce que, dans un langage aujourd'hui désuet, désignait vers 1950
Menendez Pidal en parlant de « style traditionnel » espagnol : son
intensité, sa tendance à réduire l'expression à l'essentiel (ce qui
ne signifie ni au plus bref ni au plus simple) ; son absence
d'artifices freinant les réactions affectives ; la prédominance de

1. Stolz-Shannon ; Fochi ; Finnegan 1976, p. 207, et 1977, p. 69-72 ; Benson,
p. 334-341 ; Fowler, p. 1-28 ; Gossman, p. 765-766 ; Chasca p. 40-42.

la parole en acte sur la description; les jeux d'écho et de répétition; l'immédiateté des narrations dont les formes complexes se constituent par accumulation; l'impersonnalité, l'intemporalité[1].

Ces traits, plus ou moins nets, manifestent en poésie l'opposition qui, par leurs fonctions, distingue la voix de l'écriture. Le texte écrit, puisqu'il subsiste, peut assumer pleinement sa capacité d'avenir : l'écrivain méconnu, selon le schéma romantique, se persuade qu'on le comprendra dans un siècle. Le poète oral ne le peut pas, trop étroitement asservi à l'exigence présente de son public; en revanche, il jouit de la liberté de retoucher son texte sans cesse, comme le montre la pratique des chansonniers.

C'est pourquoi sans doute, à part quelques synthèses prématurées et discutables comme celle de Greenway[2], les études dans ce domaine n'ont guère produit depuis vingt ans que des monographies. L'objet en effet se dérobe à la généralisation : ce que le regard de l'«oraliste» cherche à découper dans la continuité du réel, ce sont des discours plutôt que des textes, des messages-en-situation et non des énoncés finis, des pulsions plutôt que des stases ou, pour reprendre un mot de Humboldt, *energeia* plus qu'*ergon*. Cet objet, il faut le piéger; mais d'abord inventer le piège, et nous n'en sommes encore qu'aux premiers bricolages. Un point du moins est sûr : c'est seulement en percevant - et en analysant - l'œuvre orale dans son existence *discursive* que nous aurons prise sur son existence textuelle et, par-delà, sur sa réalité syntaxique. En donnant un sens large à ces termes, on poserait qu'il n'y a pas ici de grammaire sans rhétorique, ni l'inverse, ni entre elles de rapport hiérarchique : une simple fluidité orientée. La poésie orale se constitue ainsi en ce que Likhatchev appelle une «étiquette», type de formalisation qui fait du poète un maître de cérémonie[3].

La performance propose un texte qui, durant le moment qu'il existe, ne peut comporter ni grattages ni repentirs : un long travail écrit l'aurait-il préparé qu'il n'aurait, en tant qu'oral, pas de brouillon. L'art poétique consiste pour le poète à assumer cette instantanéité, à l'intégrer dans la forme de son discours. D'où la nécessité d'une éloquence particulière, d'une aisance de diction et de phrase, d'une puissance de suggestion : d'une prédominance générale des rythmes. L'auditeur suit le fil, aucun retour n'est possible : le message doit porter (quel que soit l'effet recherché)

---

1. Iser, p. 110-117; Barre-Toelken, p. 223-225; Finnegan 1976, p. 265-266; Menendez Pidal 1968, I, p. 58-62.
2. Greenway 1964, p. 106-148.
3. Likhatchev; Chadwick-Zhirmunsky, p. 22; Okpewho, 202.

au premier coup. Dans le cadre tracé par de telles contraintes, la langue, plus que dans la liberté de l'écriture et quelle que soit la visée qui en oriente l'emploi, tend à l'immédiateté, à une transparence moins du sens que de son être propre de langage, hors de toute ordonnance scriptible.

La poésie orale africaine illustre la fécondité de cette alliance entre une règle inéluctable et une inépuisable spontanéité. Assumant la responsabilité du verbe, énergie universelle, elle appelle à l'être ; elle ne décrit rien, elle met en connexion des images projetées sur l'écran d'un avenir qu'elles suscitent ; elle n'entend pas faire plaisir (quoiqu'elle donne le plaisir), mais force le présent à prendre sens, afin de racheter le temps, afin que la raison s'épuise et cède à cette fascination. L'effort du langage s'épuise dans ce dessein, qui le sous-tend et comble son désir de forme. La rencontre, en performance, d'une voix et d'une écoute, exige entre ce qui se prononce et ce qui s'entend une coïncidence presque parfaite des dénotations, des connotations principales, des nuances associatives. La coïncidence est fictive ; mais cette fiction constitue le propre de l'art poétique oral ; elle rend l'échange possible, en dissimulant l'incompréhensibilité résiduelle.

La forme à son tour va mimer la parole, styliser l'élan sans le briser, d'où les bonds, les faux départs, les répétitions, les illogismes. Les chants de bergers peuls décrits par C. Seydou se modèlent sur la marche du troupeau, flux verbal et temporel, hors narration, enchaînant sans fin les séquences d'un vocabulaire luxuriant, et où les sonorités fondent les structures. D'autres ethnies entremêlent au langage articulé, s'il se plie imparfaitement au rythme, l'onomatopée, le son vide, le cri[1].

D'où, pour l'observateur, l'impression parfois que l'aspect verbal de l'œuvre orale est moins soigné que son aspect prosodique ou musical : point de vue de gens d'écriture. Les poètes interrogés sur leur art, dans les cultures à prédominance orale, le décrivent en termes évoquant une maîtrise du jaillissement discursif, producteur de significations inconcevables hors des formes qu'il met en œuvre[2]. Le « sens » est ici direction, vecteur, plus qu'aboutissement. Le grand Orpingalik, Inuit de Netsilik, disait à Rasmussen : « Mon être est chant » ; les *guslar* yougoslaves de Lord étaient incapables de distinguer entre les notions de « mot », d'« énoncé » et de « vers », les confondant à peu près dans l'idée de son et de voix. De la même manière, le conteur

---

1. Finnegan 1976, p. 232-234, 241, 263 ; Seydou ; *Recueil*, p. 108-109 ; Jahn 1961, p. 169-170.

2. Finnegan 1977, p. 178-180 ; Lord 1971, p. 25 ; Barre-Toelken, p. 223 ; Chopin, p. 9-42.

navaho étudié par Barre-Toelken ne parlait de ses propres récits qu'en termes de langue, non de narration. Un Hugo Ball dès 1916 se situait dans une telle perspective ; un William Burroughs aujourd'hui.

C'est pourquoi une poétique de l'oralité, dont l'objet est le *fonctionnement* d'un discours, ne peut fonder sa théorie sur des critères esthétiques... sinon quant au choix des exemples, reflétant le goût personnel du poéticien, intégrant à son analyse la joie qu'ils lui procurent et sans laquelle ses paroles n'auraient aucun sens ! On ne juge de la *beauté* (quelque sens que l'on prête à ce mot) qu'en performance : comment généraliser ? La visée «axiologique» d'une œuvre orale, les valeurs qu'elle pose et propose empruntent, aussi bien que la médiation textuelle, celle de la voix ou du geste[1]. Ce qui subsiste, quand les catégories abstraites (issues de l'écriture) se sont ainsi vidées, c'est le constat d'un accord fugace, d'une réconciliation momentanée entre une attente et ce qui, soudain, lui répond : cette brève rencontre.

Jacques Brel déclarait un jour à J. Clouzet que la chanson n'est pas un «art». Développant cette assertion en une série de paradoxes, il entendait mettre l'accent sur son «métier», mais ne se montrait pas moins prisonnier d'une conception littéraire de la poésie[2]. Pourtant, nul ne nierait, je pense, que Brel ait été un grand poète : mais *nous* le sentons tel, et dans son *chant*. Le terme *chant* renvoie à un mode d'existence esthétique qui n'est pas du même ordre que ce que nous nommons couramment «poésie» ; *nous* renvoie à notre culture, historiquement et spatialement déterminée.

Un exemple. La plupart des complaintes acadiennes récemment publiées peuvent à bon droit, d'un point de vue «littéraire», être qualifiées de plates, maladroites, truffées de poncifs livresques, dénuées d'attrait apparent. Pourtant, l'ouvrage de J.-C. Dupont, fondé sur une enquête opérée en 1973, témoigne de l'ampleur de ce «folklore», hier encore en pleine vie, et où jusqu'en 1965 on recueillit des créations nouvelles[3]. Enraciné dans l'expérience quotidienne et la conscience historique de populations isolées du finistère canadien, il avait durant deux siècles au moins, accompagnant en contrepoint discursif leur existence collective, rempli une fonction forte : la fonction poétique par excellence, la mythisation du vécu.

Davenson notait que les variantes du texte, se succédant au

---

1. Okpewho, p. 52 ; Todorov 1981, p. 74.
2. Clouzet 1964, p. 6, 46-47.
3. Dupont ; Rens-Leblanc.

cours de la tradition, produisent presque inévitablement, à un moment ou un autre, *la* version parfaite. Entendons que telle chanson, au cours de son existence peut-être longue, a eu son instant (ses instants ?) de beauté : comme un visage, comme un corps, au gré des regards qui l'ont aimé, des désirs qu'il suscita. De nos jours, quand la chanson s'engage et aspire à culminer dans l'action, ce n'est parfois guère mieux qu'un slogan qu'on chante. Mais, à travers le slogan, un courant poétique passe ou ne passe pas, comme disait jadis Henri Bremond. A propos des chansons chiliennes du temps de l'Union populaire, J. Clouzet a tenté de démêler les facteurs en jeu, qui relèvent de deux niveaux de fonctionnement : celui du dessein initial et celui de la réception à long terme[1]. Sans doute la chanson capable de procurer, après une durée assez longue, une jouissance à qui la chante ou l'entend possède-t-elle une qualité que d'autres n'ont pas. Mais la capacité de jouissance est elle aussi culturellement conditionnée. Telle est sans doute la raison qui, pour les membres d'une communauté, pare d'une beauté spéciale (mais parfois, pour d'autres, spécieuse !) leur poésie traditionnelle.

Ce qui finalement importe, c'est l'harmonie d'un accord entre l'intention formalisante du poème et une autre intention, moins nette, diffuse dans l'existence sociale du groupe auditeur. Ainsi, dans les cultures africaines, jamais l'art des paroles ne se propose pour but à lui-même : la poésie, appel magique, formule la requête collective que l'homme adresse aux choses : qu'elles surgissent dans leur totalité ; qu'elles se laissent engendrer par le verbe ; qu'elles soient créées présentes ! La phrase poétique s'énonce à l'impératif, le poète commande au temps, parle au passé du futur ; son lieu est le berceau de son peuple[2]. Ce qui tombera sous l'analyse du poéticien, ce seront ces mots-là dans leur épaisseur ontologique : à la fois rythme, qui est architecture de l'être, articulation symbolique, image, miroir, dénomination, participation à ce qui anime l'univers.

Cela est vrai, plus ou moins, de toute poésie orale. Dans l'ordre des structures anthropologiques, la voix précède la graphie : l'art vocal, par quelqu'une de ses racines, est antérieur à tout ; par quelqu'un de ses traits essentiels, il reste «primitif». On sait aujourd'hui quel degré de complexité (contrairement à l'opinion ancienne) désigne généralement cet adjectif. L'ethnographie, depuis un demi-siècle, ne cesse d'allonger la liste des «littératures» ou genres oraux hautement élaborés découverts parmi des populations jusqu'alors tenues pour peu évoluées : et cette

1. Davenson, p. 132-135 ; Clouzet 1975, p. 80-82.
2. Jahn 1961, p. 151-153 ; Thomas, p. 415.

élaboration, évaluable au nombre de règles hiérarchisées qu'elle met en jeu, apparaît d'autant plus subtile que la poésie en question s'est montrée plus résistante aux influences externes et littéraires. Dès les années vingt, on notait ce caractère dans les *pantuns* malais ; au cours des années trente, dans la poésie amoureuse des Gond, au centre de l'Inde ; des années quarante, chez les Tatars du Ienisseï ; vers 1950, chez les Somalis, dans les panégyriques zoulous, sotho, hausa ; après 1960, chez les aborigènes australiens de la Terre d'Arnhem ; et depuis longtemps on connaît l'extrême finesse formelle qu'eut en Arabie la poésie bédouine pré-islamique... [1].

Il ne semble pas que ce soient là des faits particuliers de civilisation. Leur nombre et leur répartition invitent à dépasser l'ethnographie et à poser une question générale : le langage poétique oral, comme tel et en toute circonstance, ne comporte-t-il pas une tendance fondamentale à compliquer les structures de discours ? C'est par là, peut-on penser, qu'il imprime dans le *dit* fugitif la trace qui le transmue en « monument » et le dérobe au sort des paroles communes. La poésie écrite, à qui le graphisme de toute manière assure de triompher du temps, dispose de plus de liberté dans le choix des moyens, fût-ce la plus classique limpidité. Un instinct vital pousse la poésie orale à explorer, à exploiter au maximum les ressources propres de la communication vocale, à tenter de les épuiser en une gigantesque fête « primitive ».

Cette tendance, sujette à toute espèce de distorsion, apparaît à qui la considère d'assez haut qualitativement indifférente : tout est bon qui semble viser le but. Nul doute que ce ne soit cette faiblesse de la poésie orale qui la rende tellement sensible aux influences littéraires... parfois (de notre point de vue de lettrés) les moins heureuses. Pourtant, aussi longtemps que la tradition culturelle qui la produit demeure assez sûre d'elle-même, elle peut, en absorbant et maîtrisant un modèle écrit, atteindre ponctuellement à de remarquables réussites. Dans les cultures à rythme lent, ces réussites entrent dans la tradition et contribuent à la fixer. Dans les cultures de la mode, comme la nôtre, elles tracent, discontinues, en pointillé, l'axe d'un champ de forces.

La fugacité du temps oral, interférant avec la volonté de produire un effet durable, détermine un ensemble de règles, procédés, trucs de métier servant à ordonner le texte. D'usage virtuellement universel, ils varient selon plusieurs paramètres :

1. Finnegan 1976, p. 58-67, 71-72, 83, 88-89, et 1978, p. 5, 14, 73, 99, 319, 445 ; Chadwick-Zhirmunsky, p. 221 ; Hamori, p. 3-30.

- le type de langue naturelle où ils sont mis en œuvre. Ainsi, de nombreuses langues ignorent l'infinitif : tous les verbes y sont personnels ; plusieurs langues amérindiennes ne pratiquent pas le discours indirect : tout discours y est direct, ce qui peut entraîner sur la composition des conséquences considérables ; les langues africaines possèdent une classe de mots particulière, les *idéophones*, « idées-sons », termes expressifs employés en fonction adverbiale pour individualiser l'action ; tel dialecte a jusqu'à trente idéophones pour la seule idée de marche : or, la densité du réseau idéophonique est l'un des caractères du langage poétique africain ;

- les coutumes et « styles » particuliers qui, dans certaines cultures, distinguent les classes d'âge : ainsi, en Afrique, souvent les vieux ne content ni ne chantent à la manière des jeunes ;

- les « styles d'époque », caractéristiques de l'art occidental : les chansons mélodramatiques dites « réalistes » du début de notre siècle (encore chez Edith Piaf) suivaient des règles assez rigoureusement codées, aisément reconnaissables par les auditeurs ;

- les styles locaux, au sein d'une même aire culturelle : il y eut à Paris pendant un demi-siècle un style montmartrois, après 1945 un style Rive Gauche ; dans le folklore américain, on a relevé les particularismes des montagnards des Appalaches [1].

Des tendances générales ne se marquent pas moins. C'est ainsi, on l'a observé, que les poésies orales, d'où qu'elles viennent, témoignent d'une commune inaptitude à verbaliser les descriptions, d'êtres ou d'objets, autrement que par cumul qualificatif sans perspective. C'est ainsi encore que souvent un signal intégré marque le début et la fin du poème, comme pour l'isoler par un double barrage du flux des discours ordinaires. Le fait a été relevé, dans plusieurs cultures, à propos des contes : ainsi, à notre « Il était une fois » correspond, chez les conteurs turcs, une succession d'absurdités destinées à mettre en forme les auditeurs... L'intonation ou un prologue instrumental (parfois, chez les Peuls, un coup de sifflet, au témoignage de C. Seydou) remplit la même fonction envers la chanson. Mais il arrive que l'effet soit textuellement accusé : le premier vers des chants épiques récités par le Fidjan Velema, vers 1930, était toujours, sur les lèvres du poète, prononcé par un ancêtre et aisément identifiable comme tel à l'audition [2]. Ailleurs, une introduction de style bien recon-

---

1. Barre-Toelken, p. 225 ; Finnegan 1976, p. 64-66, 71-72 ; Dugast, p. 31-32 ; Vernillat-Charpentreau, p. 170-171, 212-213, 215-216 ; Edson Richmond, p. 145-155.

2. Coyaud, p. 329 ; Hymes 1973, p. 33-34 ; Finnegan 1978, p. 474 ; Dupont, p. 294.

naissable, mais parlée, précède immédiatement le chant : ainsi, chez les Manobo étudiés par E. Maquiso, ou dans certaines chansons de quête louisianaises.

En l'absence du signal, peut-être hésiterait-on : ce qui surgit soudain du flux de nos discours, est-ce *un* poème? ou n'est-ce qu'une nouvelle émergence de l'interminable poème coexistant, latence ou éclat, à tout ce que prononce la voix humaine? S'agissant de textes à forte cohésion sémantique et pourvus de formes linguistiques stables, la question ne fait guère sens [1]. Mais ce sont là des exceptions dans la multitude des poésies orales.

Or, ce manque de délimitation externe du poème, le flou de ses frontières textuelles, provient de l'intérieur : de l'absence d'*unité*, dans tous les sens que donnerait à ce terme une rhétorique de l'écriture. Le texte oral, la plupart du temps, est multiple, cumulatif, bariolé, parfois divers jusqu'au contradictoire. Certaines cultures, comme celle du Japon ancien, tentèrent de corriger ce trait en introduisant d'autres signaux, destinés à découper dans le corps du texte des membres plus réduits, mieux perceptibles globalement à l'oreille. L'équipe des chercheurs qui compilèrent le *Cancionero* mexicain, examinant les chansons recueillies à travers le pays, fut contrainte de ne publier que des couplets isolés : les migrations en effet de ces derniers, les échanges, une sorte de mouvance généralisée de ces cellules de discours interdisaient de voir, dans la majorité des chansons où ils se regroupaient, autre chose que des agrégats provisoires [2]. Cette situation (commune à bien des folklores) a amené les Mexicains à distinguer deux types de poésie orale, selon que, dans la tradition, un certain ordre des parties, senti comme nécessaire, demeure stable de performance en performance, ou bien, au contraire, que l'autonomie des parties permet d'en proposer à chaque performance un ordre nouveau, de les additionner, les transférer, les supprimer sans nuire à la force d'impact du chant.

Cette distinction semble valable bien au-delà des frontières du Mexique. Mais il convient d'introduire dans la classification qu'elle suggère un troisième terme, dont peu de cultures ne présentent pas d'exemple : le poème très bref, que ses dimensions permettent, à la mémoire auditive de qui l'entend, de percevoir presque simultanément dans sa totalité. Mais où passe la limite de la brièveté? Sur 100 chansons, relevées à travers l'Afrique par V. Görög-Karady, 19 comptent moins de 5 vers, 53 de 6 à 20. Où trancher? Il conviendrait de tenir compte de la longueur du vers,

---

1. Finnegan 1977, p. 107.
2. Brouwer-Milner, p. 62 ; Alatorre 1975, p. XVI-XVIII.

du rythme de la langue, du rôle de la musique. Tel poème africain très bref devient long par répétition. De façon assez arbitraire, je poserai qu'un poème très bref, quasi instantané, ne dépasse pas cinq à six lignes, en une ou deux phrases simples, comme la *jota* espagnole. Parmi les chants de griots malinké que publia S. Camara, certains n'excèdent pas ce nombre, tel un éloge de la libération de Paris, condensé en cinq vers[1].

Historiquement, certains poèmes de ce type, consacrés par une longue tradition, peuvent être les débris subsistant de compositions plus longues, sorties d'usage ; mais l'on a oublié leur caractère de fragment. Le folklore français en offre bien des exemples. En revanche, plusieurs cultures (d'Hawaï à l'Irlande et à l'Arctique) ont conventionnalisé en genre la brièveté. Chez les Santals, dans l'est de l'Inde, hommes et femmes improvisent, à la fin des chants rituels, de très courts poèmes, rarement de plus de six vers. En Somalie apparut vers 1945 une forme de chanson à thème érotique ou politique, resserrée en deux vers, le *balwo*, qui devint aussitôt populaire parmi la jeunesse citadine. Peu après, du reste, fut inventé un autre genre, constitué par une longue série de ces distiques, mis bout à bout[2].

Brièveté suppose concentration discursive, régie ou non par des règles explicites. Le *pantun* malais tisse étroitement en un quatrain unique une constellation de relations sonores et lexicales. Les Sérères sénégalais pratiquent un genre condensant en trois vers un poème d'une telle complexité que, selon L. Kesteloot, il exige pour être compris de l'ethnologue une page serrée de commentaire ! L'espace du discours, écrasé mais surchargé de valeurs allusives, ne laisse place qu'aux éléments nucléaires de la phrase, à quoi l'ellipse, la suspension confèrent une ambiguïté, sinon une apparente vacance sémantique contraignant délicieusement l'auditeur à l'interprétation. L'un au moins des termes principaux de l'énoncé est rejeté dans un contexte circonstanciel innommé : le sujet ou l'objet, souvent le verbe, la réponse à la question posée ou la question à laquelle le texte semble répondre, la désignation de la chose même dont il esquisse la description. Le sens émerge d'un non-lieu, d'un non-dit, dans l'esprit de l'auditeur, à chaque performance modifiable, ici et maintenant.

Les exemples les plus cités de genres très brefs appartiennent à des traditions anciennes et stables. Pourtant la culture technologique connaît un fait poétique sinon identique, du moins ana-

1. Görög-Karady 1976, p. 25-31 ; Camara, p. 270, 303 ; Fribourg 1980*a*, p. 114-122.
2. Laforte 1976, p. 87 ; *Languages*, p. 216-217 ; Finnegan 1977, p. 107-109 ; Kesteloot 1980, p. 39 ; Wardropper, p. 179-180.

logue : celui qui résulte de la fameuse règle des trois minutes imposée à nos chansonniers par les techniciens de la radio et les industriels du disque. Rigoureusement suivie depuis l'invention du microsillon, elle fixait la durée maximale des chansons destinées à la commercialisation. D'où contraintes stylistiques et thématiques, nécessité d'un certain laconisme et de tous les jeux de la suggestion.

Bob Dylan puis le contestataire Phil Ochs furent, en 1966-1967, les premiers à franchir la limite et réussirent, au risque de renoncer à la radio, à publier sur disque des textes durant jusqu'à huit, neuf minutes, exceptionnellement jusqu'à treize. Or, au cours des mêmes années, la chanson, dans l'opinion des auteurs et du public, prenait figure d'œuvre d'art, reçue désormais comme musique et comme poésie. Les deux faits sont-ils liés ? N'empêche qu'une forte tendance à la brièveté demeure prédominante dans cet art[1]. J'ai examiné 200 chansons, de 15 chanteurs français et américains des années 1960-1970 : l'audition de 42 % de ces textes dure de 2 à 3 minutes ; 31 %, de 3 à 4 ; 15,5 %, de 1 à 2 ; 7,5 %, de 4 à 5 ; le reste est négligeable (1,5 %, moins d'une minute ; 1 %, de 5 à 6 ; 0,5 %, de 7 à 8). Les seules durées qui soient pratiquées par tous les auteurs et constituent donc apparemment la « gamme » normale, vont de 2 à 4 minutes.

La grande brièveté d'un poème y neutralise les effets de la durée. Le discours reste en deçà des distinctions proposées au chapitre V entre « narratif » et « lyrique », « dramatique » ou « gnomique ». Au-delà d'un certain seuil en revanche, le temps intervient dans le fonctionnement textuel, et le poème s'inscrit dans l'un ou l'autre de ces registres. Chacun de ceux-ci possède sa propre visée sémantique : le « narratif » tend à épuiser le signifié dans le signifiant, le « lyrique » s'y refuse[2]. D'où, de part et d'autre, dans une culture et à une époque données, des tendances formelles particulières. Pourtant, aucun poème ne réalise exclusivement ni pleinement ces dernières ; toujours subsistent une frange incertaine, des plages hétérogènes, des reflets : « lyriques » dans la narration, ou l'inverse. Le texte oral semble lutter contre son modèle, freiner les conséquences extrêmes du principe auquel il adhère.

C'est ainsi qu'en pratique la poésie narrative et dramatique use de toute espèce de procédés destinés à intégrer, dans la structure du discours, les indices redondants de sa fonction « phatique » : digressions prospectives, rétrospectives, justificatives, stases ornementales, apostrophes, exclamations, questions rhéto-

---

1. Clouzet 1964, p. 7 ; Vassal 1977, p. 191, 224.
2. Chasca, p. 45-46.

riques, passages du *il, eux,* au *je,* au *vous,* usage de présentatifs tels que *voyez, écoutez,* schématisation descriptive, énumérations. De là une tension artificielle générale, permettant au langage de biaiser avec les exigences de la linéarité événementielle [1].

Les croisements registraux trahissent, dans la performance, un effort en vue de produire un surplus sémantique, d'instaurer au cœur du *sens* poétique une diversification étonnante. C'est pourquoi sans doute les traditions « lyriques » et « gnomiques », pour leur part, ont élaboré diverses formes mixtes permettant d'imposer au discours un ordre conventionnel. Les plus répandues sont celles que j'appellerai « pseudo-narratives », et dont les chansons médiévales de *fine amor* sont, en Europe, l'exemple typique : ce qui en constitue foncièrement l'énoncé, c'est l'exposition, indéfiniment réitérée, à la fois d'un désir en proie à ses fantasmes et d'un intellect niant leur réalité. La surface textuelle, parfois chaotique, est sommairement agencée en vertu d'un schème narratif latent : vision, rencontre, demande et attente, abandon ou rejet, chacun de ces termes servant de référence mémorielle hors texte à l'une des propositions avancées. Le système fonctionnait encore, il n'y a pas si longtemps, dans nos rengaines sentimentales...

Autre forme mixte : celle que, dans les poésies populaires européennes et leurs extensions américaines, on catalogue comme « énumérative » ou « récapitulative ». C. Laforte n'en compte pas moins de vingt-deux variétés, parmi les seules « chansons traditionnelles françaises ». Le principe en consiste à lier les couplets successifs en insérant dans chacun d'entre eux un élément lexical emprunté à un ensemble ordonné : nombre, nom de mois ou de jour de la semaine, de lettre de l'alphabet, de pièce de vêtement, de partie du corps, de classe sociale... L'ordre est plus ou moins rigide. Dans les chansons « enchaînées », il repose sur une série associative, marquée par la reprise, en tête de chaque unité, du dernier élément de la précédente. Des procédés de cette espèce ne se rencontrent plus guère aujourd'hui que dans nos chansons enfantines. Mais ils restent disponibles pour la chanson d'art. On en trouverait des exemples chez Brassens (ainsi, *Au bois de mon cœur*). Ils n'appartiennent pas, du reste, à notre seule tradition. On les repère çà et là dans le monde : R. Finnegan signale un genre de Hawaï dans lequel l'énoncé se découpe en quatre couplets, référant aux quatre dimensions de l'espace polynésien : en haut, en bas, sur terre, sur mer [2].

C'est donc moins une frontière, qui sépare les registres de

1. Knorringa 1978, p. 113-138 ; Ong 1972, p. 2 ; Jauss 1980, p. 127.
2. Laforte 1976, p. 69-85 ; Finnegan 1978, p. 289.

poésie orale, qu'une large zone ouverte aux entreprises de contrebande. D. Buchan, étudiant cette situation dans les ballades anglo-saxonnes, désigne par « structure tonale » du poème les interférences de registre qu'il y constate. Dans certaines cultures, où l'opposition est plus clairement maintenue, le chant « lyrique » ou « gnomique » intervient, dans sa pureté registrale, comme ornement d'un discours narratif : ainsi, à Hawaï ; ainsi, en Afrique où le genre dénommé « chantefable » par Eno Belinga systématise cette technique de montage [1].

Poésie orale et poésie écrite usent d'une langue identique : mêmes structures grammaticales, mêmes règles syntaxiques, même vocabulaire de base. Pourtant, ni la distribution des emplois ni les stratégies d'expression ne sont les mêmes. L'oralité comporte à cet égard des tendances propres, que l'on est porté à présumer universelles. Le manque, toutefois, d'études préliminaires assez nombreuses interdit provisoirement de préciser davantage. Je me limite donc à de brèves remarques, sur quelques points, me semble-t-il, assurés.

1. Relation entre durée du discours et nombre de phrases, dans le registre « lyrique » : un relevé de M. et R. d'Harcourt, opéré sur 1 000 couplets de chansons folkloriques québécoises, atteste que 956 d'entre eux ne comportent qu'une seule phrase mélodique (à laquelle correspond une phrase linguistique), les 44 restants, atypiques, se regroupent en trois classes [2]. Les couplets à une phrase se répartissent en quatre groupes selon que cette phrase s'articule en une (2%), deux (37,7%), trois (44,7%) unités ou davantage (15,6%). On voit se dégager ainsi une règle du genre [3].

J'ai soumis à une analyse semblable une collection de plusieurs centaines de chansons centrafricaines, réunies (mais non publiées) par J.-D. Penel. Elles se divisent rarement en couplets, mais leur longueur moyenne ne dépasse pas quinze à vingt-cinq vers. La moitié environ (46%) comporte de une à six phrases ; 52%, de six à huit. Les proportions se rapprochent de celles qu'établissaient les d'Harcourt. Autre coïncidence : on trouve davantage de chansons à refrain parmi celles dont les couplets comptent le plus de phrases.

2. Structures syntaxiques : la fréquence de la parataxe caractérise tous les genres oraux, y compris l'épopée. Le registre narratif tend à juxtaposer les éléments sans les subordonner, dans un

1. Buchan, p. 133-143 ; Finnegan 1978, p. 256 ; Eno Belinga 1970.
2. Harcourt, p. 50-53.
3. Exemples africains récents : Zadi 1978, p. 174-176 ; Camara, p. 269-271, 302-304.

espace à deux dimensions. Le registre lyrique, hachant le discours en affirmations brèves, les coupes d'exclamations, d'expressions impératives, en séries cumulatives discontinues ; à la limite, les verbes s'éclipsent, il n'y a plus de phrases mais un défilé d'éléments nominaux libérés. En revanche le registre gnomique (ou sa parodie) resserre, en écrasant le dispositif, les articulations et tend à faire de la phrase une accumulation d'équations simple ; du discours, quelle qu'en soit la charge métaphorique, une suite d'actions décapées de leurs circonstance.

3. Figures : ainsi qu'à la même grammaire, écriture et oralité ressortissent à la même rhétorique. Les différences apparaissent entre elles lorsque les facteurs figuratifs élémentaires (déplacement, substitution, transfert), agissant dans les profondeurs du texte, s'y manifestent en surface sous des formes spécifiques, culturellement conditionnées. La poésie orale tibétaine, fortement influencée par l'écriture lamasique, et dont les procédés traditionnels sont exactement codés, ne connaît ainsi pas moins de quatre-vingt-treize espèces de figures dont un certain nombre, tenant à la nature de la langue (divers jeux sur les particules), n'ont pas d'équivalent pour nous [1].

En Afrique, la forte imagerie du poème oral ne semble pas (compte tenu de sa densité extrême) d'une autre nature que celle de notre propre poésie. Ce qui diffère ici, ce n'est ni le « style », ni sa source profonde, mais bien, de l'une à l'autre, l'enchaînement fonctionnel : le mot africain génère l'image ; le moteur du discours poétique, c'est la parole même : prononçant le mot, elle l'érige en symbole du monde. L'image est idée, mais elle abolit l'autonomie de cette dernière : le discours procède comme chez nous fait l'énigme [2].

D'où la fonction éminente du nom propre, révélateur, en deçà de toute apparence personnelle, des énergies cosmiques dont son porteur est le lieu ; d'où la place considérable que lui réserve la poésie traditionnelle africaine, qui ne cesse de recourir à lui pour dynamiser les textes. Ce trait du reste se retrouve, motivé de diverses manières, dans la plupart des cultures : suites incantatoires ou simplement évocatrices de noms de lieux, de personnes, de divinités, émaillant et orientant le discours ou, parfois, confirmant l'ironie.

4. Le vocabulaire (sinon les formes grammaticales) qu'emploie la poésie se démarque en général de l'usage courant. Il lui arrive de s'en écarter au point d'obscurcir (intentionnellement ou non) le sens. Certaines populations amérindiennes spécifient leurs

1. Finnegan 1977, p. 112-116 ; Helffer, p. 385-394.
2. Jahn 1961, p. 171-173 ; Kesteloot 1971a, p. 3-5 ; Thomas, p. 418.

diverses variétés de chant à l'aide d'autant de langages cérémoniels, définis à la fois par le choix des mots et leur prononciation. E. Köngäs-Maranda me disait qu'aux îles Salomon les femmes chantent le lamento en *pidgin,* langue dans l'ordinaire spéciale aux hommes et qu'elles-mêmes n'emploient jamais en d'autres circonstances. Partout au monde abondent les idiomes fixés, aux règles transmises comme recettes de métier, et socialement reçus comme « poétiques », « savants », sacrés, toujours vénérables. Leur maintien au cours du temps peut être dû à des contraintes externes comme celle de la versification ; en général, ils survivent par eux-mêmes.

L'influence de la langue littéraire écrite, même étrangère, joue ici son rôle : le style des chanteurs tibétains associe des tournures imitées du sanscrit à des termes dialectaux propres à l'est de leur pays. En Europe et en Amérique depuis plusieurs siècles les styles poétiques oraux se sont imprégnés d'éléments venus de la littérature, parfois réduits à l'état de poncifs, mais aptes à produire par contraste des effets effets expressifs intenses[1]. L'un des traits de nos chansons folkloriques est la désinvolture avec laquelle elles jouent de ces éléments parmi d'autres, semant le texte pêle-mêle d'effets de style Louis XVI et de *il tombit, je le cherchis,* témoins égarés d'un langage populaire contemporain de Rabelais : apparent arbitraire verbal, motivé en profondeur par le besoin de distinguer et d'exalter la voix du poète.

Quelle qu'en soit l'origine historique, le vocabulaire et la grammaire de poésie orale sont souvent perçus comme archaïques... à moins que tout bonnement ils ne miment l'archaïsme ! C'est ce que l'on a constaté, en Asie comme en Afrique, à propos de l'épopée. Mais la tendance est plus générale, et l'art de nos chansonniers contemporains s'en est à peine affranchi. Dans les sociétés à tradition longue, les formes vieillies que véhicule ainsi le chant ne sont parfois que les vestiges d'une antique langue sacrale. Ainsi, chez les Dogon, chez les Manobo, pour qui le langage seul de l'*Ulahingan* permet de communiquer avec les dieux. L'archaïsme ritualisé des panégyriques africains les rend, dans quelques ethnies, si opaques, qu'ils exigent un interprète. Effet contraire chez les Aïno, dont les *yukar* se chantent dans un ancien idiome rituel, qui demeure aujourd'hui encore accessible à l'ensemble de l'ethnie, alors que les dialectes locaux ont évolué au point d'empêcher, en certains cas, l'intercompréhension : dernier refuge d'une unité historique ! Des évolutions analogues - ou, peut-être, un effort aveugle pour remonter à cette source -

---

1. Finnegan 1977, p. 109-110 ; Cirese, p. 45 ; Davenson, p. 16 ; Roy, p. 281 ; Sherzer, 184-192 ; Helffer, p. 381.

s'observent çà et là parmi nous. Telle comptine, d'origine sans mystère, est altérée jusqu'à ressembler à quelque formule magique : *Ein, zwei, drei* allemand deviens notre *Amstramgram* (mais est-ce bien là l'étymologie ?), évacuation du sens, aspiration à la glossolalie primitive, comme le furent les onomatopées et les bruits de moteur qui secouaient les chansons des premiers rockers : le *scat* [1].

C'est en vertu, sans doute, du même besoin que la coutume des poètes et des chanteurs les pousse, parfois, dans les sociétés traditionnelles, à privilégier telle ou telle forme grammaticale, multipliant les emplois d'un certain affixe, d'un temps verbal, d'une classe nominale, dans les limites autorisées par la structure de la langue naturelle, mais hors norme. Ils constituent ainsi une marque évidente du type de discours qu'ils proposent à l'audition [2].

De toute manière, la forme du poème manifeste ainsi que le message transmis provient d'un univers à la fois étrange et chaleureux, solennel ou exaltant, un peu dangereux peut-être et (comme les souvenirs d'enfance ou les paroles du père) pas tout à fait du même ordre de réalité que l'existence quotidienne.

Les langages poétiques secrets, usités dans plusieurs cultures, particulièrement en Afrique, tendent au même effet. «Javanais» conventionnels ou argots liant, au sein de quelque confrérie, chanteurs et récitants : moins, parfois, vocabulaires constitués que règles d'altération des vocables existants. Ainsi, sur les lèvres des chanteurs manobo, les *r* deviennent *l* ou *y* : je doute que cette déformation procède seulement d'une contrainte musicale, comme le suppose E. Maquiso. La déformation lexicale peut servir de procédé ironique, comme dans les chansons politiques de l'Espagnol Pi de la Serra [3].

Lorsque règne une situation de diglossie, l'une des langues en présence peut se charger, sous la pression des circonstances et grâce à l'initiative de quelques individus, d'une fonction poétique particulière : ainsi, le «joual» des chanteurs québécois vers 1970, dans un contexte de revendication nationale... plutôt que le larmoyant patois lillois du *P'tit quinquin* du populiste Desrousseaux en 1853 ! Ainsi, des chansons partiellement ou entièrement en breton de Gilles Servat ou d'Alan Stivell ; des chansons basques de Mikel Laboa ou Manex Pagola. Parfois, c'est au cours de la performance que le discours, commencé dans une langue,

---

1. Bowra 1978, p. 389 ; Finnegan 1976, p. 117, 131 ; Coupez-Kamanzi, p. 8-9 ; Eno Belinga 1978, p. 80 ; Maquiso, p. 40 ; Hilger, ix ; Hoffmann-Leduc, p. 23.
2. Exemple fidjan : Finnegan 1978, p. 473.
3. Eno Belinga 1978, p. 105 ; Maquiso, p. 40 ; Wurm, p. 44.

embraie sur l'autre, pour un temps plus ou moins long, en vue de déclencher une réaction de l'auditoire : ainsi chez Brel dans la chanson bilingue de *Marieke,* ou chez Carlos Andreou évoquant en strophes alternées d'espagnol et de portugais le destin de la péninsule ibérique. C'est là un procédé fréquent, sur tous les continents. On en a relevé des exemples aussi bien dans l'Irlande rurale qu'aux États-Unis [1].

En Centrafrique, grâce au matériel mis à ma disposition par J.-D. Penel, j'ai pu étudier de plus près le phénomène : les chansons que j'examinais, d'origine urbaine et récente, sont prononcées en sango, la langue locale ; mais il y apparaît de nombreux mots étrangers, inusités dans le parler courant, donc choisis en vertu de quelque intention sémantique ou stylistique : mots de lingala, langue du Zaïre, popularisée à Bangui par la radio, qui diffuse beaucoup de chanteurs zaïrois, jouissant aujourd'hui d'une grande faveur dans toute l'Afrique centrale ; et mots français, dont la distribution semble obéir à certaines règles [2]. J'en ai compté quatre cents, pour plusieurs milliers d'occurrences en quelque huit cents chansons. Si l'on écarte les mots-outils ou incolores dus à l'automatisme de la diglossie, il reste des séries à forte valorisation culturelle, noms de nombre (indice de scolarisation), de jours de la semaine (calendrier international), et quelques autres ; les termes affectifs font 50 % du total et présentent les plus hautes fréquences. L'effet expressif saute aux yeux ; pourtant, il n'est pas assuré que les chansonniers en aient une claire conscience : ils en ont automatisé l'emploi.

5. La plupart de ces procédés comportent, dans leur mise en œuvre, quelque règle phonique : la manipulation du donné linguistique contribue à provoquer ou à renforcer la rime, l'allitération, les échos sonores de toute espèce ou, plus généralement, accuse la scansion des rythmes. Je consacrerai à cette question le chapitre IX. Lorsqu'ils atteignent une certaine densité, ces jeux influent sur la formation du sens. A la limite, la phrase, les mots eux-mêmes s'effacent en concaténations dénuées de signification codée, pures suggestions sonores. J'ai relevé, dans les chansons banguissoises publiées par Jouve-Tomenti et Penel, des exemples illustrant les degrés successifs de cette montée d'une joie phonique et la transformation qu'elle provoque du donné linguistique :

1. Millières, p. 90-108 ; Brécy, p. 70-72 ; Vassal 1980, p. 85, 168-172 ; Wurm, p. 159-162, 172-174 ; Clouzet 1964, p. 98-99 ; Finnegan 1978, p. 173 ; Hymes 1977, p. 437.
2. Penel, p. 70-72.

- « texte » absurde, constitué de syntagmes juxtaposés, sans relation grammaticale ni sémantique ;
- phrase empruntée à une langue étrangère, non comprise et fortement altérée ;
- accumulation litanique de mots isolés, sans contexte ;
- suite de noms propres en apostrophe, hors phrase ;
- emploi de monosyllabes ambigus, interprétables comme mots signifiants ou comme interjections, onomatopées, cris ;
- refrain de type *tralala*, évoquant ou non un mot de la langue ;
- série phonique ayant perdu tout rapport avec le code ;
- répétition litanique d'une telle série [1].

Il y a tout lieu de présumer que n'importe quel ensemble assez étendu de textes, prélevé dans n'importe quelle littérature orale, fournirait des exemples semblables. Les deux (ou trois) derniers degrés de cette échelle ne se distinguent pas de la vocalise, dont on a supposé qu'elle était liée à la danse.

Selon l'opinion la plus répandue chez les ethnologues (et les rares poéticiens au courant de leurs travaux), le trait constant et peut-être universellement définitoire, de la poésie orale est la récurrence de divers éléments textuels : « formules » au sens de Parry-Lord et, plus généralement, toute espèce de répétition ou de parallélisme. Aucun de ces procédés, certes, n'est le propre exclusif de la poésie orale : Jakobson voyait en eux le fondement de tout langage poétique ; de façon limitative R. Schwab les prend pour caractéristiques des poésies non européennes. Il n'empêche qu'un lien étroit, et sans aucun doute fonctionnel, les attache à l'exercice de la voix [2].

Ce lien est manifeste dans les chansons de danse, où les exigences rythmiques confèrent nécessairemnt au texte un aspect itératif. Mais, au niveau profond où se constituent les propriétés de la parole vive (par opposition à l'écriture), c'est toute narration qui spontanément est répétitive : faite de reprises d'une donnée qu'elle amplifie en l'interprétant, de telle façon que l'élément nouveau du récit se ramène, pour une part, à cette glose même. La narration instaure ainsi un dialogue avec son propre « sujet »... comme le fit jadis la tragédie grecque. Cette tendance fondamentale polarise plus ou moins tous les genres de poésie orale.

Le rythme résultant de la récurrence se marque à tous les niveaux de langage ; l'oralité ne favorise pas les seuls échos sonores. Répétitions de strophes, de phrases ou de vers entiers,

1. Jouve-Tomenti, textes 3, 6, 8, 9 ; Penel, textes 7, 11, 13, 23, 31.
2. Gossman, p. 765 ; Finnegan 1977, p. 130-133 ; Goody 1979, p. 205-206 ; Schwab *in* Eliade, p. 128-162.

de groupes prosodiques ou syntagmatiques, de tournures, de formes grammaticales, de mots, de phonèmes, mais aussi d'effets de sens : le discours fait également feu de tout bois. La répétition se soumet à la régularité du parallélisme, opposant les membres deux à deux ; ou bien elle s'affranchit de cette règle numérale. Elle se localise à tels emplacements privilégiés, ou envahit le texte. Elle reprend identiquement son thème, ou opère une variation partielle ; elle se construit en consécution rigoureuse ou selon diverses modalités d'alternance.

Rien ne permet de réduire à l'usage de ces figures les techniques verbales de la poésie orale, ni même de les y supposer indispensables. Empiriquement, on constate néanmoins le rôle considérable qu'elles y jouent sinon dans tous les textes du moins dans tous les temps et les lieux, indépendamment des conditions culturelles. On les relève, plus ou moins élaborées, mais identiques à elles-mêmes, dans des textes aussi divers que les ballades anglaises, les chants de femmes malinké, telle chanson du soviétique Okoudjava ou la plupart des admirables *Dust bowl ballads* de Woody Guthrie... Le *blues*, dans ses formes anciennes, repose sur le jeu des récurrences [1].

Celles-ci tissent dans le discours des fils associatifs qui, multipliés, entrecroisés, y engendrent un autre discours, opérant avec les éléments du premier comme fait le rêve avec des fragments d'expérience éveillée, au profit de fantasmes auxquels il prête ainsi un visage. A mesure que s'écoule la durée du chant, s'établissent équivalences ou contrastes comportant (car le contexte se modifie, fût-ce imperceptiblement) de subtiles nuances : chacune d'entre elles, reçue comme information nouvelle, accroît la connaissance à laquelle nous invite cette voix. Le *Mamita mia* surgissant dès le second vers d'une célèbre chanson de la guerre d'Espagne - parodie de la romance populaire *los Cuatro Mulatieros* - sans rapport avec le reste de la phrase, puis repris deux fois par couplet, paraît gratuit d'abord, mais peu à peu fait sens allusif (la mère, la femme lointaine), pour finir comme élément capital du poème, en constituant à lui seul un plan de signification [2].

C'est pourquoi, au-delà des combinaisons stylistiques, la récurrence constitue le principe de divers modes de composition :
- la *litanie* : répétition indéfinie d'une même structure, syntaxique et partiellement lexicale, quelques-uns des mots se modi-

---

1. Sargent-Kittredge, p. xx-xxii ; Buchan, p. 150-155 ; Burke, p. 122-128 ; Camara, p. 275-278, 307-311 ; Collier, p. 42 ; Oster, p. 263-267 ; disques *Le chant du monde* LDX 7-43-58 (nº 7) et *Folkways records* FH 5212.
2. Scheub 1977, p. 347 ; Gossman, p. 766 ; disque *Le chant du monde* LDX-S-4279 (nº 2).

fiant à chaque reprise, de manière à marquer une progression par glissement et décalage ;
- le *tuilage* : même répétitions dérapantes, non plus de phrases, mais de parties du texte (strophe, couplet, section). Les « laisses similaires » des épopées françaises du Moyen Age en fournissent un exemple raffiné mais qui n'est aucunement propre à cette culture-là [1] ;
- les *échos* régularisés : le texte est piqueté de répétitions à intervalles fixes, parfois entrecroisées et qui, encadrant et soutenant le discours, lui confèrent une force paticulière. Ainsi, un même élément (son, mot, tournure syntaxique, sème) figurera au début et à la fin des vers impairs ; un autre élément, des vers pairs ; les uns et les autres pouvant réapparaître en configurations médianes. Le système se prête à des variations en nombre infini. Il a été appliqué à toutes époques, dans toutes les cultures, et la poésie écrite en a fait souvent usage, dans son aspiration à redécouvrir les harmonies de la voix.

On citerait aussi bien des techniques plus étroitement liées à la structure mélodique du poème :
- vers bissés, trissés ;
- jeux de réitération qui font d'un couplet la dilatation d'un vers, sinon d'un terme unique ;
- plus générale encore, la pratique du refrain, constant ou à variation, distribué à intervalles réguliers ou non, glosant le couplet ou contrastant avec lui, parfois réduit à un nom évocateur, suspendu dans le vide extra-syntaxique, ou à de pures vocalises.

Sous toutes les formes où elle se réalise, la récurrence discursive constitue le moyen le plus efficace de verbaliser une expérience spatio-temporelle, d'y faire participer l'auditeur. Le temps se déroule, dans l'intemporalité fictive du chant, à partir du moment de la parole inaugurale. Puis, dans l'espace qu'engendre le son, l'image sensoriellement éprouvée s'objective ; du rythme naît et se légitime un savoir. Plusieurs cultures aujourd'hui désintégrées fondaient sur la répétition et le parallélisme leur notion du monde, que leurs contes et leur poésie orale « inscrivaient » dans la fugitivité de la voix : ainsi, les Indiens Hopi et Zuni dans le sud-ouest des États-Unis ; les Polynésiens de Hawaï. Ailleurs, Fuégiens ou Toungouses convoquaient les mêmes formes de discours à susciter la transe chamanique, ouvrant l'accès aux Puissances : on a discerné quelque lointain écho de ces magies dans les liturgies de festivals pop [2]. Faudrait-il invoquer encore les répétitions incantatoires de certaines chansons de Brel ?

1. Bel exemple africain, *Recueil,* p. 162-181.
2. Finnegan 1978, p. 206, 257 ; Rouget, p. 178, 190-191, 432 ; Lyotard, p. 41-42.

Tous les traits en effet évoqués ici se retrouvent dans les textes de nos chansonniers : seuls « poètes oraux », jusqu'à nouvel avis, produits par la civilisation industrielle. Les contraintes techniques dues à l'utilisation des médiats ne semblent pas avoir bouleversé les fondements d'une poétique immanente à la diversité des cultures et tenant à l'ontologie de la voix vive.

Certes, on ne chante pas, au cœur de la « galaxie Gutenberg », sans nécessairement subir l'influence de modèles littéraires ni tirer profit des diverses techniques d'écriture. C'est là un fait d'intertextualité où se manifeste ce qu'a, sous tous les firmaments culturels, la poésie orale de mouvant, divers, contrastif, attentif aux discours communs plus qu'à la recherche de l'aveu personnel, tourné vers le déjà-connu plutôt que vers l'inouï. Emprunts, réemplois, réfections de toute envergure : ce geste même qui, dans les cultures à rythme long, constitue la « tradition orale » et qui, au rythme bref et saccadé de nos mutations, embrasse d'autres secteurs, et plus nombreux, mais ne change pas de nature. De nos jours, et depuis longtemps il est vrai, la chanson s'écrit. Peu importe : la visée du discours reste néanmoins la seule corporéité de la voix.

III. La performance

8. Un discours circonstanciel

*Texte et circonstances : la performance. - Temps et durée. Lieu et espace.
- Connotations spatio-temporelles.*

Seul l'emploi du texte donne réalité à la rhétorique qui le fonde ; seule son actualisation vocale la justifie. D'où la nécessité pour nous de définir des « situations de communication » : M. Houis, à propos des proverbes africains, en distingue les traits pertinents selon que la performance, de la part de l'auditeur, comporte simplement une *écoute,* ou qu'elle implique un *échange* avec le diseur, cet échange pouvant être *nécessaire* ou *utile*[1]. Mais à la communication poétique orale correspond généralement une situation d'*écoute :* il convient d'analyser de plus près celle-ci.

M'interrogeant, au chapitre V, sur la nature de la forme poétique orale, j'ai suggéré que la *performance* peut en être considérée à la fois comme un élément et comme le principal facteur constitutif. Instance de réalisation plénière, la performance détermine tous les autres éléments formels qui, par rapport à elle, sont à peine plus que des virtualités. Des chanteuses africaines de lamentation sont incapables de reproduire leurs poèmes hors de réelles funérailles[2]. Impliquant un type singulier de connaissance, la performance poétique n'est compréhensible et analysable que du point de vue d'une phénoménologie de la réception.

Les conventions, règles et normes régissant la poésie orale embrassent, en deçà et au-delà du texte, son occasion, ses publics, la personne de celui qui le transmet, le but qu'il vise à court terme. Certes, cela peut se dire aussi, en quelque manière, de la poésie écrite ; mais, s'agissant d'oralité, l'ensemble de ces termes réfère à une fonction globale, que l'on ne saurait décomposer en finalités diverses, concourantes ou successives. Dans

1. Houis, p. 6-10.
2. Finnegan 1976, p. 164, et 1977, p. 28-29, 89, 241-242 ; Gossman, p. 778 ; Jason 1977.

l'usage populaire du Nord-Est brésilien, le même mot *cantoria* désigne l'activité poétique en général, les règles qu'elle s'impose et la performance.

Ce dernier terme, adopté d'abord par les folkloristes américains, tels Abrahams, Dundes, Lomax, désigne pour eux un événement social créateur irréductible à ses seules composantes et durant lequel se produit l'émergence de propriétés particulières. La portée de cet événement et des propriétés qu'il manifeste se mesure, selon D. Hymes, à la distribution de trois caractères dont un ou deux sont nécessairement dans la performance, mais jamais les trois ensemble : interprétabilité, descriptibilité, itérativité [1]. Ce critère large permet en principe de classer toute forme d'oralité, poétique ou non. Hymes le recoupe par un autre : absence ou présence de règles et, dans le second cas, absence ou présence d'une prise de responsabilité ; d'où une distinction entre «comportement» *(behavior),* «conduite» *(conduct)* et *performance.*

Plusieurs cultures, conscientes de la puissance des effets ainsi provoqués, codifient avec soin le choix des composantes, temps, lieu, participants, de la performance. Ainsi, dans bien des cas, en Afrique : l'exploitation et le contrôle de l'imaginaire social par le moyen privilégié de la poésie a pour les sociétés traditionnelles autant ou plus d'importance que, pour nous, ceux de la plus-value économique. D'où prescriptions impératives ou tabous. La manifestation de la poésie par la voix postule un accord collectif (et sa contrepartie, une censure), sans quoi la performance ne pourrait se concrétiser tout à fait [2]. Ailleurs, on distinguera entre le chant linguistiquement immuable, attaché à des circonstances précises, souvent prononcé par des spécialistes, et le chant plus ou moins improvisé à propos d'un événement personnel ou local : ainsi, au témoignage de J.-D. Penel, chez les Azandé de la Centrafrique. La langue de l'ancien Japon disposait de termes différents pour dénommer ces deux types d'oralité.

Le texte à performance libre, sans avoir l'ouverture de la poésie écrite, interprétable à l'infini, varie constamment au niveau connotatif, à tel point qu'il n'est jamais deux fois le même : sa surface est comparable à celle d'un lac sous le vent. Le texte à performance fixe tend à immobiliser ces reflets superficiels, à les durcir en carapace autour d'un dépôt ancien, très précieux, qu'il importe de contenir : on se met au garde-à-vous pour écouter la *Marseillaise;* on se rend à l'église dans la

1. Hymes 1973.
2. Calame-Griaule 1965, p. 470-473 ; Bouquiaux-Thomas, I, p. 106-107 ; Brower-Milner, p. 57.

nuit du 24 décembre pour entendre, si l'on en a le goût, le *Minuit, chrétiens*. A la limite, le poème reste incompréhensible hors situation. Changez les circonstances, le sens et la fonction sociale du texte reçu se modifient : un chant révolutionnaire devient chanson de marche ; une chanson d'amour, chant de contestation politique...

Performance implique *compétence*. Au-delà d'un savoir-faire et d'un savoir-dire, la performance manifeste un savoir-être dans la durée et dans l'espace. Quoi qu'évoque, par des moyens linguistiques, le texte dit ou chanté, la performance lui impose un référent global qui est de l'ordre du corps. C'est par le corps que nous sommes temps et lieu : la voix le proclame, émanation de nous. L'écriture, il est vrai, comporte elle aussi mesure d'espace et mesure de temps : mais sa visée ultime est de s'en affranchir. La voix en accepte bienheureusement la servitude et, à partir de ce oui primordial, tout se colore dans la langue, rien n'y est plus neutre, les mots ruissellent, chargés d'intentions, d'odeurs, ils sentent l'homme et la terre (ou ce que l'homme lui substitue). La poésie ne relève plus des catégories du faire, mais de celles du procès : l'objet à fabriquer ne suffit plus, il s'agit de susciter un sujet autre, externe, observant et jugeant celui qui, ici et maintenant, agit. C'est pourquoi la performance est aussi instance de symbolisation : d'intégration de notre relativité corporelle dans l'harmonie cosmique signifiée par la voix ; d'intégration de la multiplicité des changes sémantiques dans l'unicité d'une présence.

Action (et double : émission-réception), la performance met en présence des *acteurs* (émetteur, récepteur, singulier ou pluriels) et en jeu des *moyens* (voix, geste, médiat). Quant aux *circonstances* qui en forment le contexte, je les ramène aux paramètres de temps et de lieu : j'y consacre ce bref chapitre, et traiterai des moyens aux chapitres IX à XI, des acteurs aux chapitres XII et XIII.

La performance est doublement temporalisée : par sa durée propre, et en vertu du moment de la durée sociale où elle s'insère. J'ai mentionné déjà, chemin faisant, certains termes extrêmes : temps d'exécution d'une épopée longue, ou d'une chanson radiodiffusée. De quelques minutes à plusieurs journées : cela importe moins en soi que pour les causes. Certaines tiennent au texte même : sa longueur, et le mode de récitation ou de chant imposé par la coutume. Ces deux facteurs tendent parfois à se neutraliser réciproquement : les longs panégyriques zoulous sont débités d'une voix rapide, en flot ininterrompu. Les *pantun* malais et les *balwo* somalis, en revanche, le sont sur un rythme lent et une mélodie répétitive qui allongent considérablement la performance de leurs deux ou quatre vers. D'autres causes régulatrices de durée proviennent des particularités de telle situation de communication. Evaluant la durée réelle de l'*Ozidi* nigérian, I. Okpewho observe qu'elle se mesure moins en termes de temps (sept soirées) que d'espacement adéquat des épisodes ; c'est-à-dire en vertu d'une économie narrative imposée par les conditions physiques et sociales de la performance.

La relation émotionnelle qui s'établit entre l'exécutant et le public peut n'être pas moins déterminante, provoquant toute espèce de dramatisation ou d'étalement du chant : interventions du poète dans son propre jeu, qui exigent une grande souplesse mais engendrent une liberté. Ni pour son auteur ni pour ses auditeurs, aucune performance non médiatisée n'est chronométriquement tout à fait prévisible. Sa durée ne fait qu'obéir, avec une large approximation, à une règle de probabilité, culturellement motivée [1].

Le moment où a lieu la performance, prélevé dans le temps socio-historique, n'est jamais indifférent, même s'il s'en dégage et, plus ou moins, le transcende. Toute performance comporte ainsi - comme telle, comme fragment, fictivement isolé, du temps réel - des valeurs propres, qui peut-être changeront, s'inverseront, la prochaine fois que sera chantée cette même chanson : peu importe, il y aura toujours des valeurs, fussent-elles de refus. C'est de ce point de vue que je distingue quatre situations performancielles, selon que le moment du chant s'insère dans un temps « conventionnel », « naturel », « historique » ou « libre ».

1. Je regroupe sous la première de ces dénominations toute espèce de temps cyclique, au rythme fixé par la coutume : temps des rites ; temps d'événements humains ritualisés ; temps social normalisé.

Sur le temps rituel s'articulent, dans la pratique de la plupart des religions, les performances de poésie liturgique. En pays de tradition chrétienne, s'y rangent les innombrables cantiques, dont l'usage constitue parmi nous l'une des dernières traditions poétiques orales à peu près pures. En terre d'Islam, l'un des disciples de Nasir Udin me disait que les poèmes composés et chantés par son maître, destinés à prendre place immédiatement avant ou après la prière communautaire, forment la glose de celle-ci. Le lien rituel se distend parfois, mais connote, à la manière d'une marque d'origine, des performances banalisées. Il y a belle lurette, l'un de mes voisins paysans, mécréant bon teint, braillait des cantiques en sciant son bois : scandale pour les femmes du

---

1. Burke, p. 139 ; Finnegan 1977, p. 122-124 ; Okpewho, p. 267 n. 8 ; Lord 1971, p. 128, 132 ; Calame-Griaule 1965, p. 485.

quartier. Le *Kutune Shirka,* poème sacré des Aïnos, encore chanté vers 1930, résonnait aussi bien dans les cérémonies chamaniques que dans le loisir des veillées d'hiver[1].

La performance peut s'attacher à la célébration d'une fête particulière et périodique, qu'elle caractérise : ainsi, à travers l'Europe, les *noëls,* dialogués ou non, aujourd'hui en voie de disparition ; ainsi, en Espagne, les *jotas,* improvisés et dansés à la fête de la Madone du Pilar ; ou, chez les Dogon du Mali, les chants initiatiques réservés à la fête du Sigui, célébrée tous les soixante ans[2].

Diverses circonstances de la vie privée ou publique, important en quelque manière au destin commun, mesurent un temps récurrent, aux fréquences mal prévisibles, naissance, mariage, mort, combat, victoire... Pour bien des sociétés, tout événement entrant dans ces séries suscite une performance, en vertu de normes coutumières. J'ai signalé au chapitre V les genres poétiques définis par ce type de périodicité.

J'appelle temps social normalisé l'ensemble des étapes de la chronologie collective donnant lieu, sous une forme ou sous une autre, à convocation publique : annonce, affiche, lettres d'invitation, tout ce dont les *penny readings* du XIXe siècle anglais fournirent l'un des premiers exemples massifs. Dans la société industrielle, c'est sur ce temps-là, sauf exception, que s'articulent les performances de nos chansonniers : temps commercialisé par le *showbizz.* Une coutume analogue, dans d'autres conditions culturelles, régnait vers 1930 chez les chanteurs musulmans de Bosnie, qui débitaient leurs épopées durant les soirées du Ramadan dans les cafés des villages, où se réunissait la population mâle après le jeûne[3].

2. Le temps naturel, celui des saisons, des jours, des heures, fournit à une abondante poésie, pour nous devenue folklorique, son point d'ancrage dans la durée vécue : en vertu d'un lien direct avec les cycles cosmiques, comme les sérénades ou nos anciennes chansons d'aube, ou celles des « fêtes de mai » médiévales, celles que suscitaient la Saint-Jean, la mi-août ; ou, de manière indirecte, le chant accompagnant un travail astreint à suivre ces cycles : en Asie, le repiquage du riz ; chez nous jadis les semailles, parfois encore les vendanges. La nuit, chaude de mystères, est un temps fort que la plupart des civilisations ont tenu pour sensible à la voix humaine : soit qu'elles en interdisent

---

1. Finnegan 1978, p. 463.
2. Roy 1951, p. 171-225 ; Fribourg 1980*a*, p. 114-122 ; Eno Belinga 1978, p. 78-81.
3. Neuburg, p. 243-247 ; Lord 1971, p. 15.

alors l'usage, soit plutôt qu'elles fassent de la nuit le temps privilégié, voire exclusif, de certaines performances : en Afrique, du conte ; chez les Jöraï, du mythe ; chez les Tatars sibériens que visitait Radlov, de l'épopée. Parfois la nuit entière se ritualise, comme celle du Samedi Saint des anciennes liturgies chrétiennes : chez les Malinké, au temps qui précède les cérémonies de circoncision, elle s'emplit de chants et de cris discordants, au martèlement des tambours, orgie verbale purificatrice [1].

3. Le temps « historique » est celui que marque et mesure un événement imprévisible et non cycliquement récurrent, touchant un individu ou un groupe. Chez les Maori du XIXe siècle, la victime d'une réprimande ou d'une insulte composait une chanson pour en atténuer la portée maléfique. Chez les Gond de l'Inde, les jeunes gens se font la cour au moyen de chansons improvisées. En plusieurs régions du monde, au retour d'une chasse fructueuse, un chant de circonstance unit les voix des chasseurs, comme à la fin d'un banquet paysan s'unissent celles des buveurs... Ce type de performance est celui de presque tous les chants « engagés » et protestataires, qui forment une part considérable de la poésie orale vivante dans le monde actuel. Un effet de distance se produit toutefois assez vite entre le texte et l'événement qu'il illustre ou commémore. Une ambiguïté peut ainsi surgir, le message se transformant peu ou prou à mesure que s'étend l'intervalle. Mais de puissants effets poétiques résultent parfois de ces glissements : en témoigne la *Laura* d'Osvaldo Rodriguez en plein malheur du Chili [2].

4. Le lien qui attache au fait vécu la performance se distend en effet aisément. Reste la merveille du chant. La joie ou la tristesse que provoque l'événement ou l'humeur peut-être à leur tour suscitent un pur désir de chanter plutôt que le goût de telle chanson particulière : peu importe le texte ; à peine importe la mélodie ; la relation « historique » est rompue, le temps s'est libéré.

Le temps n'en connote pas moins *toute* performance. Cette règle tient à la nature de la communication orale, et ne peut avoir d'exception. Dans la performance rituelle, la connotation est si puissante qu'elle peut constituer à elle seule la signification du poème. Dans la performance à temps « libre », aléatoirement située sur la chaîne chronologique, l'effet tend à se diluer ; il ne s'efface jamais tout à fait : que l'envie me prenne soudain, sans

1. Gaborieau, p. 326 ; Finnegan 1978, p. 445-446 ; Dournes 1980 ; Rey-Hulman 1977 ; Camara, p. 185-186.
2. Finnegan 1978, p. 15, 292-293 ; Clouzet 1975, p. 72, 207.

raison apparente, de chanter ou de réciter des vers à neuf heures du matin, à midi ou au crépuscule, par un jour de vacances ou en allant au travail, ne peut être indifférent, et module en quelque façon le sens de la parole poétique qui passe mes lèvres.

Or, les modalités spatiales de la performance interfèrent avec celles du temps. Le lieu, comme le moment, peut être aléatoire, imposé par des circonstances étrangères à l'intention poétique : tel récital du chanteur basque Lertxundi, prévu sur la place d'un village, se déroule dans l'église à cause d'un orage éclatant soudain[1]. Une tension peut se manifester alors entre les connotations spatiales et temporelles : dans sa cour de ferme, mon scieur aux cantiques. Tensions récupérables, exploitables mimétiquement et aptes à produire, dominées, fonctionnalisées, elles aussi des effets poétiques... Mais sans doute le hasard ne règnet-il pas vraiment. Un attrait, parfois subtil, issu des fantasmes de l'exécutant, semble provoquer dans tel lieu, telle espèce de lieu, plutôt que tout autre, telle performance. Ce conditionnement spatial semble plus fort et constant que les conditionnements temporels : je ne doute pas que cette différence tienne à l'ontologie de la voix.

Les sociétés humaines ont exploité, dans une plus ou moins rigoureuse mesure, ces virtualités en privilégiant institutionnellement certains lieux. Lorsque intervient une norme rituelle, celle-ci noue un lien d'identification entre l'espace et le temps sacralisés, mimant ainsi quelque éternité utopique : chant liturgique dans le temple ; poème cosmogonique au sein de l'assemblée des orants népalais ; ou l'épopée mandingue que l'on récite à la case historique de Kamabolon[2]. Toutes les cultures possèdent ou ont possédé leurs lieux sacrés, ombilicaux, enracinant l'homme dans la terre et témoignant qu'il en est sorti ; et je ne pense pas avoir jamais lu qu'à un seul de ces lieux ne fût point attachée quelque pratique incantatoire ou poétique. Il subsiste, dans les sociétés différenciées, plus que des traces de cet état ancien. Les pratiques religieuses contribuent à le maintenir. Mais, au terme même des laïcisations de tout ordre, la sacralité s'intériorise, et se camoufle en simple spécialisation : ainsi partout au monde, des lieux apprêtés pour la danse et l'exécution vocale qui généralement l'accompagne.

Les motivations archaïques, par-delà cette mue, aboutissent à l'instauration de pratiques coutumières. C'est ainsi qu'ont été, dans nos villes, progressivement depuis le XVIe siècle, isolés nos théâtres. Pour les Amérindiens du bas Saint-Laurent, moins

1. Wurm, p. 84.
2. Gaborieau, p. 320 ; Niane 1975b, p. 160.

éloignés que nous des sources magiques, il est, sur le territoire de la tribu, des lieux plus que d'autres propres au recueillement, permettant de lier en un imployable faisceau la totalité des facultés de l'esprit et du corps. Ces lieux, on les connaît, on les nomme. C'est là que s'exécute le chant, se récite le mythe, s'égrènent les souvenirs des vieux chasseurs[1].

Dans nos villes, pendant des siècles, la rue fut le lieu favori des récitants de poésie, des chansonniers, des satiristes. Elle le redevient de nos jours, fugitivement, çà ou là, au hasard des renouveaux, comme dans le Londres de 1976, aux débuts du groupe Jam. La rue : non pas fortuitement ni toujours faute de trouver un toit, mais en vertu d'un dessein intégré à une forme d'art. Les récitals d'esclaves de Con-Square, dans La Nouvelle-Orléans française du XVIIIᵉ siècle, puis encore jusqu'à la guerre de Sécession, ont peut-être, à long terme, engendré notre jazz. Quand celui-ci eut pris forme, vers 1900, ses premiers orchestres se produisaient dans les rues et sur les aires de pique-nique. Plusieurs métropoles européennes, favorisées par la douceur de leur climat, avaient encore au début de notre siècle quelque espace où se concentraient en permanence les poètes de la voix, pêle-mêle avec charlatans et jongleurs, et où tout un chacun savait pouvoir les entendre : la Plaza Mayor à Madrid, à Rome Piazza Navona, à Florence San Martino... Paris avait eu, jusqu'à l'ère napoléonienne, son Pont-Neuf ; le Plateau Beaubourg relève-t-il aujourd'hui cette tradition[2] ? C'étaient là des lieux grand ouverts. A une époque plus récente, bouleversée (avant l'intervention palliative des zones piétonnières) par l'invasion automobile et la progressive disparition de la vie de rue, la concentration se reforma dans des réseaux d'abris (cafés, caves, ateliers) embrassant parfois tout un quartier, Saint-Germain-des-Prés ou Greenwich Village. Les boîtes à chansons y opéraient, toute proportion gardée, à la façon des bistrots de bourgades où dans le chant commun se neutralisent les conflits extérieurs.

L'évolution des mœurs urbaines conflue ainsi avec une tradition qui remonte, en Europe occidentale, à la fin du Moyen Age : c'est alors en effet que la plupart des villes de quelque importance promurent au rang d'institution des lieux fermés destinés à la pratique de la poésie orale : déclamation, improvisation, dialogues versifiés et chanson. Ainsi, les *puys* et « chambres de rhétorique » des XVᵉ, XVIᵉ, XVIIᵉ siècles ; mais surtout, à partir du XVIIᵉ, les « cabarets » et sociétés chantantes, après 1850 les « cafés-concerts » à la française, le *music-hall* londonien, chaîne ininterrom-

---

1. Bouchard, p. 9-10.
2. Burke, p. 107-109.

pue qui mène à nos cafés-théâtres. A Paris, la longue et tumultueuse histoire des *Caveaux* successifs, entre 1729 et 1806, ouvrit l'ère moderne de la chanson, devenue dans ce milieu genre littéraire, tandis que les *goguettes* (plusieurs centaines en 1845) rassemblaient une çlientèle populaire, attirée par le seul plaisir du chant. Vers 1880, Émile Goudeau, aux Hydropathes puis au Chat Noir, créait la formule de divertissement alterné (récitation et chant) qui fit la fortune du Montmartre de la Belle Époque[1].

L'existence de ces lieux, la fonction sociale qu'ils assumaient, ne pouvaient pas ne point marquer l'art des chansonniers ou d'hommes de lettres séduits par ce mode de diffusion. L'image de l'espace réel où se déroulerait la performance s'intégrait au projet poétique. C'est pourquoi l'on vit inversement, sous la Révolution, plusieurs clubs patriotiques se transformer en sociétés chantantes, puis, au cours du XIXᵉ siècle, cercles libertaires et socialisants faire dans leurs réunions une large place à la chanson. Pendant la Commune, la Bordas faisait acclamer *la Canaille* aux concerts offerts au peuple dans le palais des Tuileries ou à l'Hôtel de Ville... Les *peñas* sudaméricaines, clubs littéraires devenus, en Argentine d'abord et en milieu étudiant, sociétés chantantes, apparaissent sous cette forme nouvelle à Santiago du Chili dans les années soixante. Celle que lancent en 1965 les Parra devient pendant huit années le point de rencontre et d'échange des chansonniers et des poètes engagés de toute l'Amérique latine et l'un des lieux où se prépare le grand et bref printemps de la chanson qui accompagnera le triomphe de l'Unité populaire[2].

La nature du lieu, propre à réunir un public mêlé, pendant une durée déterminée, à des heures de loisir professionnel; sa commercialisation, même partielle (on paie sa consommation); les nécessités techniques de la programmation : autant de facteurs qui dramatisent la parole poétique, et poussent la déclamation, la chanson, vers quelque forme de théâtre. Je retiens l'exemple extrême du groupe africain Okro de Lomé, qui, depuis quelques années, est en voie de créer, sous l'appellation de *concert,* un genre oral nouveau, polyglotte (français, anglais, langues locales), tenant à la fois de la *commedia dell'arte,* du récital de chansons et du concert instrumental[3].

Située dans un lieu particulier, auquel l'attache ainsi un rapport d'ordre à la fois génétique et mimétique, la performance projette l'œuvre poétique dans un *décor.* Rien, dans ce qui fait la

1. Davenson, p. 42-109; Collier, p. 68, 77; Vernillat-Charpentreau, p. 8-9, 49-50, 54-58, 98, 117-118, 174-175; Brécy, p. 11, 46.
2. Vernillat-Charpentreau, p. 8; Brécy, p. 67, 290; Duveau, p. 480-486; Clouzet 1975, p. 35-38.
3. Ricard 1977.

spécificité de la poésie orale, n'est concevable autrement que comme partie sonore d'un ensemble signifiant où jouent couleurs, odeurs, formes mobiles et immobiles, animées et inertes ; et, de façon complémentaire, comme partie auditive d'un ensemble sensoriel où la vue, l'odorat, le toucher ont également part. Cet ensemble se découpe, sans (malgré certains truquages) s'en dissocier, dans le *continuum* de l'existence sociale : le lieu de la performance est prélevé sur le « territoire » du groupe, il y tient de toute manière et c'est ainsi qu'il est reçu.

Inévitablement, fût-ce à un faible degré, la performance est parasitée de « bruits » : bruits acoustiques ou fragments de discours inutiles, tenant à la nature de toute communication orale et brouillant la perspective sémantique ; mais d'autres bruits aussi, spécifiques : mauvaise distribution des lieux, présence trop pesante du décor, accompagnement instrumental indiscret ou, sur un plan différent, effets de censure, autoritaire ou spontanée ; enfin, pour l'observateur externe, étranger au groupe actif des participants - ethnologue enregistrant une fête « primitive » ou... médiéviste étudiant l'épopée du XIIe siècle ! -, la distance interculturelle. Quel qu'il soit, le « bruit » tend à désorganiser la performance en bouleversant le système d'informations qu'elle a pour fonction de faire passer. L'art de l'exécutant vise à récupérer, autant que faire se peut, cet élément hétérogène, à le transformer à son tour en information, corrélée au message intentionnel... quitte à gauchir, jusqu'à le dénaturer, celui-ci. Seul le bruitage purement temporel, l'éloignement chronologique, exclut de tels jeux. Les historiens de la poésie ne le savent que trop bien[1].

Récupération du bruit ? L'interpellation d'un gêneur, intégrée par le rythme et la mimique, se fond au poème qu'elle enrichit de cet épisode : j'en ai relevé des exemples aussi bien en Roumanie qu'en Afrique ; ou les improvisations suggérées par une réaction troublée de l'auditoire ; ou les dissimulations, l'ambiguïté voulue d'une poésie sur qui pèse une censure morale ou politique mais qui fait servir celle-ci, tant bien que mal, à ses propres fins. Ou bien, recherché, intégré, maîtrisé par la voix, le bruit la dramatise, l'intensifie, la prolonge jusqu'au-delà des sens conventionnels comme dans les chansons enregistrées par Joan Baez à Hanoï en 1970, sur fond de bombardement américain. La cause du bruit compte désormais parmi les présuppositions du discours poétique ; elle est elle-même discours, absent mais réel : le poème y renvoie, dont tous les termes, à la limite, fonctionnent par rapport à elle comme les éléments d'une anaphore globale. Mais ces termes renvoient simultanément à l'instance d'énonciation - la

1. Lotman 1973, p. 124-127.

performance, drame et psycho-drame -, autant qu'à un référent extérieur, de plus en plus estompé à mesure que s'intensifie le pathétique ou l'ironie de la voix. La fonction communicatrice l'emporte sur la signifiance, textes, rythmes, temps et lieu concentrés dans une implosion de sens plutôt que dispersés en chaîne discursive des signifiants.

L'interaction de l'espace et du temps ouvre ainsi de toutes parts les perspectives sensorielles et intellectives, offre à chacun sa chance. Le message est *publié*, dans le sens le plus fort que l'on peut conférer à ce terme... dont l'usage courant, relatif à l'écriture imprimée, fait une piètre métaphore. La performance est *publicité*. Elle est refus de cette privatisation du langage en quoi consiste la névrose.

9. L'œuvre vocale I

Voix et poésie. Prosodie et modalité. - Fonction et normes du rythme. Tambours africains. - Le vers, la prose : la versification comme système.- Rime et figures de son.

Toute parole poétique (qu'elle passe ou non par l'écriture) s'élève d'un lieu intérieur et incertain que nomment tant bien que mal des métaphores : source, fond, moi, vie... Elle ne désigne rien à proprement parler. Un événement se produit, de façon quasi aléatoire (le rite même n'est qu'une captation du hasard), dans un esprit d'homme, sur des lèvres, sous une main, et voici que se dilue un ordre, s'en dévoile un autre, s'ouvre un système, est suspendue l'universelle entropie[1]. Lieu et temps où, dans un excès d'existence, un individu rencontre l'histoire et, de façon dissimulée, parcellaire, progressive, modifie les règles de sa propre langue.

C'est une voix qui parle - non cette langue, qui n'en est que l'épiphanie : énergie sans figure, résonance intermédiaire, lieu fugace où la parole instable s'ancre dans la stabilité du corps. Autour du poème qui se fait, tourbillonne une nébuleuse à peine extraite du chaos. Soudain un rythme surgit, revêtu de lambeaux de verbe, vertigineux, vertical, jet de lumière : tout s'y révèle et se forme. Tout : à la fois ce qui parle, ce dont on parle et à qui l'on s'adresse. Jakobson jadis signalait (comme par jeu) cette circularité en invoquant la « fonction incantatoire » du langage...[2]. Les caractères propres de toute communication orale s'intériorisent en cet état second du langage. Les signes, disait-on naguère, deviennent choses ; le transparent, opaque. Mais aussi bien l'opaque, translucide. Le poème questionne les signes (la question est aussi torture), tente de les retourner, afin que les choses elles-mêmes *prennent* sens. Dans le rayon de cette parole

1. Gaspar, p. 9-13, 86-92.
2. Valéry, p. 1322-1323 ; Bastet, p. 42-45 ; Chopin, p. 77 ; Dragonetti, p. 157-168 ; Genette 1976, p. 119-133 ; Jakobson 1963, p. 21.

un très petit secteur du réel soudain s'éclaire et vit, seul au centre de la mort omniprésente.

C'est pourquoi le discours du poème ne peut être à lui-même sa propre fin. La *clôture* du texte (sa barrière, son mur) se démantèle : par la brèche s'introduit le germe d'un anti-discours, transgressant (d'une manière spécifique, marquée, différente en chaque lieu) les schèmes discursifs communs[1]. Dans la vibration de la voix se tend, à la limite de sa résistance, le fil nouant au texte tant de signaux ou d'indices tirés de l'expérience. Ce qui reste au poème de force référentielle tient à sa focalisation sur le contact entre les sujets corporellement présents dans la performance : celui dont porte la voix, et celui qui la reçoit. L'étroitesse de ce contact suffirait à faire sens, comme dans l'amour.

Triomphe du *phatique*. L'écoute autant que la voix déborde la parole. Fonctions primaires du corps libidinal (dont le langage est fonction seconde), par quoi transitent l'une vers l'autre métonymie et métaphore. L'écriture, si d'aventure elle intervient, neutralise ces ambiguïtés. Dans la poésie orale, se définit en ces termes aigus un état de choses irrécusable - le *Sitz-im-leben* des critiques allemands inspirés par Bultmann : dans la dimension orphique du sens, selon le mot de G. L. Bruns, de l'impulsion «dyonisiaque» où Nietzsche situait l'origine de la «musique»[2].

Le désir de la voix vive habite toute poésie, en exil dans l'écriture. Le poète est voix, *kléos andrôn,* selon une formule grecque dont on a remonté la tradition jusqu'aux Indo-Européens primitifs ; le langage vient d'ailleurs : des Muses, chez Homère. D'où l'idée d'*épos,* parole inaugurale de l'être et du monde : non le *logos* rationnel, mais ce que manifeste *phônè,* voix active, présence pleine, révélation des dieux. Le premier des poèmes a consisté à «faire» l'*épos* comme un objet et à le poser au milieu de nous : *épo-peia.* «Déploiement de la parole» (Heidegger) d'en deçà des paroles divulguées, tapie au site du poème, au lieu propre de l'homme, «rapport de tous les rapports[3]». Toute poésie aspire à se *faire* voix ; à se *faire,* un jour, entendre : à saisir l'individuel incommunicable, dans une identification du message à la situation qui l'engendre, de sorte qu'il y joue un rôle stimulateur, comme un appel à l'action.

C'est pourquoi plusieurs cultures au monde travaillent comme une matière la voix du poète, à laquelle elles imposent une

---

1. Stierlé, p. 430-435.
2. Rosolato 1969, p. 298 ; Berthet, p. 127-131 ; Bruns, p. 232-262 ; Nietzsche, p. 36-39.
3. Lord 1975, p. 9-10 ; *Iliade* II, v. 484-492 ; Derrida 1972, p. 14-16 ; Heidegger, p. 141-202.

« façon » conventionnelle (souvent, nasillarde ou suraiguë) fortement valorisée : aussi bien chez les *imbongi* zoulous que les griots maliens (dont le code comporte huit modes vocaux), les chanteurs appalachiens de *hillbilly* ou les *cantadores* du *sertão* brésilien. Selon J. Dournes, le mode de vocalisation sert aux Jöraï à distinguer entre les genres poétiques. Au Tibet, le *Ge-Sar* se chante dans le registre ordinaire d'une voix d'homme par opposition au *falsetto* du rituel monastique[1]. Ce sont là les manifestations d'une tendance universelle dont, au gré des modes, des styles, et dans la pratique des chansonniers, notre propre culture contemporaine n'est pas exempte.

Dès son jaillissement initial, la poésie aspire, comme à un terme idéal, à s'épurer des contraintes sémantiques, à sortir du langage, au-devant d'une plénitude où tout serait aboli qui ne soit simple présence. L'écriture occulte ou réprime cette aspiration. La poésie orale, au contraire, en accueille les fantasmes et tente de leur donner forme ; d'où les universels procédés de rupture du discours : phrases absurdes, répétitions accumulées jusqu'à l'épuisement du sens, séquences phoniques non lexicales, pures vocalises. La motivation culturelle varie ; l'effet demeure. Au Tibet, le chant épique perd sa force, témoigne un chanteur, si on ne l'entonne de la formule *ala-tha-la,* dénuée de sens, trois fois répétée : effet du pouvoir magique de la voix ? Les Fuégiens saluaient de vocalises joyeuses l'arrivée d'un hôte : s'abandonnant à ce pur plaisir... à la manière de ces adolescents français que j'entendais chanter une chanson américaine à la mode sans comprendre un mot d'anglais.

Effort de désaliénation de la voix, dont l'aboutissement pourrait être le *field hollar* des paysans noirs de la Louisiane, ou le *jodel,* qui lui ressemble, chant de bergers totalement affranchi du langage, réduit à trois notes et tirant ses effets du seul contraste entre les registres vocaux : le folklore suisse et tyrolien l'a fait connaître en Europe avec les culottes de peau et les coiffures à plume de coq. Mais le *jodel* ne se réduit pas à ce pittoresque. Physiologiquement conditionné par le milieu naturel (solitude, pureté de l'air), il a été signalé, des Rocheuses à l'Himalaya, dans tous les hauts massifs montagneux. N'est-ce pas là comme la réalisation emblématique d'un poème total, hors langage ? De même que, peut-être, le jeu musical inuit *katadjak* (ce qui signifie « seuil », « passage »), répandu dans tout le Grand Nord canadien : un fragment de phrase d'un conte, d'un mythe, groupe de mots posé comme une énigme et répété jusqu'à

1. Finnegan 1976, p. 137 ; Calame-Griaule 1965, p. 485-487 ; Devereux ; Rycroft ; Dournes 1980 ; Vassal 1977, p. 61.

l'épuisement respiratoire simultanément par deux femmes ou deux enfants face à face, visage contre visage, progressivement se dégrade, n'est plus perçu que comme une syllabe indéfiniment itérative, un phonème, finalement réduit au halètement d'un respir, éclatant en rire final[1].

Parole globale, sans signification distincte mais que, dans la réception auditive, le corps de l'autre comble de sens allusif. Le son purifié s'identifie avec le « point de cessation », avec le lieu et l'instant du manque où (en deçà de toutes les réalisations de surface) la langue ne peut pas ne point « faire défaut », comme le ferait un témoin cité. Dante en eut jadis quelque intuition, et l'idée de la poésie exposée dans son *Convivio* et son *De vulgari eloquentia* se fonde sur le souvenir d'un espace vide où jaillit, au premier jour, la pure sonorité d'un dire, antérieur à l'articulation, puis se matérialisant, en une phrase première, sous la forme du concert vocalique *a-u-i-e-o...* ce qui, en latin, constitue l'apparence de la première personne d'un Verbe[2] ! Fluidité entre deux non-dits (l'absence de parole et la parole intérieure), le lieu de la voix, c'est le creux matriciel, aux confins du silence absolu et des bruits du monde, où elle s'articule sur la contingence de nos vies.

C'est pourquoi la voix poétique prend en charge et met en scène un savoir continu, sans brisure, homogène au désir qui le soustend. Plus que le conte (que visaient Lévi-Strauss et Gehlen), la poésie orale constitue, pour le groupe culturel, un champ d'expérimentation de soi, rendant possible la maîtrise du monde. Les jugements de valeur que suscite cette parole se fondent sur les qualités de la voix, la technique vocale du récitant ou du chanteur, autant ou plus que sur le contenu du message, confirmation de ce qu'on sait.

C'est pourquoi encore la voix, plus couramment que l'écriture, assume en poésie le discours érotique explicite. La seule forme poétique qui, dans tous les contextes culturels, s'y prête de façon massive, immédiatement accessible à la collectivité, c'est la « chanson d'amour », dans la diversité de ses rhétoriques, figées et toujours ré-inventées : parole hors temps, hors espace, indéfiniment scandée de formules rassurantes dont le paradigme est l'appel indicible du désir ; mais aussi, à tout instant, rupture et nouvel élan, volonté de dire du nouveau - de nouveau[3]. Elevée

1. Helffer, p. 431 ; Bowra 1962, p. 64-66 ; Collier, p. 23 ; Beaudry ; Charron 1978b.
2. Rosolato 1968, p. 292 ; Milner 1978, p. 38-39 ; Pézard, p. 449-450, 591 ; Dragonetti, p. 53-54 ; Vasse 1979, p. 134 ; Tomatis 1978, p. 17 ; Meschonnic 1975, p. 60-68, et 1978, p. 160-179.
3. Gans, p. 131 ; Berthet, p. 130 ; Bellemin-Noël, p. 132 ; Durand, p. 387-388.

vers un sujet non connu, imprévisible, une écoute vide, la chanson, par là même, atteint le récepteur réel, souhaité, avenir virtuel du chanteur, son Autre.

Pourtant, au cours de leur histoire, les cultures que l'homme s'inventa ont inégalement intégré les valeurs poétiques de la voix. L'Afrique en reste, pour combien de temps? le terroir triomphal. Mais, à l'échelle mondiale, d'autres facteurs semblent jouer : les sociétés dépourvues d'arts visuels, et celles qui vivent dans un milieu naturel pauvre et austère (ce sont en général les mêmes), offrent un terrain privilégié à toute espèce de poésie orale : en Afrique même, les Somalis du désert, les peuples de la forêt ; au Proche-Orient, les Bédouins ; en Asie centrale, les Kazakhs ; en Inde, les Gond ; en Indochine, les Jörai ; dans l'Arctique, les Inuit ; et les Aborigènes australiens... comme si la misère écologique, étouffant les autres activités artistiques, concentrait sur l'œuvre de la voix l'énergie d'une civilisation [1].

... D'où, peut-être, la fonction vitale qu'assume la chanson pour nos jeunes depuis vingt ou trente ans, dans l'indigence intellectuelle, esthétique et morale du monde que nous leur avons fait. Mais en même temps, pour des raisons intrinsèques à leur art, chez un nombre grandissant de poètes parvenus, semble-t-il, aux rivages ultimes de l'écriture, s'engage une quête, tant soit peu anarchique, des valeurs perdues de la voix vive. La coutume, ancienne déjà, des lectures publiques et des récitals consistait à proférer de l'écriture. L'invention du phonographe, qui dégageait la matérialité de la voix, induisit Apollinaire et quelques-uns des premiers cubistes à user de cet instrument de manière créative, en y gravant de scandaleux «textes vocaux». Pour Ungaretti, seule la voix fixait le texte, dont l'autorité résulte de l'enregistrement plutôt que de l'écriture. On publia en disques des lectures de poètes par eux-mêmes : Ungaretti, certes, Claudel, avant eux Céline, Joyce, Audiberti.

Un mouvement - dont on mesure encore mal l'ampleur et les implications à long terme - se dessinait, qui ne tarderait pas à gagner toutes les nations du monde industrialisé : H. Chopin y consacra récemment un livre, auquel je renvoie. Déjà, dans les années tournantes de notre siècle, aux deux extrémités de l'Europe, futuristes italiens et russes affrontaient les foules en tournées de poésie. Entour 1960-1970, des salles immenses écoutaient Evtouchenko dire ses vers, tandis que les lectures du Café Le Metro, à New York, réunissaient deux fois par semaine une centaine de personnes autour de Jérome Rothenberg, Jackson

---

1. Finnegan 1978, p. 13, 98-100, 224, 319 ; Winner, p. 29.

Mc Low et quelques amis. D'autres lieux de réunion s'ouvrirent par la suite, comme Saint Mark's Church, renaissance aujourd'hui commercialisée... Mêmes recherches en Hongrie, en Roumanie, comme en Nouvelle-Zélande, au Canada, en Amérique latine. Chaque année un concours international se déroule à Amsterdam ; des «Nuits de la poésie» ont réuni des masses houleuses à Montréal. Des poètes désormais écrivent en vue d'une performance, et cette intention informe leur langage. Certains d'entre eux rejettent la médiation de l'écriture et improvisent, modelant leur discours sur les ressources propres de la bouche, paroles et silence, coups de glotte, respir, celles du corps même, serrant le micro sur leur cœur, qu'on en perçoive les battements...

Cependant, de Pierre Albert-Birot à Kurt Schwitters, Michel Seuphor ou Paul de Vree - les précurseurs - jusqu'à Henri Chopin, Novak ou Burroughs, la «poésie sonore» prenait forme propre et plaçait sa voix, intégrant les médiats à la production de celle-ci. Dès environ 1950, elle s'engageait, à bâtons rompus, dans une réflexion critique sur elle-même. En France bientôt allait se publier la revue-disque *OU ;* en Allemagne, Niklaus Einhorn, fonder la *S-Press Tonband,* éditant en bandes magnétiques ou cassettes des poètes tels que Cage, Heidsieck ou Mc Low[1]. On entendit à Saõ Paulo le chanteur afro-brésilien Caetano Veloso faire d'un texte «concret» d'Augusto de Campos un drame vocal à l'extrême pointe du langage articulé. En France et en Allemagne, depuis les années cinquante, le vieux besoin de faire éclater le langage travaille à la fois la graphie et les sons de la poésie qui s'intitule *spatiale.* Aux États-Unis, les *Talkings* de Rothenberg, les poèmes du recueil *Open Poetry,* dans les années soixante-dix, ré-oralisaient le discours de l'écriture, situant le «texte» au lieu de concrétion de la parole vocale, et revendiquaient en cela un *dialogisme* (au sens bakhtinien du terme) radical : celui d'un langage-en-émergence, dans l'énergie de l'événement et du procès qui l'y produit[2].

Submersion à fond de voix : les douze heures d'enregistrement pour la radio belge d'un Philippe Sollers dont l'écriture, depuis des années, n'a d'autre thème que la voix, et dont le *Paradis* sans doute a réalisé, aussi parfaitement qu'il est possible aujourd'hui, la réconciliation polyphonique de l'espace et du temps : de la parole vive et du mot écrit. Influencés plus ou moins par l'esthétique de Max Bense, d'autres interrogent plutôt leur rapport au langage, la portée et la polyvalence sensorielles de

1. Chopin, p. 11, 43-52, 135-139, 259.
2. Bologna 1981, §2.6 ; Henry-Malleret, p. 69-70 ; Garnier, p. 15, 22, 41-80 ; Quasha, p. 486-489.

celui-ci. L'écriture-*happening* pose l'énoncé comme un équivalent visuel du message oral.

L'œuvre linguistique de la voix se définit et s'apprécie en vertu de deux paramètres : modal et prosodique. Je reviendrai au chapitre X sur le *mode.* Quant à la *prosodie,* je prends ce terme dans le sens le plus général, embrassant tout ce qui ressortit au rythme de la parole poétique.

La prosodie d'un poème oral réfère à la préhistoire du texte dit ou chanté, à sa genèse pré-articulatoire, dont elle intériorise l'écho. C'est pourquoi la plupart des performances, quel qu'en soit le contexte culturel, commencent par un prélude non vocal, battement d'un objet, pas de danse, mesure musicale préliminaire : le cadre est ainsi exposé, où va se déployer la voix. Fondamentalement, la poésie orale n'a de *règles* que prosodiques. Okpewho, à propos de genres africains, va jusqu'à soutenir que cette poésie n'a pas pour fonction de transmettre des contenus intelligibles, mais seulement des sons et des rythmes [1]. Paradoxe, mais non point contre-vérité. Le rythme *est* sens, intraduisible en langue par d'autres moyens.

À un niveau très élevé de généralisation, la notion de rythme s'applique également à la neurophysiologie, à la musique, à la poésie ou à l'histoire : tout en un. On invoquerait, avec P. Lusson, une activité rythmique globale de l'homme, distinguée en rituelle, pragmatique, technique, esthétique : s'agissant de poésie, la *mesure* n'est plus comprise comme quantité seule, mais plutôt comme un faisceau de qualités. Dans cette perspective, les mathématiques et la musique fourniraient le seul langage d'analyse apparemment efficace. Je renvoie aux recherches du groupe parisien des *Cahiers de poétique comparée :* je me situe ici plus bas dans la hiérarchie des concepts [2].

Pour fondés en effet qu'ils soient dans la nature physique et, comme tels, universellement reconnaissables, les rythmes n'en sont pas moins, de culture à culture, diversement perçus, exploités et connotés. Le conditionnement culturel peut atrophier certaines perceptions, en exaspérer d'autres. En cela, le rythme cesse d'être primaire : sa prédominance absolue dans les activités humaines ne s'établirait qu'au terme d'un long cheminement historique, au cours duquel seraient à éviter bien des impasses. Peut-être les civilisations africaines, dans leur durée millénaire, les ont-elles évitées. Reste que, partout au monde, selon le mot célèbre de Maïakovski, le rythme constitue la force magnétique

1. Lord 1971, p. 21-22 ; Kellogg, p. 531 ; Finnegan 1976, p. 239 ; Okpewho, p. 60 ; Meschonnic 1970, p. 65-97, et 1981, p. 31-39.
2. Lusson 1973 et 1975.

du poème. Par ses retours, la voix systématise une obsession ; par la syncope, elle fait exploser les signes en une symbolisation virtuellement hystérique : se transmet ainsi une connaissance affranchie de temporalité, identifiée à la vie même, battement immémorial comme elle [1].

D'où, au sein d'une tradition culturelle, l'extraordinaire résistance qu'offrent à l'usure du temps les formules rythmiques : mieux que tout autre élément de l'art poétique (rhétorique, thèmes, le rôle social même), aptes à se maintenir, inchangées ou presque, par-delà même l'effritement d'une langue, le bouleversement du contexte idéologique, le dépérissement d'une esthétique, les déplacements géoculturels. Le système de versification qu'utilisèrent les langues romanes, du haut Moyen Age jusqu'au XIXᵉ siècle, prolongea sans coupure appréciable durant ce millénaire le système latin du Bas-Empire, lui-même (compte tenu des changements intervenus dans la nature de l'accent) peu différent du système classique. Les premiers troubadours occitans, vers l'an 1100, ramenèrent de leurs voyages chez les musulmans d'Espagne la forme du *ghazal* qu'ils adaptèrent dans leur langue quoique, selon toute apparence, ils aient ignoré l'arabe.

L'impression rythmique très complexe que crée la performance provient du concours de deux séries de facteurs : corporels, donc visuels et tactiles (j'en traiterai au chapitre XI) ; et vocaux, donc auditifs. Cependant, ces derniers opèrent sur deux plans :

- celui des récurrences et parallélismes (dont j'ai traité au chapitre VII), producteur d'effets rythmiques au niveau des phrases construites, des motifs, des mots ou du sens, exigeant pour être perçus la médiation de connaissances linguistiques et d'une mémoire auditive exercée ;

- celui des manipulations sonores, immédiatement perceptibles même, en principe, dans l'ignorance de la langue utilisée : c'est ainsi que, informé par ma seule expérience de médiéviste, entendant un jour à Lahore un poète pakistanais, j'ai pu sans trop de peine identifier un *ghazal* dit en ourdou, langue dont je ne sais pas un mot.

Le jeu de ces divers facteurs se projette dans l'espace propre de la performance, y engendrant la poésie, jamais la même. Le jeu pourtant n'est pas sans règles, imposées, avec plus ou moins de rigueur, par une tradition, un style, un modèle, la fidélité de l'artiste à soi-même ou son inertie. Ainsi, l'art des récitants zuni enregistrés en 1966 au Nouveau-Mexique par D. Tedlock consiste en modulations vocales usant, de façon raffinée, des silences, de l'emphase, du *tempo,* du volume des sons, de leur hauteur, de

---

1. Nettl, p. 62-76 ; Lyotard, p. 41.

leur durée. Tedlock, pour publier ces textes, dut recourir (à la manière de nos poètes d'écriture depuis Mallarmé) à des contrastes typographiques dans la taille, la disposition et l'espacement des caractères, seuls aptes à rendre à peu près cette gestuelle vocale. Chaque performance crée ainsi son propre système rythmique, même si les unités utilisées pour le constituer restent de même nature dans tous les cas. Il arrive que de tels jeux se surimposent à un système de versification régulier : de là peut-être les *e* finaux non linguistiques (« le cheval-*e* du roi »), des *s* ou *t* abusifs harmonisant des liaisons et que la performance introduit, en manière de variation, dans beaucoup de chansons folkloriques françaises non moins que dans le *Romancero* espagnol et dans la poésie populaire italienne. Les bergers peuls profèrent leurs éloges de bovins sur un ton exigeant la pleine mise en valeur des capacités respiratoires individuelles du poète : le discours, en plein air, parmi le mouvement des troupeaux, dévide à voix forte quatre cents syllabes par minute (soixante-dix entre deux inspirations), durant un quart d'heure sans ralentissement ni accroc, dans une clarté phonique parfaite[1].

La plupart des cultures, en revanche, recourent à des systèmes rythmiques conventionnels, dont les normes se fondent sur des coutumes soit musicales, soit linguistiques : dans notre chanson contemporaine, les deux critères coexistent et interfèrent.

Les conventions fondées sur des traits de langue n'attribuent généralement de pertinence qu'aux unités senties comme les plus simples : périodicité d'accents, de mots, de formes grammaticales, de figures ou de sons. En fait, la complexité physique de ces derniers offre plusieurs possibilités, selon que la convention ou l'usage privilégient les oppositions de hauteur, de durée ou d'intensité, valorisent l'aigu ou le grave, le clair ou le sombre, le diffus ou le compact[2].

La structure de la langue naturelle oriente les conventions. Entre le IIIe et le Ve siècle, celles qui dans l'Empire romain régnaient sur l'éloquence et la poésie ont été bouleversées par l'évolution qui fit prévaloir dans la phonologie latine les oppositions d'intensité sur celles de durée. Les peuples parlant des langues tonales (comme la plupart des Africains et beaucoup d'Extrême-Orientaux) ont mis au point, au cours de leur histoire, des systèmes reposant partiellement ou entièrement sur la régularité des *tons* - donc sur des oppositions de hauteur dont il est impossible de fournir une image écrite lisible par des non-

1. Meschonnic 1970, p. 65-69 ; Tedlock 1972 ; Menendez Pidal 1968, I, p. 108-121 ; Seydou.
2. Kibedi-Varga, p. 48, 110, 149 ; Coquet, p. 99-109 ; Lomax 1964.

phonéticiens. J.-D. Penel a récemment esquissé l'analyse d'un tel système dans une centaine de chansons centrafricaines. Des cultures comme celles des Luba du Congo, des Birmans et des Thaïs font entrer ces oppositions dans un ensemble de règles complexes, où elles se combinent avec d'autres traits linguistiques en dispositifs instables et hautement signifiants[1]. Un élément intervient ici, d'une telle importance pratique en terre africaine qu'il a permis à quelques ethnologues de proposer une classification en deux groupes des rythmes poétiques selon que le mouvement de la voix est ou non coordonné à celui du corps. La poésie orale des Yoruba, l'une des plus vivantes de l'Afrique, recourt, selon des schèmes encore mal étudiés, aux seules différences tonales, au point qu'un intellectuel nigérian définissait la poésie comme l'art des tons.

À l'origine commune du rythme vital, du langage et de la poésie, l'imaginaire africain a situé ce que le langage sommaire des Occidentaux confond sous les appellations de *tamtam* ou de *tambour.* C'est l'un des caractères originaux des civilisations au sud du Sahara que l'importance de la percussion dans leur fonctionnement social et leur comportement langagier. Certes, d'autres peuples, comme les Inuit, ont attaché au « tambour » une valeur quasi magique ; le gong chez les bouddhistes, la cloche pour les chrétiens appartiennent au même champ symbolique. Mais les *dundun, cyondo, mudimba, lunkumwu, nsambi* et autres « tambours », avec ou sans membrane, de toutes formes et tailles, énoncent la parole vraie, exhalent le souffle des ancêtres. Une tribu privée de ses tambours perd confiance en elle-même et s'effondre[2].

Source et modèle mythique des discours humains, le battement du tambour accompagne en contrepoint la voix prononçant les phrases à quoi tient l'existence. Il en marque le rythme de base, en soutient le mouvement qu'il anime de ses syncopes, de ses contretemps, provoquant et réglant les claquements de mains, les pas de danse, le jeu gestuel, suscitant les figures récurrentes de langage : par là même il est partie constitutive du « monument » poétique oral. Auditivement, la percussion, apte à marquer subtilement les différences tonales, agit sur l'événement clé de la langue. Les messages qu'elle transmet ne sont pas traduits dans un code semblable à notre alphabet morse. Immédiatement intelligibles, ils sont « dits » par le tambour dans un registre qui

1. Fédry 1977*b*, p. 595 ; Penel, p. 66-70 ; Finnegan 1976, p. 265, et 1977, p. 96-98.
2. Charron 1978 ; Faik-Nzuji, p. 19-22 ; Zadi 1977, p. 451-452 ; Mutwa, p. 54 ; Jahn 1961, p. 187, 214-215.

est un langage à articulation unique, retenant, des divers niveaux linguistiques, le seul niveau tonal. Pour compenser les ambiguïtés entraînées par la disparition des autres traits sonores (timbres vocaliques, oppositions consonantiques), un système de formules périphrastiques permet de substituer au « mot » une figure assez longue pour, en accroissant le nombre des combinaisons tonales, en faciliter le décodage [1].

Ainsi pratiquée, la percussion constitue, structurellement, un langage poétique. Manié, comme c'est la règle, de façon expressive, le son tambouriné s'enrichit d'effets d'intensité, de connotations mélodiques qui parfois lui permettent, comme chez les Yoruba ou les Akan, de relayer le chant en cours de performance. C'est à ce titre qu'il assure la conservation mémorielle des discours. Il constitue une tradition orale spécifique et privilégiée au sein de la Tradition : il vainc la distance, car il porte à 5, à 20 km ; surtout, il abolit le temps, préserve de ses atteintes. Les propriétaires d'esclaves, au Nouveau Monde, l'avaient compris, qui interdisaient l'usage du tambour sur leurs plantations. L'usage se transmit pourtant, et il retentit de nos jours encore dans le vaudou haïtien, la *santeria* cubaine, la *macumba* du Brésil. Plusieurs ethnies possèdent de véritables genres poétiques tambourinés, comme les *tumpani* éwé du Togo : c'est un *tumpani* qui, le 27 avril 1960, annonça en brousse la proclamation de l'indépendance. Annonces protocolaires, très formalisées, d'événements publics ou privés ; devises et « noms de tambour » ; poèmes faits de proverbes enchaînés ; invocations de divinités ; panégyriques. R. S. Rattray publia en 1923 la transcription, en langue locale et en anglais, d'un très long poème tambouriné retraçant l'histoire d'un groupe ashanti, qu'il avait enregistré peu auparavant dans le sud du Ghana. C. Faik-Nzuji a transcrit récemment une douzaine de beaux poèmes luba, d'emploi très ritualisés, et dont l'un, battu lors de funérailles, compte plus de cent unités rythmiques, d'une longueur de quatre à vingt-huit syllabes [2].

Les considérations précédentes ouvrent la seule perspective où poser la question : prose ou vers ? Toutes les cultures ont créé, en manipulant les éléments sonores de la langue naturelle, un niveau auditif second du langage, dont quelque artifice ordonne les marques rythmiques [3]. C'est là le principal aspect peut-être,

1. Yondo, p. 112-115 ; Ong 1977*b* ; Alexandre 1969.
2. Rouget, p. 120 ; Agblemagnon, p. 128-131 ; Collier, p. 18 ; Okpewho, p. 62 ; Finnegan 1976, p. 481-499 ; Faik-Nzuji, p. 23-28.
3. Havelock, p. 93-95 ; Milner 1982, p. 285, 300.

et qui détermine les autres, de la «monumentarisation» par quoi se constitue le discours poétique : domestiqués, les rythmes de la parole y inscrivent la marque d'un ordre humain de l'univers.

Ce niveau second du rythme est-il identifiable avec le vers ? L'exemple des langues européennes modernes incline à répondre négativement : la richesse rythmique de leurs styles littéraires est indifférente à la versification conventionnelle. Mais où passe la frontière ? Si l'on glisse dans le temps (qu'en fut-il au Moyen Age ?), dans l'espace culturel (en Chine) ou dans le registre (de l'écrit à l'oral), le paysage se brouille tout à fait. Fait-on intervenir le chant, la question perd à peu près son sens : un texte composé sans structuration rythmique propre, s'il est chanté, assume en performance le rythme de la mélodie ; ainsi, d'un passage du *Comment peut-on être breton ?* de Morvan Lebesque, chanté (et enregistré sur disque) par le groupe Tri Yann en 1976[1].

L'existence, dans la tradition occidentale, des concepts distincts de vers et de prose est partie de l'héritage gréco-latin et tient plus à l'idée antique de *metrum* qu'à un fait de nature. Cet ensemble notionnel, dès qu'on sort de sa sphère limitée d'application, menace de conduire à des absurdités : n'a-t-on pas entendu dire que la «littérature» orale est en vers pour faciliter la mémorisation ? Une évidence inverse se dégage des faits : l'opposition vers/prose n'est pas universalisable[2]. Le poète hunga Nasir Udin, qui chantait pour moi dans sa langue maternelle, le burushaski, comprenait à peine (quoique bon praticien de la poésie arabe et persane) mes questions relatives au mètre employé : ses réponses signifiaient qu'il jouait, de façon très personnelle, des rythmes naturels de sa langue, en les adaptant à la mélodie.

Dès 1925, Marcel Jousse rejetait toute distinction entre prose et vers : elle n'avait, selon lui, de sens qu'en écriture. Jousse se limitait donc à définir un «style oral rythmique». Cette idée, un peu trop courte, ne s'applique vraiment qu'aux faits d'oralité pure, dans des sociétés à tradition longue : ainsi, en Polynésie, selon les analyses de N. Chadwick. Ainsi, d'une manière générale, en Afrique noire. Diverses modalités du langage poétique s'y distinguent par l'intensité des effets de rythme qu'elles comportent : effets réalisés en performance, donc liés aux circonstances plus qu'à une structure pré-déterminée[3]. Le texte, si par artifice on l'isole de ce contexte, apparaît prosodiquement

1. Ben-Amos 1974, p. 281 ; Vassal 1980, p. 132.
2. Marin, p. 19-20 ; Finnegan 1977, p. 26-27.
3. Jakobson 1973, p. 69 ; Meschonnic 1981, p. 35 ; Chadwick 1942, p. 28 ; Jahn 1961, p. 189 ; Okpewho, p. 154-155.

presque informe : la voix de l'exécutant le formalisera selon les exigences concrètes et immédiates de telle musique, telle danse, telles exclamations ou mouvements de l'auditoire.

Que faut-il donc pour qu'au sein d'un « style oral rythmique » se constitue une versification proprement dite, telle que nous la connaissons dans les langues européennes ? La relative constance d'un modèle assez précis, déterminant de brèves séquences discursives ; un découpage assez clair des mesures (ainsi, la poésie orale populaire européenne ignore l'enjambement !) : indices de début, de fin, voire de coupure intermédiaire, ou répartition réglée des pauses ? Critères nécessairement flous et contestables. Le même texte zuni, en vers pour Tedlock, ne l'est pas pour Hymes[1]. Les savants japonais hésitent : le *Heiké* est prose pour la plupart d'entre eux ; non, pour les autres ; mais, pour un apprenti chanteur que j'ai consulté à Nagoya, ce n'est là qu'une querelle de mots.

L'incertitude provient de ce que les divers niveaux de langue se prêtent inégalement aux équivalences rythmiques, au « principe de concordance métrique » (selon J. Guéron), en dépit des algorithmes prétendument universels qui en régleraient, assure-t-on, la formation. Il nous manque, pour y voir clair, un nombre suffisant de monographies interprétatives du genre de celles que M. Halle et S. Keyser ont, en termes générativistes, consacrées à l'arabe classique et au vieil anglais, J. Guéron aux *nursery rhymes;* ou, dans l'ordre historique, C. Laforte aux chansons françaises en laisses[2].

Par suite de quelque accident historique, deux systèmes de versification reposant sur des principes différents, sinon contradictoires, peuvent coexister dans l'usage. L'exemple de la latinité du Bas-Empire n'est pas isolé. Le turc emploie encore la vieille versification syllabique, de tradition orale, à côté de la métrique quantitative venue de l'arabe et du persan. La pratique et l'opinion attachent aux systèmes en concurrence une connotation esthétique ou sociale : populaire *vs* savant, vieux *vs* moderne, banal *vs* raffiné. Ainsi, dans la tradition française, selon C. Laforte, s'oppose (sinon au niveau des principes, du moins de leur application) au modèle littéraire (écrit ou oral) une pratique populaire, chantée. A. M. Cirese s'exprime en termes équivalents

1. Kibedi-Varga, p. 43-46 ; Finnegan 1977, p. 90-92 ; Hymes 1977, p. 438-440, 451-452.
2. Halle-Keyser ; Guéron 1974, et 1975, p. 142-154 ; Ruwet 1980, p. 22 ; Laforte 1981.

à propos de l'italien lorsqu'il signale le formulisme syntaxique du vers folklorique[1].

En général, les réalisations orales d'un système de versification offrent une gamme plus limitée que celles de l'écriture. Alors que l'écriture individuelle, avec la liberté qui lui est propre, s'évade aisément du système en l'intériorisant, la voix ne peut que l'assouplir en en forçant la règle sur quelque point particulier. C'est ainsi que, dans les langues à versification syllabique rigoureuse, les poèmes oraux comportent souvent des vers hyper- ou hypomètres : complaintes acadiennes ; ballades roumaines dont l'heptasyllabe flotte parfois entre cinq et huit pieds au gré de la mélodie ; vers épique de l'ancien espagnol, sinon, comme on l'a prétendu, tout vers épique. La pratique des improvisateurs brésiliens, activée par la concurrence qu'ils se livrent, les conduisit à créer - dans le cadre pourtant rigide d'une versification héritée du Moyen Age - de nombreux types nouveaux de vers ou de couplets, ou à en compliquer les règles tradition-nelles[2].

Quels que soient la richesse d'une versification, la souplesse de sa pratique et les facteurs d'harmonie qu'elle met en œuvre, il est presque toujours possible de discerner son lieu principal d'ancrage parmi les éléments de la langue : pour le système français traditionnel, le nombre des syllabes ; pour le latin antique, leur durée. Tous les aspects de la prosodie naturelle peuvent être ainsi valorisés. Des influences extérieures, il est vrai, contribuent parfois à en gauchir les tendances. Dans une partie de l'Afrique musulmane, le modèle de l'arabe a refoulé plusieurs des habitudes propres aux langues locales, hausa ou swahili. A l'échelle mondiale, la distribution géographique des principaux systèmes de versification ne correspond pas toujours à celle des familles de langues[3].

Plusieurs types de versification se distinguent néanmoins avec une relative netteté. Ils sont, en effet, respectivement fondés sur :
- la quantité syllabique, en vertu de schèmes d'alternance brève-longue, plus ou moins complexes ;
- la distribution des tonalités, généralement combinée avec un autre élément, syllabisme ou allitération ;
- l'accent, combiné ou non avec un comput syllabique : le vers épique aïno comporte des accents que souligne le chanteur en frappant un objet ; le vers épique serbe, de huit à quinze syllabes

1. Chadwick-Zhirmunsky, p. 336 ; Cirese, p. 43.
2. Edson Richmond, p. 90 ; Dupont, p. 240-241 ; Knorringa 1978, p. 14 ; Menendez Pidal 1968, I, p. 89-90 ; Duggan 1975, p. 76 ; *Diciónario,* p. 45-52.
3. Finnegan 1976, p. 73-76.

(le plus souvent, dix), compte trois accents, rarement quatre, répartis selon une règle précise de distribution ;
- le parallélisme lexical ou syntaxique comme dans les psaumes bibliques, ou dans l'*izibonga* zoulou, qui l'associe, en performance, à une modulation vocale qui fait du vers à la fois l'unité respiratoire, l'unité de sens et le volet d'un dyptique. Ce parallélisme se combine avec le syllabisme dans l'*Ulahingan* manobo : une séquence syntaxique de base, formée de sept syllabes, ou d'un multiple de sept jusqu'à trente-cinq, pose un énoncé, qui sera répété, avec ou sans variante, de une à quatre fois ;
- le nombre des syllabes, définitoire de la plupart des systèmes extrême-orientaux, de la Chine à l'Indonésie. Souvent associé à quelque règle distributive touchant les accents ou les tons, le comput syllabique parfois flotte un peu, comme dans le vers épique tibétain, en principe de sept syllabes, en trois ou quatre segments syntaxiques ; mais, dans les versions publiées du *Ge-Sar*, un vers sur cinq en compte huit, par addition d'un élément initial : accident qui semble thématiquement motivé. Dans les langues à syllabisme rigoureux, il peut régner, en l'absence de marque finale univoque, une incertitude sur les limites du vers : l'octosyllabe du *Romancero* en est-il vraiment un, ou la moitié d'un vers de seize [1] ?

Certains peuples enfin (nombreux, sans doute) possèdent des coutumes rythmiques trop vaguement codées pour que l'on puisse parler de système. Ainsi, les chants de funérailles des Akan du Ghana, grand genre poétique de cette ethnie, comportent des récurrences irrégulières et diffuses de groupements phonétiques ou tonaux, sur un rythme de base marqué par les sanglots, les cris, les pauses, les mouvements du corps.

Autre facteur de différenciation des systèmes : l'usage (ou l'absence) de coupures du discours à intervalles réguliers, par strophes ou couplets. La distribution de ces techniques ne coïncide pas avec la division des genres : l'épopée longue, généralement sans coupures est, dans la tradition médiévale française, découpée en «laisses», constituant des unités narratives de récit ; l'épopée brève est généralement strophique, mais non en Roumanie où, en performance, le récit, comme par compensation, est scandé d'intermèdes instrumentaux. On a cru discerner sur ce point une répartition géographique tenant à des aires d'influence culturelle [2]. Dans cette hypothèse, les systèmes

1. Finnegan 1976, p. 69-71, 129-130, 163, et 1977, p. 93-94 ; Opland 1975, p. 196 ; Maquiso, p. 40 ; Guillermaz, p. 20-25 ; Helffer, p. 427-430 ; Menendez Pidal 1968, I, p. 92-99.
2. Fochi, chap. IV ; Edson Richmond, p. 82-83.

à coupures seraient originaires du nord et de l'ouest de l'Europe. Rien en cela de bien probant. Il est en revanche assuré que la coupure, sauf exception, correspond à une reprise mélodique : dans le type le plus simple, celui de nos chansons européennes traditionnelles, la même mélodie se répète à chaque couplet. La coïncidence, là non plus, n'est ni générale ni parfaite.

Partout où elle pratique la versification à coupure, la poésie orale n'utilise qu'un nombre limité de formes strophiques de base, parfois combinées (plutôt que fondues) en unités plus vastes. L'étude des littératures médiévales les plus anciennes et des folklores modernes permet de remonter, dans presque tous les cas, au distique, au tercet ou au quatrain originels : le quatrain lui-même apparaît çà et là moins comme une formule rythmique autonome que comme l'effet de l'agglutination de deux distiques ; ainsi, dans beaucoup de *coplas* populaires mexicaines, où deux vers d'exposition clichée sont suivis de deux vers de glose. Les ballades anglaises en revanche sont presque toutes en quatrains, très peu en distiques. Le sizain provient de l'addition de deux tercets ou d'un quatrain et d'un tercet : la trace de la suture demeure souvent perceptible, aussi bien dans la poésie des *cantadores* brésiliens que dans le folklore de l'Europe occidentale. Davenson voyait dans les couplets de plus de six vers une imitation de la poésie écrite. Tout en conservant leur simplicité de structure, les combinaisons peuvent se multiplier au cours du temps : C. Laforte catalogue (dans un ensemble de textes considérable : soixante-dix mille numéros !) vingt-neuf variétés de couplets dans les chansons folkloriques françaises[1].

Dans bien des langues, la structuration poétique du rythme embrasse, au-delà des éléments accentuels, quantitatifs ou tonaux de la prosodie naturelle, le timbre des sons : phénomène complexe, dont on peut distinguer au moins deux aspects, les suites phonématiques, et leur potentiel harmonique[2]. La poésie écrite occidentale a valorisé à tel point les effets de cet ordre (comme pour effacer la tare de l'écriture !) qu'elle a semblé parfois s'y épuiser. La poésie orale en joue avec moins de subtilité, mais plus d'éclat.

Il lui arrive de les utiliser comme marques de l'unité vocale du discours : ainsi, dans les genres dialogués, pour confirmer le lien organique entre les parties que lieront diverses récurrences sonores. Dans la texture du message, toute répétition d'un

1. Alatorre 1975, p. XXIV ; Fonseca 1981, p. 121-140 ; Davenson, p. 17 ; Laforte 1976, p. 26-29, 43-52.
2. Nyéki, p. 127 ; Coquet, p. 100.

phonème amorce une chaîne rythmique : briser celle-ci ou la prolonger est une décision qui relève de l'art individuel du poète, éclairé, orienté par la tradition. Les griots africains témoignent en cela d'une éblouissante virtuosité, à laquelle le cède à peine celle de certains *cantadores* brésiliens. Les chanteurs tibétains, népalais, mongols obtiennent des effets analogues, grâce à la morphologie particulière de leurs langues, en doublant ou triplant radicaux ou particules de termes fortement sémantisés[1]. De la multiplicité des échos sonores possibles, la plupart des systèmes de versification en ont valorisé et régularisé un ou deux : l'allitération et la rime. La première concerne les consonnes initiales de mots, et se réalise plutôt en séries longues ; la seconde concerne les syllabes finales et se réalise plutôt en couples ou en séries brèves.

L'allitération constitue un élément rythmique obligatoire dans la pratique poétique de quelques sociétés traditionnelles. Ainsi, chez les Somalis ; chez les Mongols, où elle marque la syllabe initiale de plusieurs vers consécutifs. Les Anglo-Saxons du haut Moyen Age allitéraient tous les mots accentués du vers. Quant à la rime, on a soutenu que, sous sa forme pure de syllabes identiques, revenant à intervalles réguliers en positions syntaxiquement correspondantes, elle apparaît dans la poésie orale des seules sociétés ayant une pratique assez générale de l'écriture[2]. Ainsi s'expliquerait, par le contexte culturel et la coexistence avec une littérature, la perfection rimique du *pantun* malais ou des ballades anglaises.

On peut en douter. Reste que, dans les versifications à rime, l'identité des syllabes rimantes est rare en poésie orale : la rime se réduit à la voyelle, ou même rapproche deux voyelles d'articulation voisine (*oi* rime avec *a* dans les chansons populaires françaises) ; si les consonnes qui suivent diffèrent, la rime n'est plus qu'*assonance,* forme la plus fréquente dans la poésie populaire européenne et que l'on rencontre jusqu'aux Fidji, associée au parallélisme. Plus rare, la *consonance* assure la récurrence de consonnes, mais non de voyelles, et se rapproche de l'allitération.

Tous ces procédés se conjoignent dans la plupart des poétiques orales : l'un d'eux en général y prend plus de poids dans l'esprit des praticiens et de leur public, sans éliminer les autres. On le sent constitutif du vers ; les autres ne sont que « figures ». Ainsi, dans les ballades roumaines, dont certains chanteurs manient habilement la rime, celle-ci, selon R. Knorringa, importe moins

---

1. Helffer, p. 381-387; *Dicionário,* p. 17; Finnegan 1978, p. 39.
2. Finnegan 1977, p. 96.

au système que l'allitération et l'assonance[1]. Dans les traditions (comme celle de la poésie homérique) qui n'ont pas régularisé en tant que tels les échos sonores, ceux-ci peuvent y constituer néanmoins en performance des figures essentielles, de la même manière que la durée des phonèmes dans le vers français.

La localisation de la rime ou de l'assonance dans le vers, elle aussi, varie : au début, sous forme allitérative dans la tradition populaire finnoise, à la fin, comme dans les langues romanes et germaniques ; à la césure, comme dans certains styles médiévaux, latins ou vulgaires. Les systèmes fondés sur le parallélisme syntaxique comportent, dans les langues agglutinantes, un effet rimique d'origine grammaticale : un suffixe identique revient nécessairement dans le vers à intervalles fixes. Ainsi, dans les langues turques d'Asie, dont certaines ont, de cette particularité, tiré une règle[2]. Quant à la distribution des « lieux rimiques » sur l'ensemble du poème, elle dépend de traditions locales et, sans doute, de l'habileté des exécutants. L'introduction de la rime ou de l'assonance dans un système de versification orale n'implique pas en effet qu'elle en affecte tous les vers. Tant s'en faut : une grande partie, sinon la majorité des textes ne riment qu'un vers sur deux, trois ou plus, à intervalles imprévisibles. Ainsi, les complaintes acadiennes, un grand nombre de chansons françaises, de ballades anglaises. Les intervalles semblent en revanche régularisés dans le *Romancero* hispanique et dans les traditions par lesquelles il se continue en Amérique latine.

La qualité du son est en général abandonnée à l'invention et au talent du poète. Quelques sociétés cependant semblent avoir introduit sur ce point une norme, sinon une règle. J'ai cru jadis en discerner les traces et en repérer les effets récurrents dans la pratique des trouvères du XIIe siècle. Buchan a pu dégager ainsi les tendances dominantes régissant apparemment le choix des rimes et des assonances dans les ballades anglaises. Les chanteurs mongols répartissent artistement vers par vers les deux classes de voyelles que possède leur langue[3].

1. Finnegan 1978, p. 473 ; Knorringa 1978, p. 15.
2. Chadwick-Zhirmunsky, p. 337-338.
3. Zumthor 1972, p. 220-223 ; Buchan, p. 151-155 ; Finnegan 1978, p. 39.

10. L'œuvre vocale II

Le mode de la performance : dit ou chanté ; situations intermédiaires. - Le chant : musique ou poésie ? - La révolution afro-américaine.

Dans l'usage ordinaire de la langue, le *parlé* (qu'ici je nommerai le *dit*, pour éviter toute ambiguïté) n'utilise qu'une faible partie des ressources de la voix ; ni l'amplitude ni la richesse du timbre de celle-ci ne sont linguistiquement pertinentes. Le rôle de l'organe vocal consiste à émettre des sons audibles conformément aux règles d'un système phonématique qui ne procède pas, comme tel, d'exigences physiologiques, mais constitue une pure négativité, une non-substance. La voix reste en retrait, sur la réserve, dans le reniement de sa propre liberté. Mais voici que parfois elle éclate, secoue ces contraintes (quitte à en accepter d'autres, positives) : alors s'élève le *chant*, épanouissant les capacités de la voix et, par la priorité qu'il accorde à celles-ci, désaliénant la parole.

Dit, le langage s'asservit la voix ; chanté, il en exalte la puissance mais, par là même, se trouve magnifiée la parole... fût-ce au prix de quelque obscurcissement du sens, d'une certaine opacification du discours : magnifiée moins comme langage que comme affirmation de puissance. Les valeurs mythiques de la voix vive s'y exaltent en effet. La voix de Thot, dieu égyptien de la parole, des formules magiques et de l'écriture, s'entend comme un chant. Puissance équivoque, suscitant les défenses : la physiologie des cordes vocales n'a pas seule motivé la tradition italienne des chanteurs castrats : vocalement comme sexuellement inoffensifs. Quand, vers 1800, mourut Giovan Batista Veluti, le dernier d'entre eux, quelque chose avait changé dans la relation profonde de l'homme occidental à sa voix[1].

Le chant relève de l'art musical plus que des grammaires : il se range à ce titre parmi les manifestations d'une pratique signifiante privilégiée, la moins inapte sans doute à toucher en nous le lieu ombilical du sujet, où s'articule sur les pouvoirs

1. Bologna 1981, § 1.8 et 2.1 ; Schneider, p. 173.

naturels la symbolique d'une culture[1]. Dans le *dit,* la présence physique du locuteur s'atténue plus ou moins, tend à se fondre parmi les circonstances. Dans le chant, elle s'affirme, revendique la totalité de son espace. C'est pourquoi la plupart des performances poétiques, dans toutes les civilisations, ont toujours été chantées : et pourquoi, dans le monde d'aujourd'hui, la chanson, en dépit de son avilissement par le commerce, constitue la seule véritable poésie de masse.

C'est donc par rapport à l'opposition entre *dit* et *chanté* que je définis le *mode* de la performance.

Mais, ici encore, où passe la frontière? Le milieu culturel conditionne le sentiment qu'a chacun de ces différences. Ce que profère la voix du griot africain n'est, pour son groupe ethnique, ni parole, ni chant, énonciation à la fois plaisante et mystérieuse, par où transitent des forces peut-être redoutables. Ceux des *blues* qui, dans la pratique populaire du sud des États-Unis, sont par opposition aux autres désignés comme *talking* constituent un discours de rythme accentué fort, passant insensiblement à des épisodes chantés, et certes distinct du parler ordinaire, mais plus ou moins selon les coutumes locales. Ce qui passe ici pour chant, ailleurs sera parole bruitée[2]. Empiriquement, on admettra l'existence, non de deux, mais de trois modalités : la voix parlée *(dit),* le récitatif scandé ou la psalmodie (ce qu'exprime l'anglais *to chant*) et le chant mélodique (anglais *to sing*). Les liturgistes médiévaux utilisaient une échelle semblable, bornant toutefois l'extension du premier terme, *recitatio,* au *dit* poétisé par un rythme articifiel.

Le *dit* de la poésie orale, ainsi marqué, se trouve en continuité avec le récitatif, et celui-ci diffère du chant par la seule amplitude. De l'un à l'autre se produisent des glissements. Chaque société, chaque tradition, chaque style fixe ses propres crans d'arrêt. L'ethnographie m'inclinerait à supposer qu'en toute poésie orale il y a présomption de chant ; que tout genre poétique oral est aussi genre musical, même si les usagers ne le reconnaissent pas pour tel. Resterait à moduler, à l'épreuve des faits, dans les cas particuliers cette affirmation. Les cultures, au cours du temps, ont inégalement et différemment valorisé la voix : je l'ai signalé au chapitre IX. D'où la diversité des critères. Les Manobo, selon E. Maquiso, associent le chant à tout discours sacral, au point que l'un d'eux, converti au christianisme, chantait

1. Ruwet 1972, p. 41-69.
2. Oster, p. 259 ; Finnegan 1977, p. 118-119 ; Bouquiaux-Thomas, III, p. 902-914 ; Calame-Griaule 1965, p. 490 ; Lotman 1970, p. 70-75 ; Werner, p. 102-127.

ses prières sur le mode de l'*Ulahingan,* au lieu de les dire. Tel peuple d'Asie chante toutes ses activités, privées ou sociales ; tel autre les dit. En Afrique, chant et poésie ne se pensent pas de façon distincte ; et ceux que les voyageurs européens depuis le XVIIIᵉ siècle nommèrent *griots,* et présentèrent à juste titre comme des musiciens de profession, furent désignés par les Arabes d'un mot signifiant « poètes [1] ».

Ce qui est ici en cause concerne un élément fondateur de toute culture : la nature de la mutation qui s'opère, dans le lien physique entre son et langage, à l'instant qu'émerge le « monument » poétique. Dans une perspective ouverte par Schopenhauer, Nietzsche, voilà un siècle, faisait de la mélodie le principe originel de toute poésie : la matrice musicale nourrissait la volonté du poème à venir. La musique est vitalité pure. Elle ne peut exister par elle-même [2]. Nécessairement, elle est instrumentale ou elle est chant, c'est-à-dire modalité du langage ; et cette modalité constitue, pour reprendre une expression de G. Calame-Griaule, le « maximum de parole » : manifestation éminente des magies de la voix, Orphée archétypique, assumé par toutes nos mythologies, y compris celles du plus quotidien. Pour les Amérindiens montagnais, le chant est un rêve sonore : il ouvre un passage vers le monde dont il vient. Pour nous, il donne forme à un pouvoir dont on ne sait qu'une chose : qu'il va concilier les contraires et maîtriser le temps.

D'où, encore une fois, l'universalité des « chansons d'amour » : le chant érotise le discours, très en amont des significations et des désirs. La musique s'y glisse dans les failles du langage, en travaille la masse, l'ensemence de ses propres projets mythiques : dans la moindre de nos chansons luit encore une étincelle du feu incantatoire très ancien, l'écho des rituels où le chamane évoque ses « voyages » (au sens où l'entendent les drogués), le souvenir intériorisé des mélopées secrètes psalmodiées sur l'athanor par les alchimistes de la Renaissance...

Une culture agit, sur les individus formant le groupe social, comme une programmation continue ; elle leur fournit gestes, paroles, idées selon que les réclame chaque situation. Mais, en même temps, elle leur propose des techniques de désaliénation, leur offre des zones-refuges, d'où bannir, au moins fictivement, les pulsions indésirables. L'art est la principale de ces techniques ; mais, de tous les arts, le seul qui soit absolument universel, c'est le chant.

1. Bausinger, p. 247 ; Maquiso, p. 42 ; Chadwick-Zhirmunsky, p. 214, 218 ; Collier, p. 8 ; Camara, p. 5.
2. Nietzsche, p. 43-46 ; Calame-Griaule 1965, p. 528 ; Vincent, p. 25 ; Durand, p. 386, 400-403 ; Rosolato 1968, p. 297 ; Rouget, p. 185-188, 433-434.

L'idée et le terme de culture impliquent ainsi l'exercice, à tout instant de la durée, d'une *fonction de chant,* vitale pour la société en question. Ce besoin profond rend compte en partie d'un épisode majeur de l'histoire européenne : la création de l'opéra... à laquelle on ne saurait oublier que présida le mythe orphique ! En 1600 l'*Euridice* de Peri, sept ans plus tard l'*Orfeo* de Monteverdi fixèrent un genre où des humanistes, soucieux de restaurer le pouvoir de la musique en la liant indissolublement à la poésie, croyaient retrouver le modèle grec de cet accord. En fait, ils rétablissaient à leur insu l'équivalent moderne d'archaïques rituels de transe et de possession[1]. Or cet art nouveau, conçu comme la forme suprême du chant, apparut et se diffusa à l'époque où, dans tout l'Occident, l'écriture et le visuel triomphaient dans la culture lettrée et allaient, pour plusieurs siècles, y estomper les valeurs de la voix.

Alban Berg, dans la préface qu'il écrivit, vers 1930, pour *Lulu,* énumérait six « degrés de musicalité », constituant un spectre continu : le simple parlé ; le parlé sur orchestre, sans contrainte rythmique ; le parlé sur orchestre avec respect d'une mesure ; la parole à peine entonnée ; à demi entonnée ; chantée[2]. Les chansons exécutées spontanément par de jeunes enfants offrent une gamme de modalités comparable. Une sorte de parlé-rythmé prédomine dans le bas âge mais, plus ou moins vite selon les capacités de l'individu, se transforme en un chant reçu pour tel par les adultes.

Aucune des distinctions que l'on opère ainsi n'a donc de pertinence absolue. Elles ne portent vraiment sens qu'appliquées à la description d'une performance concrète, et relativement à celle-ci. Le griot Amadou Jeebaate, célèbre aujourd'hui en Gambie, lorsqu'il exécute un épisode du *Soundiata* mandingue, utilise deux modalités de parole : rythmée (sur accompagnement instrumental) et chantée ; les parties chantées le sont dans un dialecte différent (B) ; cependant, certaines parties rythmées, elles aussi, en dialecte B, tranchent sur le récit (de dialecte A) en ce qu'elles donnent, comme entre parenthèses, l'éloge des personnages successifs ; tous les passages en dialecte B sont récurrents, à intervalles à peu près égaux. L'extrême complexité des rapports textuels et vocaux engendrés par un tel système interdit toute réduction simplificatrice. Dans l'exécution des ballades roumaines, le « chant » alterne avec le « récitatif » en vertu d'habi-

1. Bowra 1962, p. 241 ; Rouget, p.317-337.
2. Termes employés par F. Orlando qui, en réponse à une question, commentait pour moi en français ce passage. Je n'ai pas pu vérifier sur l'original allemand.

tudes locales. Certains exécutants chantent le texte entier ; d'autres donnent en récitatif jusqu'à 60 % du poème. Mêmes fluctuations dans les performances de l'*Ulahingan* manobo ; chez les Jöraï d'Indochine. De l'un à l'autre des modes, la mesure devient floue, cesse d'être perçue ; le rythme subsiste. Des chanteurs africains d'épopée usent de cette différence, selon la situation, en vue de créer des effets expressifs. Les chanteurs tibétains du *Ge-Sar* utilisent deux modes, dont l'un plus nettement mélodique, mais aucune règle ne préside à leur distribution et chaque exécutant joue de leur alternance à sa guise [1].

Des chansonniers contemporains, Brassens, Montand et d'autres, ont exploité des contrastes modaux de cette espèce : contrastes indépendants d'une possible division du texte en « vers » et « prose ». Dans telle composition, rigoureusement versifiée, de l'Irlandais Percy French, le dit intervient régulièrement dans le chanté, comme un refrain modal [2]. Nombre d'ethnies africaines ont systématisé de telles alternances. L'auteur de la performance combine conte et chanson, selon divers procédés et coutumes : une partie du récit est chantée, le reste parlé ; ou bien un refrain, chanté par l'auditoire, marque les articulations du conte ; ou encore un poème d'éloge ou d'effusion lyrique est psalmodié à quelque moment pathétique... Chez les Xhosa, le genre de récit nommé *intsomi* est souvent construit à partir d'une chanson, dont il explicite le thème : d'où la mobilité de l'élément narratif [3].

De certaines performances collectives, survenant au milieu de circonstances dramatiques, se dégage, avec une forte émotion, l'unanimité d'un dessein. L'affirmation de soi, par la voix du groupe, triomphe dans le chant choral, *Marseillaise* ou *Internationale*... ou bien elle requiert la seule scansion rythmique, fortement accusée par le nombre des voix à l'unisson, comme on l'entendait dans les « chœurs parlés » des années trente ou, autour de 1970, aux meetings du Jura suisse où le peuple reprenait en refrain des vers d'un poème de Voisard...

Des deux éléments qui fonctionnent ensemble en performance, «musique» et «texte poétique» (au sens le plus large de ces mots), l'un ne l'emporte-t-il pas, dans l'attention de l'auditeur, nécessairement sur l'autre ? Le rapport qui les unit n'est ni simple ni constant. Une gradation idéale semble se dessiner : l'un des

---

1. *Recueil*, p. 108-125 ; Fochi, p. 109-115 ; Maquiso, p. 4, 38 ; Dournes 1980 ; Okpewho, p. 214-215.
2. Finnegan 1978, p. 196-197.
3. Eno Belinga 1970 ; Agblemagnon, p. 142 ; Finnegan 1976, p. 244-247 ; Vansina 1971, p. 453.

INTRODUCTION À LA POÉSIE ORALE

termes extrêmes en serait une diction discrètement rythmée et faiblement mélodique laissant le texte imposer sa force et son poids, comme le fait l'épopée ; l'autre, tel air d'opéra émouvant par la pure musicalité de la voix, sans que les paroles prononcées y soient presque pour rien. A partir de quel point, si l'on se déplace sur le long espace séparant ces extrêmes, éprouve-t-on le sentiment de n'être plus en poésie mais d'entrer en musique ? de franchir la zone frontière distinguant les domaines respectifs où s'exerce la pleine souveraineté de chacun de ces arts ? où situer le lied romantique, ceux, par exemple, qu'écrivit Schubert en 1813-1814 sur une série de textes de Schiller et de Gœthe[1] ?

Il ne s'agit pas véritablement de gradation. Les valeurs attachées à la voix humaine interdisent de concevoir ici un degré zéro. Lors même qu'elle intervient comme simple support expressif, afin de mettre en valeur les paroles, scansion et mélodie projettent dans l'espace du poème une dimension nouvelle : j'ai parlé, au chapitre I, de «structuration vocale», créatrice d'une forme spécifique. De l'épopée, à travers le lied jusqu'à l'air d'opéra, se produit moins un lent passage de la poésie seule à la pure musique, qu'un investissement progressif du langage poétique par la musicalité. A la limite, le texte devient inaudible, ainsi sur les lèvres des bardes Xhosa ou de chanteurs de rock ; chez des peuples comme les Tchérémisses de Russie, les Watusi d'Afrique orientale, les Inuit polaires, il se dilue en syllabes à peine articulées[2].

Il n'y a pas d'étapes dans ce mouvement ; pas d'échelons numérotables. Chaque performance permet en principe d'évaluer les puissances expressives en jeu, et la relation qui s'établit entre elles. Mais cette évaluation se fait en vertu de paramètres dont l'auditeur est inégalement conscient : elle dépend en effet de l'ampleur des moyens d'exécution, du dessein présidant à la réception, et d'habitudes culturelles.

Quant aux moyens, ils concernent à la fois la richesse mélo-dique (à la limite, l'exécutant est un virtuose), et la puissance de l'orchestration (instruments ; nombre de voix engagées dans le chant). Ces deux qualités peuvent être dissociées ; les effets qu'elles produisent sont comparables. Je reviendrai sur ce point.

Quant à la réception, un certain «horizon d'attente» la déter-mine : les circonstances, l'opinion, la publicité, mon propre désir me poussent à participer à telle performance comme à un concert, à un spectacle, ou à un récital poétique ; une fois ce dessein formé, il devient difficile de n'en pas rester prisonnier. Pour tel auditeur,

1. Massin, p. 550-559.
2. Opland 1975, p. 190 ; Bologna 1981, § 2.1 ; Hauser.

le médiocre poème de Schiller *An die Freude* entache l'Hymne à la joie de la Neuvième Symphonie dont, comme poème, on ne peut l'isoler ; au mélomane, en revanche, il importe peu ; les platitudes de Maeterlink, selon la disposition du spectateur, écrasent *Pelléas et Mélisande,* ou la musique de Debussy au contraire les soustrait à l'attention. Dans les *cantorias* brésiliennes, ni les chanteurs ni le public ne semblent valoriser la partie musicale, pourtant définitoire du genre : les jugements qui, en interventions diverses, accompagnent la performance portent sur le rythme des vers, jamais sur le chant : on proteste s'il manque une syllabe, mais on laisse passer la fausse note[1] !

Coutumes, préjugés collectifs, idéologies conditionnent ainsi, en dernier ressort, l'aptitude des exécutants comme de leurs auditeurs à percevoir une séparation entre les deux arts conjoints dans le chant, et à penser les rapports qu'ils entretiennent. Les sociétés africaines traditionnelles ne semblent pas sentir ici plus de différence qu'entre « vers » et « prose »[2]. Le discours parlé n'est pour elles qu'une dégradation du chant. La parole se maintient au cours du temps en sa qualité de musique (d'où tant de textes devenus obscurs, voire incompréhensibles), mais c'est comme parole qu'elle reste efficace dans les rites.

L'Afrique, en cela aussi, est exemplaire et porte à son achèvement ce qui ailleurs demeure tendance parcellaire ou évolution ratée. On pourrait dresser l'inventaire de ces « africanismes » universels, souvenirs du temps mythique où langage et musique n'étaient qu'un. Dans les régions les plus diverses du monde, des ethnologues ont constaté l'impossibilité, pour beaucoup de poètes oraux, de dicter un de leurs textes sans le chanter. La transe mystique ou communielle que décrit G. Rouger - recherchée et provoquée par les cultes africains, mais aussi dans plusieurs sectes islamiques ou chrétiennes - n'implique-t-elle pas le plus formidable effort (jusqu'à mourir à soi) pour effacer toute distinction entre parole, musique et danse[3] ?

Du fond d'un monde émietté par l'abus d'écriture, s'élèvent, de nos jours, les appels à cette unité. On ne vise pas seulement à *oraliser* la poésie, comme je l'ai signalé au chapitre IX, mais à la *chanter.* Les efforts de poètes comme Luc Bérimont ont fini par atténuer en France l'indifférence et la surdité du milieu littéraire. La mort prématurée de Brassens (qui survient alors que j'écris ce chapitre) est unanimement déplorée comme celle d'un

---

1. Fonseca 1979, p. 192.
2. Jahn 1961, p. 102 ; Calame-Griaule 1965, p. 527-542 ; Camara, p. 115-123 ; Laya, p. 178 ; Okpewho, p. 57-58 ; Lomax 1964.
3. Okpewho, p. 58 ; Rouget, p. 428-431.

grand poète : on le situe dans la lignée de Villon afin de mieux faire passer la nouvelle ; de fait, elle passe. Bien des compositeurs, depuis la Renaissance, ont « mis en musique » des textes de poètes écrivains. Mais cette coutume, dans les années cinquante et soixante, s'est renouvelée selon le modèle esthétique et social de la chanson de cabaret : poèmes d'Aragon chantés par Catherine Sauvage, ou le *Gaspard Hauser* de Verlaine par Moustaki. Plus récemment, le puissant « rocker » paysan qu'est Angelo Branduardi composa ses premières chansons sur des textes d'Essenine et de Neruda, saisissant cette poésie comme matière première à musique, à spectacle, incapable de la vivre autrement...

Parole poétique, voix, mélodie - texte, énergie, forme sonore - activement unis en performance concourent à l'unicité d'un sens. Trop peu d'études précises ont porté jusqu'ici sur cette sémiose. Les remarquables travaux d'A. Amzulescu et d'A. Vicol sur les ballades roumaines ne font qu'ouvrir une voie. La typologie dont ils posent les bases fait valoir l'intensité des échanges sémantiques entre texte et mélodie, au point que leur dissociation entraînerait l'absurdité du poème[1]. Les remarques éparses que l'on est réduit à glaner chez les ethnologues ou dans le témoignage des praticiens confirment ce point de vue. C'est au niveau du sens qu'est scellée l'union : le sens en constitue le gage. Le reste en découle. Dans les sociétés possédant de vastes ensembles épiques dont aucune performance n'épuise jamais le récit, il arrive souvent que les personnages ou les épisodes en soint frappés d'une marque musicale qui sert à les identifier. Ainsi du *Ge-Sar* tibétain : le témoin principal de Mme Helffer, qui pour sa part employait treize « timbres » caractéristiques, assurait que chaque héros du poème possède le sien, mais qu'aucun chanteur ne peut les connaître tous... Les chanteurs du *Heiké* japonais distinguent neuf modes de récitatif selon le thème du passage. Le chant de l'*Ulahingan* manobo comporte quatre tons : deux d'entre eux (l'un plus mélodique, l'autre fortement scandé) alternent dans le récit ; les deux autres s'emploient, en vertu de règles exactes, à certains moments de la performance[2].

L'usage de refrains interfère dans la production de sens. Techniquement, le refrain est une phrase musicale (parfois instrumentale) récurrente, découpant le chant en sous-unités, la performance en moments distincts ; une phrase verbale y est en

---

1. Amzulescu 1970 ; Vicol ; Knorringa 1978, p. 15-18.
2. Alatorre 1975, p. XIX ; Helffer, p. 463-503 ; Maquiso, p. 41.

général liée. Trois types de phrase-refrain coexistent et peuvent, exceptionnellement, être cumulés, selon que le refrain :

- dans un système à versification régulière, se trouve, par le rythme, le nombre ou la rime, intégré à l'unité qu'il conclut ;
- constitue une unité autonome entre celle qu'il suit et celle qu'il précède ;
- est rattaché, quoique autonome, à l'unité précédente, par un signal mélodique ou verbal[1].

Quant à l'effet sémantique ainsi produit, ou bien il contribue à renforcer la signification des parties précédentes ou suivantes ; ou bien il introduit dans le scénario ambiant un élément nouveau, indépendant, souvent allusif, ambigu, voire intentionnellement contrasté. L'autonomie et la mobilité du refrain favorisent les jeux intertextuels : texte ou mélodie peuvent reproduire ou parodier une chanson antérieure, un poème, écrit ou oral, quelconque. Des traditions peuvent s'établir, comme celle qui poussa les poètes de Cour du XIIIᵉ siècle français à puiser nombre de leurs refrains dans les chants de danse paysans... Les exemples de telles procédures sont innombrables, dans toutes les cultures.

J'en rapprocherais la pratique d'une intertextualité musicale, fréquente dans la poésie européenne, ainsi qu'en Chine, et non inconnue ailleurs : l'emploi du « timbre », air repris à une chanson préexistante et auquel un auteur adapte un texte nouveau... quitte à ce qu'au cours du temps, si la tradition perdure, le timbre s'altère peu ou prou. Un nombre considérable de chansons « populaires » européennes prolonge ainsi des mélodies grégoriennes, des musiques de Cour, des airs d'opérettes. Inversement, en un chassé-croisé du profane au sacré, des *noëls,* des cantiques, reprennent des mélodies à la mode, des pastorales, des complaintes amoureuses[2]. Aux XVIIIᵉ et XIXᵉ siècles, en France, la majorité des chansons politiques, satiriques, contestataires de grande diffusion étaient composées sur timbre : certains les nommaient alors *vaudevilles ;* dès 1717 Ballard publiait *la Clef des chansonniers,* répertoire de mélodies proposées à cet usage.

A l'opposé du timbre, l'improvisation, sur laquelle je reviendrai au chapitre XII, terme ambigu, qui réfère indistinctement à la mélodie et aux paroles : l'une peut être improvisée et non les autres, ou inversement. Quelles sont, d'autre part, les bornes de l'improvisé ? Je traiterai, au chapitre XIV, des variantes dans la poésie orale : or, en poussant à l'extrême, on considérerait à bon droit toute variante, même infime, comme improvisation... Le

1. Laforte 1976, p. 117-120 ; Roy 1981.
2. Laforte 1976, p. 108-112 ; Guillermaz, p. 20 ; Brécy, p. 11.

poète oral, plus encore que l'écrivain disposant du délai de l'écriture, travaille dans un cadre artisanal, un atelier où s'offrent à sa portée non seulement un outillage, mais des fragments pré-élaborés de matière (musicale et verbale) qui n'est plus tout à fait première. Dans les sociétés traditionnelles, l'usage de ces fragments s'impose absolument ; ailleurs, produits d'un style transitoire, lancés par une mode, ils ne font que se proposer à la commodité du poète.

Ici encore, où passe la limite ? Le poète Nasir Udin m'affirmait recréer à chaque performance sa mélodie, en vertu du besoin intérieur. En fait, il disposait d'un trésor de rythmes et de schèmes mélodiques de base vivants dans la musique populaire du Hunza, et parmi lesquels, au moment d'entonner, il choisissait de quoi former son chant. Improvisait-il ? Je ne pus lui faire comprendre le sens de ce mot. Le texte de son chant avait été préparé, et de façon très « littéraire ». La mélodie le réinterprétait, dans des circonstances successives, changeantes, de façon à combler toutes les attentes. Certaines cultures ont créé dans un dessein analogue des genres poétiques oraux improvisés, définis par ce caractère même... du moins à l'origine, car l'usure de la veine première provoque inévitablement une intervention de l'écriture : ainsi des *blues,* improvisés sur une base traditionnelle assez fortement formalisée ; ainsi, du *flamenco* original[1].

Lorsqu'un accompagnement instrumental résonne avec le chant, les deux musiques se conjoignent dans l'opération de la voix. Toujours cependant une tension se dessine : par la différence acoustique passe une différenciation fonctionnelle. D'où les ruses instaurées par certaines coutumes : les *cantadores* brésiliens font alterner la voix et l'instrument au cours de la performance. Encore n'utilisent-ils, comme la plupart des chanteurs épiques dans le monde, qu'un seul instrument, viole ou guitare. Or, plus s'accroît le nombre ou la diversité des instruments accompagnateurs, plus a tendance à s'affaiblir l'exigence formelle intrinsèque au poème. On aboutirait, au terme de ces mouvements inverses, à l'audition d'un orchestre symphonique portant des mots banals, à peine audibles... à moins que le chant, devenu choral, n'ait pris une ampleur et une complexité suffisantes pour s'imposer encore : mais n'aurait-on pas alors franchi les limites de la « poésie » ?

Sans doute, dans cette concurrence, y a-t-il un instant d'équilibre, où l'instrument confirme la voix : en français comme en

1. Oster, p. 267-268 ; Wurm, p. 71-74.

italien coexistent, dans l'étymologie du mot *accord,* le cœur, la concorde et la corde de la lyre. L'accord cependant ne peut être identique dans toutes les cultures. En Afrique, la valeur mythique attachée aux instruments musicaux les joint de manière indissociable à la voix humaine en vue d'une œuvre signifiante commune. En malinké, le même mot signifie « parler » et « battre tambour ». Les prescriptions et tabous concernant l'emploi des divers instruments embrassent le groupe social entier, dans tous les aspects de sa vie. Senghor déclarait, vers 1960, qu'il écrit ses poèmes dans le désir de les entendre chanter, accompagnés d'instruments africains : c'est-à-dire dans la plénitude de leur sens[1].

On a observé que la complexité des effets ainsi concertés de polyphonie s'accroît, d'ethnie en ethnie, d'est en ouest à travers le continent noir, et atteint sa plus grande richesse le long des côtes occidentales, du Sénégal au Nigeria[2] : les régions mêmes d'où furent arrachés les millions de ceux qui, esclaves au Nouyeau Monde, créèrent, aux Antilles, au Brésil, dans le sud des Etats-Unis, la musique « afro-américaine ». Celle-ci, depuis un demi-siècle universellement répandue, a réintroduit dans nos mentalités un sentiment quasi magique de l'objet sonore. On peut douter que sans cette influence la guitare (du reste, venue d'Espagne) eût pris la valeur de symbole culturel qu'elle possède aujourd'hui sur trois continents, ni que la spectaculaire utilisation, par Bob Dylan à Newport en 1965, de la guitare électrique eût produit une telle fureur.

Sacralisation de l'instrument (mais le *biwa* des chanteurs japonais du *Heiké* n'était-il pas autant imprégné de puissance divine ?) ; fétichisme si profondément ancré aujourd'hui dans la culture de masse qu'il fonctionne aussi bien en sens inverse ; la *salsa* cubaine, c'est la « sauce » de trompette, de flûte, de saxo dont amplifier et dramatiser le jeu des *congas* et des *maracas* locales en vue des chansons de Ruben Blad avec la voix magnifique de Celia Cruz. Mais il n'est pas de mouvement régionaliste dans la vieille Europe qui, folklore ou pas, ne tente de remettre en honneur les instruments traditionnels, *xalaparta* basque ou *biniou-braz* armoricain. Aussi bien le Chili des années soixante se ressourçait à redécouvrir la *tumbadura,* le *bongo* et le *rabel* andins. Des musiciens de cabaret que j'ai connus à Bangui renoncent aux guitares et saxophones, instruments importés et très chers, pour redécouvrir les harpes, flûtes et tambourins

---

1. Camara, p. 51, 106, 115-119 ; Guibert, p. 144-150.
2. Okpewho, p. 62.

traditionnels, que l'on construit et répare soi-même : nécessité financière accélérant un retour à soi !

Les formes primitives de ce que J. L. Collier dénomme avec circonspection la « musique populaire des Noirs américains » s'étaient lentement dégagées, dans la Louisiane du XIXe siècle, des vieilles traditions du chant africain, influencé par des mélodies et une instrumentation venues d'Europe. Cette longue maturation prenait fin vers 1900 ; durant la seconde décennie du siècle, la musique noire, vocale et instrumentale, envahit les États-Unis ; dix ans plus tard, elle touchait l'Europe, en même temps que l'« art nègre » y montait de l'Afrique colonisée, et commençait d'ébranler des modes de sensibilité jusqu'alors immuables, identifiés à la « nature ». Une guerre venait de révéler la faillite de la société dite « moderne », dont commençait la désintégration, et qui dès lors ne se survivrait plus que comme mythe de référence.

L'histoire offrait à l'Afrique cette revanche, après l'esclavage et le génocide culturel - avant des indépendances un jour dérisoirement vouées à ce mythe même ! La révolution musicale déchaînée vers 1915 par quelques orchestres noirs de La Nouvelle-Orléans s'est répandue si loin de ses terroirs et a connu de telles amplifications que ses traits originels se sont tant soit peu altérés : mais non l'essentiel, assez fort pour avoir, en moins de deux générations, modifié le goût et le comportement musical des masses sur trois continents, et bouleversé les présupposés d'une esthétique [1]. Les innovations rythmiques de Stravinski à la même époque, l'implantation du système sériel, provenaient d'une tradition classique parfaitement assimilée. Le jazz allait africaniser le monde.

Mise en haut relief des tons accentués, syncopes, effets de double rythme, dont l'instrument percutant fournit la base, sur quoi se dégagent dans le jazz clarinette, trombone, saxo, et se tend le contrepoint de la voix. La parole perd la monotonie qu'engendre la régularité syntaxique, le discours se construit de façon polymétrique : le retour périodique d'un instant où se superposent toutes les mesures en assure l'ordonnance et la force, assume dans son unité les rythmes adventices de l'allitération, de la paronomase, de l'anaphore... Du jazz primitif aux avatars du rock et au *reggae,* styles, inspirations, desseins ont évolué. Reste que les éléments verbaux d'un tel art presque inévitablement échappent aux normes formelles issues des pratiques de l'écriture : sans doute ne sont-ils même plus perçus comme « poésie », mais bien composante d'une action totale. La

---

1. Jahn 1968, p. 65 ; Collier, p. 17-39, 63-84.

distance esthétique s'est écrasée, qui permettrait d'identifier le chant comme art autonome. Une unité massive se forge dans l'épaisseur d'une conscience. La fonction du texte perd toute netteté ; sa maigreur, sa médiocrité souvent en annulent l'impact : ne restent que la musique et la danse. Mais c'est là l'effet moins d'un système que de l'insuffisance de beaucoup d'auteurs. Aux États-Unis, l'œuvre de Langston Hughes témoigna, pendant plus de vingt ans, de la possibilité d'un jazz où la parole, engagée, active, conservait sa force, son droit, sa capacité persuasive. En France, un Boris Vian a fait de belles chansons sur les rythmes « modernes » les plus divers, des parodies de rock'n roll composées avec Henri Salvador à ses tentatives pour créer une chanson de jazz, ou des blues français [1].

Ce qu'exigent ces pratiques musicales, c'est une autre espèce de verbalisation. Peu de poètes ont encore exploré ces zones dangereuses : les expériences auxquelles se sont depuis un demi-siècle adonnés sur les mots ou la grammaire les poètes de l'écriture constituent au mieux, pour une poésie orale à venir, un déblaiement préliminaire, l'esquisse de stratégies utilisables : non qu'elles demeurent trop en deçà de je ne sais quel seuil absolu ; mais elles se sont déroulées dans une direction et avec des moyens qui ne sont pas ceux de la voix. Elles restent, par rapport à celle-ci, déphasées.

Or ce sont des tendances mentales et des pratiques propres aux traditions de pure oralité qui confèrent - de façon provocante au sein de notre monde d'écriture - leur nuance originale aux musiques de provenance afro-américaine : fréquence de l'improvisation, rôle accessoire de l'écrit dans la composition, du reste souvent l'œuvre d'un instrumentiste ; volonté prédominante d'établir un contact immédiat avec l'auditeur ; dessein général de communiquer plutôt que de plaire. D'où la prise violente de conscience provoquée par la révolution musicale chez les moins conventionnels des écrivains, des deux côtés de l'Atlantique. Dans l'écriture se ravivaient des souvenirs inquiétants. Dès 1939 paraissait à La Havane une anthologie de poésie afro-cubaine aux rythmes de rumba. La *beat generation* américaine empruntait son nom à ce qui fut, pour un temps, style de jazz. Kerouak disait tenir son langage de Parker et de Monk plus que d'une tradition littéraire, et comparait la phrase de Proust à celle de Miles Davis à la trompette [2]. En France, où Cocteau déjà avait découvert le blues, une alchimie se perpétrait dans l'œuvre de Boris Vian,

1. Jahn 1961, p. 100-101, 187-188 ; Collier, p. 82-105, 122-123 ; Rouget, p. 105, 430 ; Jemie ; Clouzet 1966, p. 82-85.
2. Collier, p. 86.

trompettiste et chroniqueur de jazz : *l'Écume des Jours* n'est pas moins vocale que les chansons...

Cet art entier reste fondamentalement (en dépit de mésaventures diverses) lié à la parole, au langage explicite formé dans la gorge et sur les lèvres. Il conserve le souvenir intermittent de l'une de ses racines : ces *revivals* des églises noires du sud des États-Unis, saturés de présence musicale africaine au point d'évoquer le vaudou ; extases collectives où, par respect du lieu saint, les mains seules assuraient la percussion : premiers *spirituals,* relevés au lendemain de la guerre de Sécession, et le *Gospel ;* puis, leur équivalent profane, le blues, genre, à mon avis, le plus accompli de la poésie orale contemporaine. Forme concise et rigoureuse comme l'était le sonnet de jadis dans le parfait équilibre de ses douze mesures, trois par trois, sur un rythme à quatre temps, une phrase verbale par phrase musicale, mais toujours plus courte que celle-ci, et les récurrences obligées, soulignées par une *cauda* de guitare... Dans le blues « classique », la courbe de la partie vocale permet d'entendre encore l'antique structure du chant antiphonaire de l'Afrique traditionnelle : la phrase continue d'une voix unique a remplacé l'alternance des soli et du chœur ; les instruments ont relayé ce dernier, mais désormais se subordonnent à la fonction dominante, le chant. Contrairement à une opinion répandue, on ne saurait dire que le blues soit un chant individuel, s'opposant au spiritual, collectif. Par ses motivations profondes, le blues tient au destin commun d'un peuple malheureux ; par sa finalité implicite, il retourne à ce peuple. D'où sa « tristesse », techniquement produite par les « notes bleues », entre majeur et mineur, équivoques, impossibles à jouer au piano et peut-être issues du « ton intermédiaire » des langues de l'Afrique occidentale [1].

La diffusion de ces types de poésie musicale rayonnant soudain avec une telle énergie de la région des Caraïbes et de l'Amérique tropicale ne pouvait pas ne pas toucher l'*Africa mater.* Elle le fit avec violence, mais provoqua - choc en retour -, dans les milieux urbains et occidentalisés, une curiosité puis une passion nouvelle pour le chant traditionnel, dont la pratique se maintenait encore en brousse ou en forêt. Depuis l'indépendance, dans plusieurs grandes villes de la zone équatoriale, Lagos, Douala, Brazzaville et surtout Kinshasa, des groupes de chansonniers s'attachent à recréer, à partir de genres pratiqués dans les villages, une musique intégrée aux modes contemporaines. L'engagement poli-

1. Jahn 1961, p. 252-262 ; Oster, p. 260-261 ; Vassal 1977, p. 42-44 ; Collier, p. 40-48.

tique que comportent en général ces tentatives et la nécessité de faire passer un message explicite confèrent une importance telle aux paroles qu'elles retrouvent leur autonomie par rapport à l'instrumentation. Des vedettes locales comme Jean Bikoko ou Anne-Marie Nzié, au Cameroun, esquissent une synthèse entre les styles afro-américains et les formes populaires comme l'*assiko* béti ou le *mokassa* : nécessaire rupture dans l'invention, inlassablement réitérée par adhésion au seul modèle musical universel d'aujourd'hui, liant les cinq continents sur fond de jazz et de danses brésiliennes, argentines ou cubaines.

La fonction de ces compositeurs dans la société néo-africaine diffère peu de celle que remplissent ailleurs des chanteurs en quête, parmi le fatras d'un folklore, des racines encore vivantes d'une certaine humanité : un Alan Stivell en Bretagne, une Maria Del Mar en Catalogne. Elle rappelle plus encore celle qu'assumèrent, dans les années soixante, les grandes voix du *folk-rock* américain, Bob Dylan ou Phil Ochs, entre un *folk-song* rural - socialement impliqué par ses thèmes et le dépouillement de son langage, mais techniquement rudimentaire - et un *rock'n roll* urbain, issu des blues et déjà complètement commercialisé. Il s'agissait, grâce à une régénération musicale, de sauver la parole par le chant[1].

1. Vassal 1977, p. 260-261.

11. Présence du corps

L'oralité et le corps. - Le geste dans la culture. Geste et poésie. - De la mimique à la danse. - Le décor. Théâtralité.

L'oralité ne se réduit pas à l'action de la voix. Expansion du corps, celle-ci ne l'épuise pas. L'oralité implique tout ce qui, en nous, s'adresse à l'autre : fût-ce un geste muet, un regard. En parlant, aux chapitres I et X, de « structuration vocale », j'entendais mettre l'accent sur ce qu'a de plus spécifique la poésie *orale*. Mais peut-être faudrait-il préférer à cette expression celle de « structuration corporelle ». Geste et regard en effet sont également concernés. Dans les pages qui suivent, je les subsume ensemble sous les termes de *geste* et *gestualité*.

Les mouvements du corps sont ainsi intégrés à une poétique. Empiriquement, on constate (aussi bien dans la perspective d'une tradition longue que dans celle des modes successives) l'étonnante permanence de l'association régnant entre le geste et l'énoncé : un modèle gestuel fait partie de la « compétence » de l'interprète et se projette en performance. L'*actio* de la rhétorique romaine n'avait pas d'autre objet. D'où chez l'auditeur-spectateur, une attente complémentaire et, durant l'action, un transfert progressif du désir qui anime le geste de l'exécutant... jusqu'à la transe collective, imposant, comme l'*off-boat* des chanteurs de jazz, ses discontinuités au sein d'un équilibre, ses sursauts dans l'écoulement du temps. Sans doute n'est-ce là qu'une manifestation extrême du dynamisme vital qui, en toute occasion, lie la parole que l'on forme au regard que l'on jette et à l'image qu'il nous procure du corps de l'autre et de son vêtement [1]. L'interprète, dans la performance exhibant son corps et son décor, n'en appelle pas à la seule visualité. Il s'offre à un contact. Je l'entends, le vois, virtuellement je le touche : virtualité toute proche, fortement érotisée ; un rien, une main tendue suffirait : impression d'autant plus puissante et refoulée que l'auditeur appartient à une culture prohibant davantage

---

1. Calame-Griaule 1980 et 1982.

l'usage du toucher dans les relations sociales. Cependant s'éveille une autre tactilité, interne, je sens mon corps se mouvoir, je vais danser...

Certaines cultures ont développé plus spectaculairement que d'autres la pratique gestuelle et mieux exploité ses potentialités expressives. D'où l'intérêt qu'y prit, dès ses débuts, l'ethnologie : c'est en 1881 que G.M. Mallery publiait ses observations sur le «langage par gestes» des Amérindiens des grandes plaines, ouvrage que l'on rééditait encore quatre-vingt-dix ans plus tard ! Les études de M. Mauss, «Les techniques du corps», et de M. Jousse, *Anthropologie du geste,* quoique dépassées, font figure de classiques ; et la bibliographie sur le sujet compte d'ores et déjà quelque cinq cents titres. Dès 1909, un médiéviste s'engageait à son tour sur cette piste : K. von Amira analysait dans les miniatures du *Sachsenspiegel,* recueil de coutumes allemandes rédigé vers 1400, les éléments d'une gestualité juridique. Rien toutefois d'important ne suivit jusqu'aux travaux de J. Le Goff et de J.-C. Schmitt, vers la fin des années soixante-dix [1].

Le problème en revanche s'était posé, dix ans plus tôt, avec urgence aux africanistes. L'Afrique, une fois encore, univers du geste autant que de la voix, offrait un champ d'observation privilégié. La vaste et belle thèse d'E. Gasarabwe, écrite en 1973, publiée cinq ans plus tard, présente le geste comme un rite situant et confirmant, dans un espace producteur de sens, un monde vécu mais qui, sans cela, demeurerait peu réel. Sur le terrain, J. Derive propose un système de traduction écrite de la performance permettant d'intégrer les mouvements tonaux et gestuels [2].

L'exécution et la répartition des gestes, dans un milieu culturel donné, ne peuvent être complètement aléatoires. Sont-elles codées, et de quelle manière, jusqu'à quel point ? La gestualité comporte-t-elle quelque homologie avec le langage ? Au mieux, certes, un geste peut s'analyser en traits pertinents : mais ces derniers se combinent directement en unités signifiantes, sans les articulations intermédiaires propres aux signes linguistiques et qui leur assurent une possibilité de variations en nombre illimité. Assumant et dépassant l'information ethnographique, la sémiologie américaine des années soixante s'empara de ces questions. L'extrême technicité de la plupart de ses travaux et leur recherche souvent exclusive d'éléments nombrables et systématiques réduisent beaucoup leur utilité pour le poéticien. L'analyse du geste

1. Le Goff, p. 352-401 ; Schmitt 1978*a* et *b* ; Fédry 1978*a* ; Guiraud, p. 49-59, 72-91 ; n° 10 (1968) de *Langage.*
2. Gasarabwe, p. 69-166 ; Derive, p. 62-63, 95-102, 188-241.

dans son rapport avec les modulations de la voix exigerait des méthodes encore inexistantes. Le matériel accumulé a du moins permis une première synthèse, d'intérêt anthropologique général, publiée par B. et F. Bäuml en 1975[1].

La relation pourtant entre le geste et les autres éléments de la performance ne laisse pas de faire problème au niveau du sens. Si même l'exécutant n'abandonne aucun de ses gestes au hasard, certains d'entre eux signifient, d'autres simplement en appellent à mon attention, à mon émotion, à ma bienveillance. Certains constituent la mise en scène corporelle; d'autres doublent la parole. Et encore : aucun geste n'est ponctuel; toujours le geste possède un tracé, qui est aussi durée : y a-t-il un point dans le tracé, un instant dans la durée, où le sens émerge, où il atteint sa plénitude, où il se dérobe? Passant de la convention au mime « réaliste », le geste peut-il se dire arbitraire ou motivé?

Dans l'un des premiers essais qui aient formulé expressément le problème, G. Calame-Griaule, en 1976, distinguait deux types de gestes opposés : « descriptifs » (mimétiques) et « sociaux » (conventionnels), chacun d'eux regroupant plusieurs espèces. Elle reprenait ainsi, en le réorientant selon les données de l'ethnolinguistique, le sommaire classement de L.-V. Thomas en gestes « formulaires » et « indicatifs ou explétifs » (à quoi s'ajoutaient les « gestes d'intonation »). H. Jason, aux Etats-Unis, ouvrait en 1977 une perspective semblable. Quant au rapport complexe de la gestualité au langage, il semble aujourd'hui qu'il exige trois séries de définitions, selon que, redondant, le geste complète la parole ; que, la précisant, il en dissipe une ambiguïté ; ou enfin que, s'y substituant, il fournisse au spectateur une information trahissant le non-dit. H. Scheub, dans une remarquable étude de 1977 sur les conteurs xhosa, adoptait ce schème, mais le complétait sur deux points essentiels. Il montrait en effet l'existence de gestes à fonction purement rythmique, corrélés à la musicalité de la performance, et non directement au langage. Il rappelait, d'autre part, l'épaisseur sémantique de certains gestes, chargés de symboles culturels variables au cours du temps, et aptes, à chaque performance, à être réinvestis de valeurs nouvelles[2].

J'adopte ici un point de vue pragmatique, et distingue uniquement entre les gestes selon l'ampleur de l'espace à partir duquel ils se déploient :
- gestes du visage (regard et mimique);

1. Sebeok, p. 1-6 ; Mounin ; Cosnier ; Bäuml ; Berthet, p. 141-142.
2. Calame-Griaule 1976, p. 919-926 ; Thomas, p. 415 ; Jason 1977, p. 105 ; Cosnier ; Scheub 1977, p. 355-359.

-gestes des membres supérieurs, de la tête, du buste ;
-gestes du corps entier.
Ensemble ils portent sens à la manière d'une écriture hiéroglyphique. Le geste ne transcrit rien, mais produit figurativement les messages du corps. La gestualité se définit ainsi (comme l'énonciation) en termes de distance, de tension, de modélisation plutôt que comme système de signes. Elle est moins régie par un code (sinon de façon toujours incomplète et locale) que soumise à une norme.

Celle-ci procède à son tour d'une structuration du comportement, liée à l'existence sociale : la «bienséance» gestuelle constitue un art dont aucune culture (ni anti-culture!) n'est dépourvue. Or, plus un art du corps est élaboré et se veut distant de la pratique banale, plus s'y resserre un réseau de règles qu'explicite une pédagogie adéquate : P. Bouissac l'a montré à propos du cirque [1]. Des contraintes de la civilité jusqu'à la danse de ballet se maintient, en dépit de plusieurs paliers intermédiaires, une continuité. Toutes les formes imaginables de performance poétique s'égaillent sur les degrés de cette échelle. Dans les performances les plus étroitement formalisées (comme celles du *rakugo* japonais) [2], la codification du geste semble prédominer sur celle du texte ; en revanche, dans la performance la moins assujettie aux circonstances et la plus approximative par rapport à la norme, tout chant ne comporte-t-il pas, au moins buccalement, sa propre danse articulatoire ?

De quelque manière que le groupe social l'oriente ou la limite, la fonction du geste dans la performance manifeste le lien primaire attachant au corps humain la poésie : ce qu'exprimait Jousse en parlant d'art verbo-moteur... ou le chinois ancien en dénommant la lyrique d'un terme associé à l'idée de battre du pied le sol. Dans un essai sur la poésie andalouse destiné à justifier sa propre pratique, Lorca revendiquait l'origine magique des arts dont le corps est l'instrument et que seul un développement historique tardif a dissociés : danse, musique, poésie [3]. D'où l'inaptitude profonde de ces arts (en dépit des apparences et de tous les faux truismes) à «exprimer» l'individuel. Plus qu'à la poésie écrite, ce paradoxe s'applique à l'orale, qui (à la façon dont Artaud l'entendait du théâtre) requiert un tout, récuse la distance interprétative, élimine l'allégorie et ce qui, de sa force, sépare le signe ; de la parole, le souffle.

La poésie écrite, il est vrai, s'est créé des stratégies lui

1. Bouissac.
2. Zumthor 1981*a*.
3. Wang, p. 356 ; Baumgarten, p. 328-329 ; Derrida 1967*a*, p. 260-262, 284.

permettant d'intégrer à son texte l'équivalent approximatif de quelque geste : toujours partiel, ambigu, conditionnel. D'où son aspiration à rejeter ces faux-fuyants, et à se refaire voix et danse. Dans la poésie orale, le texte n'a que faire de tels indices : au corps de modaliser le discours, d'en expliciter le dessein[1]. Le geste engendre dans l'espace la forme externe du poème. Il en fonde l'unité temporelle, en la scandant de ses récurrences. Dans le monologue du griot, d'intervalle en intervalle doit surgir la danse pour que le récit progresse.

L'expression corporelle courante enchaîne en séries continues des gestes de toutes espèces. Un mouvement du corps entier s'accompagne en général d'une gesticulation des bras et de la tête, ainsi que d'une mimique et d'un regard particulier. La performance poétique peut suspendre intentionnellement cet enchaînement, et n'admettre pour pertinent que le geste du visage, ou du bras, ou quelque danse non expressive. La vocalité poétique, je l'ai signalé, parfois confère une fonction au silence : de même, la gestualité peut intégrer de manière significative des «gestes zéro». Les chanteurs de mythes jöraï ne font, au témoignage de J. Dournes, pas un geste. M. Houis me citait des exemples africains de diseur parfaitement immobile. Les photos que me procura l'une de mes étudiantes, travaillant sur l'*Ulahingan,* montrent un chanteur assis devant une table de cuisine, les avant-bras à plat, le buste et la tête immobiles, le regard lointain. Des gouttes de sueur, me dit-on, perlent à sa nuque. Sans doute le sentiment d'une sacralité, la présence des ancêtres dans le discours, peut-être les restes d'une tradition d'enseignement initiatique motivent cette immobilité... à moins que n'intervienne un tabou, sexuel ou social, analogue à celui qui, chez les Touaregs, interdit au récitant de faire des gestes quand il exerce son art en présence de son beau-père[2].

La mimique seule ou le seul regard (à l'exclusion de tout autre geste) se rencontre, exceptionnellement, en performance lorsque l'exécutant veut provoquer, dans le reste de l'espace corporel, un «effet zéro». Une contradiction oppose ici la plastique et le sens : l'étroitesse des mouvements possibles du visage, en dépit de la valeur symbolique éminente des organes qu'il porte. La plupart des cultures ont pallié de deux manières cette faiblesse :

- par le grimage, qui accroît l'ampleur et la visibilité du geste : ainsi, chez nous, de l'acteur, du chanteur derrière les lumières de

1. Scheub 1977, p. 351, 354 ; Thomas, p. 414.
2. Dournes 1980 ; Calame-Griaule 1980.

la rampe ou sous les *sunlights* et, plus significativement, du clown ;
- ou par le masque, qui fige le trait au-delà de toute possibilité gestuelle. Certes, dans les civilisations traditionnelles, la figuration du masque en introduit d'emblée le porteur et les spectateurs dans l'univers mythique auquel ils aspirent : ainsi de danses masquées doublant certains rites tibétains. Mais c'est au niveau d'un visage que le mystère s'accomplit. Or, du visage sourd la voix, et le masque nécessairement l'assourdit ou l'amplifie. Les Dogon ont inventé le masque muet ; celui des Kwakiutl du Nord-Ouest américain est taillé de manière à dénaturer la voix de son porteur. La tradition occidentale, de la tragédie grecque aux carnavals médiévaux et à la *commedia dell'arte,* offre une riche gamme d'exemples divers : toujours le discours s'élève d'un visage emblématique et immobilisé [1].

Plusieurs cultures, certaines traditions, des artistes dans leur pratique individuelle attachent en performance une valeur exclusive aux gestes des membres supérieurs et de la tête, associés ou non à la mimique. Il suffit d'imposer à l'exécutant la position assise pour rendre impossible tout mouvement d'ensemble du corps. Ainsi du *rakugo* japonais, où l'extrême économie des gestes autorisés ne laisse à l'acteur la liberté que de la main, de l'avant-bras, de la tête. Ainsi, des récitants touaregs, dont les gestes s'inscrivent dans ce que G. Calame-Griaule appelle « le carré du conteur », espace dont les dimensions extrêmes vont de la ceinture à l'occiput et d'une main à l'autre des bras à demi ouverts [2]. Ainsi encore, par-delà le langage, des danses assises de Bali. Si l'exécutant tient un instrument de musique, comme le font les chanteurs camerounais de *mvet,* cette contrainte supplémentaire lui interdit les mouvements de mains.

Lorsque la performance requiert la figuration du corps entier, celle-ci peut se réaliser de deux façons, non nécessairement conjointes : statiquement, comme posture, ou dynamiquement, comme « danse » : modulant un discours (ce sera le *mime*), ou *danse* proprement dite.

C'est la forme du *mime* que revêt normalement, dans toutes les cultures, la performance poétique. Totalement présent, le corps joue le discours. L'ampleur des mouvements mis en œuvre, le degré de dramatisation peuvent différer beaucoup : il n'importe. En Afrique, où les contes se miment, certains (chez les Éwé, les Yoruba) se distinguent à peine de ce que serait pour nous un théâtre. Dans les funérailles Bobo, en Haute-Volta,

1. Stein 1978, p. 246-247 ; Bologna 1981, § 2.1 ; Finnegan 1976, p. 509-515.
2. Zumthor 1981*a*, p. 28-29 ; Calame-Griaule 1980.

danses, chants et discours imitent des séquences d'événements de la vie du défunt, et ses tics, son timbre de voix, sa démarche. Les derniers récitants d'épopée que l'on rencontre encore au Japon miment en acteurs leur récit. Jelly Roll Morton, illustre jazzman des années vingt, se targuait d'avoir inventé les *stromps,* morceaux de provocation rythmique destinés à déclencher la gesticulation des auditeurs [1].

Du *mime* à la *danse,* l'opposition est du même ordre, graduel et incertain, que de la prose au vers, et du *dit* au chanté. Seuls les termes extrêmes de la série tombent sous une définition tant soit peu ferme. Je qualifierais de *mimes* les quasi-danses que constituent - rythmés par le geste artisanal ou les élans d'une douleur stylisée - la plupart des chants de travail ou des lamentos comme ceux dont j'ai été spectateur en Centrafrique. Seront *danse* en revanche les mouvements collectifs accompagnant symboliquement les chants guerriers de l'Afrique orientale [2].

La *danse* en effet inverse la relation de la poésie avec le corps. Lorsqu'elle s'accompagne de chant, celui-ci prolonge, souligne un mouvement, l'éclaire : le discours glose le geste, tel le chant qu'exécute, en dansant, un barde népalais parmi les ouvriers qui repiquent le riz... et ce n'est pas un hasard si la première diffusion du jazz aux États-Unis a coïncidé avec le «boom de la danse» qui, vers 1910, fit substituer les rythmes de ragtime et des mouvements de bercement et de marche glissante aux figures plus haletantes des polkas et des valses [3]. C'est d'alors que date l'institution des dancings, caractéristique de notre culture.

Bien des danses, il est vrai, muettes, ne concernent pas, comme telles, la poésie. Pourtant, l'absence de parole prend parfois valeur d'indice et suscite un sens complémentaire de celui qu'engendre le mouvement corporel. Ainsi, des danses africaines masquées, dont le silence s'interprète rituellement comme un au-delà du langage. Ainsi peut-être des danses dont les mouvements s'enchaînent en narration assez aisément «lisibles» pour les spectateurs : telle notre pantomime ; tels le *cham* tibétain, étroitement lié au rituel lamaïque, ou les processions dansées du christianisme médiéval [4]. La pure arabesque corporelle mouvante de ce que l'on appela avec dédain la «danse du ventre» spatialise le jeu de la flûte, du tambour, de tout l'orchestre : le corps entier de la danseuse, musicalisé, devient chant dans sa matérialité même.

---

1. Collier, p. 106.
2. Finnegan 1976, p. 153, 208-211, 238.
3. Gaborieau, p. 236 ; Collier, p. 86-87.
4. Calame-Griaule 1965, p. 523-526 ; Stein 1978, p. 245-246.

La ligne de partage est bien incertaine qui, de ces spectacles-là, sépare le ballet occidental ou le *ma* japonais d'Hideyuki Yano. Toutes les cultures humaines semblent collaborer à quelque vaste théâtre du corps, aux manifestations infiniment variées, aux techniques aussi diversifiées que nos gestes quotidiens, et sur la scène duquel la poésie orale apparaît soudain comme l'une des actions qui s'y jouent... C'est pourquoi, en cours de performance, à moins qu'une règle stricte ne le contraigne, l'exécutant passe de la mimique immobile à la danse, de celle-ci aux effets de regard, et tire de ces contrastes une harmonie d'autant plus intense qu'on la perçoit au sein d'une parfaite unité. Parfois, tandis que le corps entier se meut et participe, l'un de ses gestes est plus chargé de signification que les autres : ainsi des danses indiennes dont le message essentiel provient du mouvement des mains, le reste du corps n'en formant que le contexte[1].

La danse, plaisir pur, motion corporelle sans prétexte que soi, est aussi, par là même, conscience. De la danse solitaire à la danse de couple et à la danse collective croît la perception chaleureuse d'une unanimité possible. Un contrat se renouvelle, signé par le corps, scellé à l'effigie de sa forme pour un instant libérée.

La danse épanouit, dans leur plénitude, des qualités communes à tous les gestes humains. Elle manifeste ce qui s'occulte ailleurs ; révèle le refoulé ; fait éclater l'érotisme latent. Les danses traditionnelles de l'Afrique en portent impudemment témoignage, encore entées sur le mouvement de la parole première, souvenir d'une libido cosmogonique antérieure aux désirs dont elle est grosse. C'est à l'époque où, en Occident, triomphait le modèle de l'écriture que l'Europe, par le truchement de ses esclaves, prit avec effroi connaissance de cet art. *Calinda* de Guinée, *yucca*, plus tard la *rumba* qui en procède (et dont le nom pourrait avoir signifié « nombril » en langue kongo) : un danseur improvise une chanson dont les spectateurs reprennent le refrain scandé de claquements de mains, hommes et femmes ensemble, orgie potentielle justifiant les condamnations des baptiseurs et la répression des maîtres. Des danses incas évoquant les mêmes mystères génésiaques avaient déjà subi ce sort, quitte à survivre clandestinement jusqu'à nos jours[2].

Temps de pure *différance* entre les tensions successives, irréversible, au-delà des représentations figurées, jouissance plutôt que plaisir : la danse précéda le chant même. Selon C. M. Bowra, issue du rite par où le corps de l'homme impose son ordonnance

1. Ikegami, p. 389-390.
2. Jahn 1961, p. 83-84, 90 ; Collier, p. 68 ; Valderama, p. 310.

à l'Univers. L'ancienne sagesse chinoise lui confiait le rôle de garder le monde dans son juste cours et de contraindre la nature à la bienveillance. Maîtrisant l'espace, la danse, le geste n'en viennent pas moins de l'intérieur[1]. Ils progressent dans la durée de la performance, comme la voix : figure de la vie comme elle ; mais, contrairement à elle, on peut les arrêter sous le regard, les fixer, les peindre, les statufier. C'est pourquoi ils sont affirmation plus que connaissance, et moins preuve qu'épreuve.

Dans plusieurs cultures archaïques, une poésie dansée accompagne la production et la manipulation du feu : le frottement, l'élan de la flamme, la forge, miroir symbolique où semble se refléter la primordiale prise de conscience d'affinités irréductibles. Le chant, dans cette lumière, n'est plus que l'aspect verbalisé de la danse, et celle-ci exige une aptitude particulière, liée à la possession d'un pouvoir. Ainsi, dans la tradition des griots maliens, seuls détenteurs de la parole publique et spécialistes de certaines danses, la pratique de ces dernières en amateur est permise, il est vrai (exception significative) aux femmes, mais non pas aux mâles du village, et encore le style alors s'en modifie : où le griot donne un spectacle, la femme se livre à une action emblématique, car son pouvoir est autre, comme l'est son corps. Dans l'*Ozidi* nigérian, la parole épique elle-même par moments retourne au silence et laisse à la danse seule la figuration stylisée des actions collectives, combats, navigation, évocation d'esprits ; le récitant de l'épopée *Mwindo* s'interrompt pour danser les chansons qu'il insère dans son récit[2].

Tel est l'arrière-plan anthropologique des « chansons dansées » ou « chansons de danse » que possèdent toutes les cultures connues, phénomène sans doute premier de toute poésie. L'origine rituelle de beaucoup de ces chansons est encore sensible en Afrique, comme elle l'était naguère dans le *houla* d'Hawaï, où poésie, musique et chorégraphie constituaient une liturgie sous le patronage de la déesse Laka[3] ; comme elle l'était, dans les campagnes européennes, jusqu'il y a deux ou trois siècles, autour des « arbres de mai » ou des feux de la Saint-Jean.

Dans les chansons de groupes - soit à figures, comme les *square dances* toujours vivantes en Amérique du Nord, soit en rond ou en chaîne comme la farandole provençale -, geste et voix, réglés l'un par l'autre, cimentent l'unité du jeu, révélatrice d'un dessein commun : mais les circonstances viennent-elles le dramatiser, c'est la communauté d'un destin qui se scelle. L'effet cohésif du

1. Bowra 1962, p. 241 ; Huizinga, p. 14 ; Ong 1967, p. 157-158.
2. Durand, p. 385-388 ; Camara, p. 108-115 ; Okpewho, p. 53-54.
3. Finnegan 1978, p. 256.

rythme peut être accru par l'usage de claquettes, de battements de mains, d'autres procédés de scansion forte. La partie chantée, accompagnée ou non, est généralement tenue par un soliste ou un chœur, les danseurs en reprenant l'écho ou y répondant par une ritournelle : ainsi, probablement, de la plupart des danses médiévales, dont semble provenir la technique moderne des chansons à refrain ; plus près de nous, le *branle* du XVIIIᵉ siècle qui, en 1792, prêta peut-être son rythme à la *Carmagnole*... à moins que celle-ci n'ait été faite sur un air de danse marseillaise répandu par les Fédérés ; ou le *kan ha diskan* breton, remis en honneur au cours des années cinquante par les sœurs Goadec. Inversement, en Afrique aujourd'hui encore, hier chez les Amérindiens, çà et là dans les folklores européens, un danseur soliste s'exécute au centre du cercle formé par les spectateurs-chanteurs auxquels le lie ainsi l'unanimité de leur double fonction[1]. La «danse des paniers», à laquelle j'assistai chez les Indiens Pina de l'Arizona, célèbre le printemps et évoque la fécondité de la terre en mouvements d'un chœur muet de femmes, tandis que des chanteurs immobiles commentent ce mystère.

Les danses de couples, telles que nous les pratiquons encore, semblent propres à la société occidentale moderne. Plus évidemment (mais superficiellement) connotées d'érotisme que ne le sont nos danses de groupe, elles emblématisent, d'un partenaire à l'autre, le jeu de leur désir, sans l'intégrer de manière explicite aux cycles collectifs. Leur âge d'or coïncida, le long des XVIIᵉ, XVIIIᵉ, XIXᵉ siècles, avec celui de la bourgeoisie triomphante. C'est pourquoi sans doute le métier de maître à danser disparaît de nos mœurs ! Dès les années déjà lointaines du charleston, et bien plus depuis la Seconde Guerre mondiale, la danse pour nous, désormais toujours rythmée au chant d'un soliste, redevient fête collective, dissociant les couples en individus désaliénés, mais, en même temps, les immergeant dans un déchaînement unanime : retour à ce que fut le tango avant l'emprunt européen, un psychodrame des prolétaires de Buenos Aires.

Le texte des chansons à danser, déterminé par sa fonction, s'apparente au geste qu'il verbalise. Bref, tranché court, réduit à l'appel, à l'exclamation allusive, à la sentence ; ou plus ample, à larges retours strophiques se prêtant aux modulations émotives et aux évocations mythiques. La nécessaire récurrence régulière d'unités rythmiques - gestuelles, vocales, instrumentales et, par voie de conséquence, textuelles - rend en revanche presque impossible la composition de chansons de danse explicitement narratives. On en cite des exemples isolés : aux îles Féroé, l'on

1. Burke, p. 114-115 ; Brécy, p. 16 ; Vassal 1980, p. 59-60.

dansait au chant de ballades héroïques ; dans l'Espagne du XVIe, du XVIIe siècle, sur des récits du *Romancero :* Menendez Pidal décrit un bal de ce genre auquel il assista en août 1930[1].

Dès que commencent à se désarticuler les rituels anciens, une circulation incessante s'établit entre les chansons de danse et les autres formes de poésie orale. Dans la tradition française, dès le XVe siècle, des couplets à danser furent composés sur la trame mélodique de chansons à la mode, ou inversement : le « ballet de Cour » du XVIIe siècle régularise cette pratique. Au XVIIIe, chansons parodiées, ariettes du théâtre de la Foire, chansons du Caveau emploient des timbres tirés d'opéras-ballets. Au XIXe, la plupart des danses s'accompagnent de chansons, ou servent de « timbres » à d'autres compositions. Disque et radio ont renforcé ce double mouvement, et l'histoire de la chanson depuis les années vingt serait impossible à faire indépendamment de celle de la danse. Il est arrivé que l'on danse sur une chanson à succès (ainsi, *le Déserteur* de Boris Vian) qui n'avait pas été écrite à cette intention : sans subir aucune modification formelle, le texte change alors de fonction, mais non de nature. On soutiendrait sans paradoxe qu'à ce compte la chanson à danser n'existe plus chez nous comme genre[2].

Ce que le monde contemporain, dans la débâcle des valeurs de tradition, semble en effet retrouver, de manière sauvage et passionnelle, c'est la fonction totalisante de la danse : et cela exclut les distinctions génériques. Chez les Indiens Chiripa, le meneur de la danse était désigné d'un nom signifiant « maître du chant », et symboliquement cela s'entendait comme le porteur du message sacré[3]. Or, cette circularité - linguistique, esthétique, mentale - commune à la plupart des cultures d'oralité pure, n'est-ce pas elle que cherche pathétiquement à recomposer, à reclore, dans ses festivals ou ses discothèques, dans la médiocrité trépidante de beaucoup de ses tubes, par-delà l'émiettement des corps et du langage, un jeune peuple exilé de nos siècles d'écriture ?

Le corps porte le vêtement, la parure : indissociable d'eux, quoique puisse différer le rapport qui les lie. L'appareil en effet peut être ou non codifié ; amplifié ou non par des accessoires. Codifiés avec rigueur, le kimono, le foulard, l'éventail du conteur du *rakugo ;* la ceinture, le poignard, le foulard et ses nœuds du chanteur gaucho. Subsiste une marge de variation : couleur du

1. Menendez Pidal 1968, II, p. 374-378.
2. Vernillat-Charpentreau, p. 75-77.
3. Clastres, p. 62 ; Herkovits, p. 276.

kimono, forme des nœuds... Quant à l'accessoire, il n'est autre parfois que l'un des instruments musicaux ou vocaux de la performance, auquel est ainsi conférée une valeur éminente, autant déictique que symbolique : la guitare ou le micro, dans l'usage typé qu'en font beaucoup de nos chanteurs [1].

La vêture de l'exécutant assume des valeurs diverses. Neutre, dépourvue de signal excentrique, elle confond le récitant ou le chanteur dans la foule de ses auditeurs, dont le distingue seul son rôle de porte-voix, peut-être mis en relief par cette apparente banalité : tel chanteur roumain de ballades, dans un village des Carpathes, parmi les buveurs à casquette et à gilet tricoté, l'un des leurs ; tel vieux conteur Amérindien du Nord québécois, en jeans et pull-over, assis sur le perron de sa maisonnette préfabriquée ; telle ou telle de nos chanteuses de cabaret.

En d'autres circonstances, la vêture concourt, par son apprêt général ou quelque détail notable, à l'ornement de l'homme même, ainsi présenté comme hors du commun, associé aux stéréotypes de beauté ou de force courants dans le groupe social où il s'exhibe. Cimier de poils de fauve et de cauris, robe de fourrures assemblées en dessins géométriques, blouses multicolores des griots guinéens, épaisse bijouterie de leurs femmes accompagnatrices, les paupières grises d'antimoine, les lèvres sanglantes de kola... ou nos harnachements argentés de chanteurs de rock, les cabans de marin des Dexys Midnight Runners. Seydou Camara, le chanteur épique enregistré par Bird, portait le costume même, couvert d'amulettes, du héros de son poème ; Rureke, chanteur du *Mwindo,* tient dans la main droite le sceptre du sien ; le chanteur de l'*Ozidi,* son épée... [2]. Des traditions rituelles interfèrent ; ou peut-être l'ornement se ritualise : un seuil est bientôt franchi. Par-delà, ce n'est plus l'homme, mais la fonction que provisoirement il incarne : symboles sacrés ou profanes, emblèmes par où se perpétuent les expériences vécues ou rêvées d'une collectivité, oripeaux colorés et coiffures du théâtre pékinois traditionnel, blousons de cuir de Vince Taylor, sinon le canotier, naguère, de Maurice Chevalier. Les expériences de J. Cosnier prouvent l'importance du rôle joué par les éléments visuels dans l'impression que fait, sur l'auditeur, la parole qu'on lui adresse, sinon sur l'interprétation même qu'il s'en donne. La performance exploite ce trait de nature.

Ou bien, le rite s'inverse, effaçant la présence de l'homme au profit d'une fonction fictive, paradoxale ou négatrice : le vêtement devient déguisement, complété à l'occasion par le masque.

1. Zumthor 1981*a,* p. 29-30 ; Anido, p. 163-167.
2. Camara, p. 112 ; Ma, p. 93-94 ; Okpewho, p. 43.

Toutefois - compte tenu de quelques rituels archaïques, ou de l'usage, survivant çà et là, de chansonnettes satiriques durant les défilés du Carnaval -, le fait est exceptionnel dans la pratique de la poésie orale. La performance semble répugner à cet escamotage de la personnalité dont émane la voix.

Au-delà du corps, le «décor», tout ce qui tombe sous le regard : parfois réglé au même titre et avec autant de rigueur que le vêtement : on atteint ici, dans l'enchaînement des formes, les confins où la poésie orale devient théâtre, totalisation de l'espace d'un acte. Aboutissement d'un dessein intégré dans la poésie orale dès sa chanson primale, le théâtre demeure présent à chaque performance, virtualité toute prête à s'y réaliser.

Geste, vêtement, décor avec la voix se projettent dans le lieu de la performance. Mais les éléments qui les constituent un à un, mouvements corporels, formes, couleurs, tonalités, et les mots du langage composent ensemble un code symbolique de l'*espace*. Lieu, espace : selon les mots de M. de Certeau, comme la langue par opposition à la parole ; le système, à la mobilité ; l'ordre, à la vitesse ; l'appropriation de ce qui se juxtapose et coexiste au déploiement de programmes [1]. Dans l'Europe des XVIIe et XVIIIe siècles, des chanteurs et acteurs de foire, sous l'appellation internationale de *saltimbanchi, mountebanks, Bänkelsänger,* engendraient ainsi par leurs acrobaties l'espace où déployer leur voix... comme Peter Townsend, le rocker de *My Generation,* hymne des années soixante, entrant en scène en combinaison de pompiste, un verre à la main, une serviette de boxeur au cou, et cassant micros et amplis au bruit des pétards ! La récurrence ou la syncope des unités gestuelles concourt avec celles des accents vocaux et des formes linguistiques : dans l'harmonie ou la dissonance intentionnelle, elle en confirme la cohésion, enferme dans cet espace la durée hors temps du discours. La forme «pure» de l'œuvre poétique orale, c'est ce qui, de la dimension donnée à son espace par le geste, subsiste en mémoire après que les mots se sont tus. Telle est l'expérience esthétique que constitue la performance.

Cet espace en effet ne s'identifie pas à la seule étendue de la perception. Espace en partie qualitatif, il est support de symboles, zone opératoire de la «fonction fantastique» désignée par Gilbert Durand. Dans l'espace des géomètres s'inscrivent les actions composant nos destinées ; dans l'espace de la performance s'engendre d'elle-même une action envoûtant le destin [2].

1. Certeau, p. 208 ; Scheub 1977, p. 345.
2. Sartre, p. 165 ; Durand, p. 472-480 ; Ong 1967, p. 163-167 ; Durand 1981.

D'où l'euphémie du geste, quel que soit son aspect visuel. C'est pourquoi l'idée - fût-elle voilée - que le geste pourrait n'être qu'une ornement de la poésie orale suffirait à gauchir et à stériliser toute interprétation. Ce que recrée le geste, de manière désidérale, c'est un espace-temps sacré. La voix, personnalisée, resacralise l'itinéraire profané de l'existence.

IV. Rôles et fonctions

12. L'interprète

Poète et interprète. L'«auteur». L'anonymat. - Situation sociale. - Les chanteurs aveugles. - Modalités de l'interprétation.

J'ai, dans les chapitres précédents, usé du mot de *poète,* pour désigner celui ou celle qui, exécutant la performance, est à l'origine du poème oral, perçu comme tel. C'était là une simplification provisoire. *Poète* subsume plusieurs rôles, selon qu'il s'agit de composer le texte ou de le dire ; et, dans les cas les plus complexes (et les plus nombreux), de le composer, d'en composer la musique, de le chanter ou de l'accompagner instrumentalement.

Ces rôles peuvent être remplis par la même personne ou par plusieurs, individuellement ou en groupe. La diversité des combinaisons ainsi possibles est l'une des causes principales de l'extrême variété apparente de la poésie orale. Elle engendra bien des malentendus chez les historiens de la littérature. Notre mentalité, façonnée par la pratique de l'écriture, nous pousse à conjoindre les idées de texte et d'auteur ; simultanément, notre sensibilité, gauchie par les expériences des cent dernières années, nous porte à identifier (je l'ai signalé au chapitre I) poésie orale et folklore, c'est-à-dire anonymat et tradition impersonnelle.

Aucun de ces préjugés ne rend compte des faits, ni chez nous ni ailleurs. La répartition des rôles, dans la production de l'œuvre orale, ne dépend que dans une faible mesure des conditions culturelles. L'Afrique offre autant d'exemples d'exécutants non compositeurs que l'inverse, et la composition du texte n'y va pas toujours de pair avec celle d'une mélodie. Mais encore les variantes apportées en performance à une chanson traditionnelle font-elles de l'exécutant un auteur ? Je reviendrai au chapitre XIV sur cette question. Chez nous, un Boris Vian exécuta des œuvres dont il avait composé texte et musique, ou texte seul, musique seule, ou ni l'un ni l'autre. Un Brassens, un Brel chantaient en général leurs propres poèmes, mais en ont écrit, texte ou musique, qu'ils firent chanter par d'autres. La plupart des *rockers* sont à la fois auteurs du texte, compositeurs, et musiciens-chanteurs ; mais cette unité se dissocie quand, la musique ayant franchi l'Océan, un parolier français comme Claude Carrère ou « Jil and Jan » transpose le chant original américain [1]. De cent chansons prélevées de façon aléatoire sur la production de la fin des années soixante, et chantées par des artistes non compositeurs, j'en compte quarante-quatre dont le texte et la musique sont du même auteur ; cinquante-six, d'auteurs différents.

Encore ne saurait-on mettre sur le même pied une collaboration plus ou moins épisodique et celle qui attache pour une partie importante de leur œuvre commune un écrivain et un musicien, comme jadis Prévert et J. Kosma. Conviendrait-il de tenir compte de la disproportion qualitative existant parfois entre les rôles : médiocre parolier d'un musicien de talent ; ou tous deux simples fournisseurs d'un chanteur en vogue ? d'où une hiérarchisation fonctionnelle influant sur le mode de réception de l'œuvre. Serait-il juste, enfin, de classer à part les chansons résultant d'une mise en musique de poèmes écrits dans une autre intention, parfois depuis fort longtemps et par des écrivains unanimement reconnus comme tels : ainsi, les vers d'Aragon mis en musique par Léo Ferré ? Hésitations d'autant plus fortes que, dans notre pratique, rarement une chanson appartient au répertoire exclusif d'un chanteur : l'un des rôles est donc, en fait, mobile. Mais cette remarque s'appliquerait, toute proportion gardée, aussi bien à la poésie orale des sociétés traditionnelles.

La performance « libre », pour l'essentiel, ne diffère pas de celles-là : un individu, sans qualification particulière, chante ou récite - pour lui-même ou pour d'autres - un poème préexistant ou bien qu'il a composé lui-même, soit en brodant sur un autre texte, une autre mélodie, soit en produisant une œuvre originale. Le pur plaisir de chanter ou de dire le motive ; ou bien, un événement qui s'est produit dans le groupe, y provoquant joie, ironie ou colère.

Dans toute pratique de la poésie orale, le rôle de l'exécutant compte plus que celui du ou des compositeurs. Non qu'il l'éclipse tout à fait ; mais, manifeste dans la performance, il contribue davantage à déterminer les réactions auditives, corporelles, affectives de l'auditoire, la nature et l'intensité de son plaisir. L'action du compositeur, préliminaire à la performance, porte sur une œuvre encore virtuelle. Dans notre pratique ordinaire non moins que dans celle des vieilles civilisations orales, on associe spontanément une chanson au nom de celui qui l'exécuta dans telles circonstances ; un hymne traditionnel, à la qualité sociale ou vocale de tel chanteur. Référer à l'auteur est érudition de lettré.

1. Finnegan 1976, p. 105-106, 266 ; Hoffmann-Leduc, p. 41-42 ; Vassal 1975, p. 172.

De là, sans doute, l'idée que la poésie orale, sauf exception, est anonyme. Le terme fait illusion si l'on ne précise auquel des rôles poétiques il renvoie. L. Lacourcière assurait, à propos des contes et chansons du Québec, que l'«auteur» n'est pas un rôle de la littérature orale : l'«œuvre» nous parvient grâce à une chaîne d'intermédiaires dont au mieux les derniers seuls nous sont connus[1]. Ce jugement abrupt reflète une opinion répandue chez les ethnologues, et qui provient de ce que leur modèle de référence demeure (consciemment ou non) la littérature écrite.

Invoquer l'anonymat d'un texte ou d'une mélodie, ce n'est pas constater la simple absence d'un nom, mais bien une ignorance insurmontable à ce propos. C'est pourquoi la performance elle-même n'est jamais anonyme. L'ignorance en effet a deux causes : ou bien l'épaisseur et l'opacité d'une durée : ou bien la dispersion numérale quand il apparaît que plusieurs personnes ont successivement mis au point les éléments de l'œuvre. Mais il n'y a pas d'anonymat absolu. Certes l'auditoire, en général, n'a cure de l'«auteur» de ce qu'il entend[2]. Cette indifférence n'implique pas qu'il nie son existence, fût-elle mythique. Dans les sociétés même les plus traditionnelles, l'exécutant sait bien que la question viendra tôt ou tard : D'où tiens-tu cela ? Toujours la question fera sens. L'exactitude de la réponse importe peu.

X. Ravier, dans son enquête de 1959 sur les ballades gasconnes, obtint sur l'identité d'auteurs pourtant récents des informations parfois contradictoires qui révélaient peut-être, autant qu'un oubli, un camouflage. Le chanteur fidjan Velema, enregistré par B. Quain dans les années trente, annonçait quel ancêtre s'exprimait par sa bouche et comment il lui aurait en songe communiqué son poème. Tel chanteur africain récite la généalogie de ceux dont il tient son chant ; ou bien, se nomme d'emblée, fournit le nom du maître qui l'instruisit de son art et parfois le prix qu'il a payé. Nasir Udin, qui revendique sa dignité d'auteur, se nomme, à la fin de son chant, en qualité de porte-voix de la communauté. Du moins, quand le chanteur ainsi décline son nom, la phrase par laquelle il le fait est souvent intégrée au poème, donc intériorisée, référée au dessein propre de la performance. Les *folhetistas* brésiliens, très proches encore de leur oralité originelle, semblablement signent par acrostiche leurs livrets... ce qui n'empêche aucunement le plagiat, puisqu'il suffit de modifier l'acrostiche[3] !

Le contexte culturel général ne joue en cela qu'un rôle

1. Lacourcière, p. 224.
2. Finnegan 1977, p. 187-188, 201-202 ; Bowra 1978, p. 404-407.
3. Ravier-Séguy, p. 72 ; Finnegan 1977, p. 178-183, et 1978, p. 7 ; *Literatura*, p. 20-21.

accessoire. L'anonymat n'est pas en soi plus « primitif » que la propriété littéraire n'est une marque de civilisation « avancée » ! L'Inuit Orpingalik, dans les années vingt, revendiquait avec fierté auprès de Rasmussen la propriété de ses chants. Ce qui est en cause, ce sont les idées courant encore parmi nous sur l'individualité et l'autonomie de la production poétique, ainsi que la notion même d'auteur. Opposer à ce propos l'oralité à l'écriture n'explique rien. C'est à partir d'une réflexion sur l'écrit que la critique contemporaine en est venue à diluer l'auteur dans son texte, et à lui dénier le droit de se poser en instance extérieure et créatrice, détentrice exclusive du sens. La culture occidentale, depuis le XIIᵉ siècle, à mesure qu'elle se laïcisait davantage, transférait sur les détenteurs de l'écriture la vieille conception théologique du Locuteur divin [1]. Peu à peu prenait ainsi consistance ce que l'on nommerait un jour « littérature ». Le langage désormais ne servait plus au simple exposé d'un mystère du monde, n'était plus l'instrument d'un discours en lui-même hors de question : dorénavant, le langage se fait ; les discours émiettés ne tiennent plus leur *autorité* que de l'individu qui les prononce...

Cette idéologie aujourd'hui se désagrège, et demain peut-être seule l'industrie de l'édition en maintiendra le souvenir et la fiction. Bien d'autres cultures n'auront jamais pris ce détour : qu'elles soient condamnées à mort ne change rien à ce fait. C'est ainsi qu'Eno Belinga propose de substituer, s'agissant des cultures africaines traditionnelles, à l'idée d'auteur celle d' « arrière-pensée » [2].

Cependant, autorité, pour nous, implique possession, juridiquement consacrée. Or la propriété poétique n'est pas en soi une idée neuve ni, elle, particulière à nos mœurs. La plupart des sociétés, même parmi les plus archaïques, reconnaissent et sanctionnent un droit exclusif d'usage ou de possession de certains produits poétiques : tel chant appartient à un village, une confrérie, une famille, un individu ; et le bénéficiaire de ce droit, selon les ethnies, sera le compositeur du poème, le récitant ou le dédicataire. Ainsi en plusieurs régions d'Afrique et de Polynésie, ainsi que chez les Inuit. Le poème est un bien : on le conserve, le préserve, le lègue, dans certains cas on l'échange [3]. Ce qui nous distingue, c'est la commercialisation de ce bien, la consécration financière de son exploitation : le droit d'auteur. Mais celui-ci est lié à l'emploi de l'écriture, de sorte que le parolier et le compositeur, dont peut-être aucun auditeur n'a cure, perçoivent

1. Gossman, p. 770, 773 ; Certeau, p. 240-241.
2. Eno Belinga 1978, p. 67.
3. Finnegan 1977, 203-205 ; Copans-Couty, p. 183.

un revenu de la performance exécutée par un tiers : procédure excluant du même coup le public à qui est ainsi ravi tout sentiment de participer à la production de l'œuvre.

Je considérerai, dans la suite de ce chapitre, les seuls rôles engagés réellement dans la performance et que je désigne ensemble du terme d'*interprète*. L'interprète, c'est l'individu dont on perçoit, à la performance, par l'ouïe et la vue, la voix et le geste. Il peut être aussi compositeur de tout ou partie de ce qu'il dit ou chante. S'il ne l'est pas, on questionnera la relation qui l'attache au(x) compositeur(s) antérieur(s). Il arrive que le public adopte envers l'interprète le même comportement qu'envers un auteur : le souvenir et le titre de telle chanson s'attache au nom de l'un des chanteurs qui l'ont propagée au point d'apparaître comme sa chose. Ainsi *Lily Marlène* pour Marlène Dietrich, au détriment de Lale Andersen.

Aucune règle universelle ne régit le mode d'insertion de l'interprète dans la société à laquelle il appartient. L'inventaire que dresse R. Finnegan montre que toutes les possibilités concevables sont en fait, ici ou là dans le monde, réalisées : sociétés dont tous les membres possèdent une égale maîtrise du trésor traditionnel ; d'autres où son usage est réservé à un petit nombre de professionnels [1].

Dans certains villages africains, toutes les femmes composent et chantent des berceuses, des hymnes nuptiaux, des lamentations funèbres ; tous les hommes connaissent des chants de travail ou d'initiation ; les enfants, des comptines ; mais cette division des tâches poétiques ne comporte ni exclusive ni véritable spécialisation. Les Somalis, amateurs passionnés de chant, ignorent tout professionnalisme, en dépit de l'extrême complexité de leurs techniques poétiques et de la rigueur avec laquelle est capable d'en juger n'importe quel auditoire : situation que l'on retrouve chez des peuples aussi différents que les Indiens Pueblo du Nouveau-Mexique et les Inuit du Canada. Les Xhosa d'Afrique du Sud, en revanche, distinguent parmi eux trois espèces d'interprètes : tout homme ayant le don d'improviser dans les règles ; les individus qui savent réciter et développer les poèmes mémorisés de leur clan ; et les spécialistes chargés de composer les panégyriques. Dans l'Asie centrale du XIXe siècle, seuls des récitants masculins spécialisés disaient les poèmes héroïques des Turkmènes et des Kirghiz ; mais, chez les Yakoutes et les Toungouses, le même office était rempli par des femmes sans formation particulière. Les Mongols, aujourd'hui en grande partie

---

1. Finnegan 1977, p. 170-200.

alphabétisés, non seulement conservent leurs traditions poétiques orales, mais un nombre croissant d'amateurs, semble-t-il, cultive cet art, jadis réservé à des bardes errants, ou à des ménestrels attachés à une cour princière ou à une lamaserie[1].

L'interprète peut être un professionnel appartenant à un groupe stable, institutionnalisé, lié au pouvoir, et détenteur de privilèges. L'archétype en serait le poète-shamane des sociétés sans État. Dès qu'émerge celui-ci, les valeurs religieuses de la performance se connotent politiquement, et la connotation l'emporte à la longue sur la signification originelle : au terme de cette dérive, le poète fait fonction de devin officiel, de panégyriste ou de barde appointé. Ainsi des poètes arabes pré-islamiques, personnages autant que le chef indispensables à la vie de la tribu, gouverneurs de la parole, dépositaires de la mémoire collective, chantres des ancêtres[2]. Ainsi des chanteurs du *Ge-Sar* tibétain qui, mimant leur épopée, usent pour en incarner les personnages des procédés du chamane évoquant une divinité.

Cette laïcisation de l'interprète peut aboutir à faire de lui un fonctionnaire, comme l'étaient jadis les *imbongi* attachés aux chefferies d'Afrique du Sud, porte-parole du peuple, modérateurs du pouvoir, historiens, amuseurs : la communauté les avait choisis pour leur éloquence, leur jugement, leur aptitude à émouvoir. L'institution survécut à la christianisation, à la formation même de la République sud-africaine. Les derniers *imbongi* d'aujourd'hui, coupés de leur tribu, alphabétisés, urbanisés, devenus instituteurs, agents de police, chauffeurs de taxi, en sont réduits à chercher des engagements à la radio, à s'exécuter lors de funérailles ou de réunions politiques. A moins qu'ils n'aient la chance de gratter du papier au secrétariat d'un chef local, leur seul contact avec la vie de leur peuple passe par le journal. Pourtant, même s'il leur arrive de recourir à l'écriture, leur poésie orale subsiste : et de nos jours encore s'éveillent des vocations d'*imbongi*[3].

Les griots de l'Afrique occidentale (auxquels S. Camara consacra en 1976 un beau livre) remplissaient dans les États précoloniaux une fonction politique éminente au lieu hiérarchique où se croisent les relations de solidarité et s'instaurent les discours : conseillers des rois, précepteurs des princes, membres d'une

1. Finnegan 1976, p. 104, et 1978, p. 39, 41, 99, 123-124, 207 ; Beaudry, p. 39 ; Bouquiaux-Thomas, I, p. 108 ; Kesteloot 1971*a*, p. 3 ; Opland 1971, et 1975, p. 186 ; Chadwick-Zhirmunsky, p. 213 ; Bowra 1978, p. 41.
2. Rouget, p. 185-196 ; Finnegan 1976, p. 88, et 1977, p. 188-189 ; Abd El-Fattah, p. 163 ; Stein 1959, p. 304-307.
3. Opland 1975, p. 192-194, 199-200.

caste héréditaire détentrice de la parole agissante. L'immunité dont ils jouissaient - dont ils jouissent encore - désamorce la menace occulte des mots. Moqueurs, bouffons, prêts à tourner en dérision le chef même dont ils sont les porte-parole exclusifs, dépositaires des techniques oratoires, des épopées, des chants généalogiques, de la musique instrumentale : on les redoute en même temps qu'on les méprise. Des partis politiques (ainsi, en Guinée) s'en servent aujourd'hui pour leur propagande ; des sociétés privées, des familles, pour célébrer leurs fêtes. Des entrepreneurs de spectacle en tirent profit. J'entendis ainsi en 1978 à Los Angeles un récital du Malien Bakourou Sekou Kouyaté ! Les confidences qu'il fit alors sur la pratique de son art étaient empreintes d'un pessimisme étrangement contrastant avec les propos que tint en 1973 à B. Zadi le griot ivoirien Madou Diboré, convaincu de la nécessité de sa fonction sociale [1].

Certaines sociétés distinguent, parmi leurs traditions poétiques orales, un domaine réservé, confié à des spécialistes, tandis que le reste demeure d'usage libre et commun. Ainsi, au Cameroun, du *mvet*, dont les maîtres constituent une association professionnelle initiatique, de haut prestige. Parfois la spécialisation ne suffit pas à nourrir son homme, de sorte que le chanteur, pour varier sa clientèle, est contraint d'étendre beaucoup son répertoire. D'un chanteur toucouleur, l'auditoire requiert en une soirée l'exécution de chansons plaisantes, de chants de danse, de chants rituels, pour finir par un fragment d'épopée. Seydou Camara chanta pour C. Bird, vers 1970, outre le *Kambili,* plus de cinquante poèmes divers... [2].

Autre type d'interprète : les professionnels «libres», indépendants de toute institution, quoique parfois regroupés en confréries plus ou moins marginales comme les *skomorokhi* de la Russie ancienne ou les «jongleurs» médiévaux. Ils vivent de leur art, ou aspirent à le faire ! Mais les sociétés se montrent inégalement favorables à cette autonomie financière. Les *guslar* serbes interrogés par Lord et Parry exerçaient très professionnellement l'art épique à des occasions déterminées, mais pratiquaient un métier utilitaire, cultivateur, berger, maître d'école, cabaretier ; seul un mendiant pouvait se permettre de n'être que chanteur. Il en va de même aujourd'hui en plusieurs régions de l'Afrique et de l'Asie [3]. Quant à nos chanteurs patentés, aspirant au vedetta-

1. Finnegan 1976, p. 96-97 ; Camara, p. 7-9, 104-105, 156, 180 ; Zadi 1978, p. 154-164.
2. Alexandre 1976, p. 73 ; Okpewho, p. 35, 40.
3. Bowra 1978, p. 431 ; Finnegan 1976, p. 92, 97-98 ; Lord 1971, p. 17, 20 ; Okpewho, p. 37 ; Burke, p. 104.

riat, combien ne sont-ils pas, au moins temporairement, asservis aux besognes alimentaires ?

Dans les sociétés traditionnelles, l'indépendance à l'égard des institutions implique presque nécessairement le nomadisme. Seul y met un frein l'exercice d'une profession sédentaire et accaparante. Mais, alors même, resurgit, au temps de l'exercice poétique et dans une aire limitée, un mini-nomadisme inséparable - fût-il emblématiquement réduit à un circuit d'arrondissement - de la « liberté » d'un art... liberté qui parfois provient moins d'un choix que de l'usure d'un organisme jadis garant de la poésie orale : des griots sans patron battent aujourd'hui les chemins d'Afrique ! Les étudiants qui, vers 1960, colportaient dans les villages du Chili des chansons contestataires suivaient le droit-fil d'une tradition [1].

Jusque vers 1850, l'Europe entière fut ainsi parcourue de poètes, chanteurs, récitants nomades, amuseurs de la voix et du geste, que n'arrêtaient pas toujours les frontières linguistiques : personnages sociologiquement identiques de peuple en peuple jusqu'à l'extrémité de l'Eurasie : *akin* kirghiz ou chanteurs du *Heiké* en robe jaune de moine, le *biwa* en bandoulière le long des vertes campagnes du Japon [2].

La société industrielle n'a pas tout à fait éliminé ce nomadisme, dont elle conserve des reliques, traces d'un passé en voie d'extinction, sinon d'une liberté qu'elle récuse : *rambling men* américains comme un Woody Guthrie partant à quatorze ans, en 1926, à travers le Texas avec son seul harmonica, de bal en foire, de café en salon de coiffure ; *drop-outs* comme un Tom Rush, trente-cinq ans plus tard, de Harvard jusqu'à Saint-Tropez et au Quartier latin ; en Angleterre, Donovan et sa guitare. Mais, plus généralement, récupéré par le système, le nomadisme prend chez nous la forme (plus encore que des « tournées » sans lesquelles un artiste vocal ne saurait « percer ») d'un abandon aux hasards de la concurrence et à ce que l'on nomme, sans doute par antiphrase, les *lois* du marché [3].

Toute pratique professionnelle de la poésie suppose que s'en est fait un apprentissage, consacré par l'opinion publique. L'existence d'écoles spécialisées n'est pas limitée aux sociétés d'écriture. Les Maori de la Nouvelle-Zélande, plusieurs populations polynésiennes éduquèrent leurs chanteurs, jusqu'à la fin du XIXe siècle, dans des locaux distincts, sous la direction de maîtres responsables et selon des programmes fixés par la coutume.

1. Niane 1979, p. 5-6 ; Clouzet 1975, p. 44.
2. Burke, p. 91-96, 103 ; Chadwick-Zhirmunsky, p. 218 ; Sieffert 1978*a*, p. 21.
3. Vassal 1977, p. 97, 263, 308.

L'ancien Rwanda, l'Éthiopie formaient de même leurs poètes de cour ; on invoquerait aussi bien les écoles de bardes de l'Irlande médiévale. Ces exemples demeurent toutefois exceptionnels : notre monde hyperscolarisé lui-même ne possède, à côté de ses écoles de musique et de danse ou de ses cours de déclamation, aucun enseignement organisé d'art poétique oral. Le seul type universel d'apprentissage est ainsi celui qui, se déroulant auprès d'un ou plusieurs artistes expérimentés, combine, avec l'imitation de ces modèles, une pratique progressive et critique. Tel est le cas de la plupart de nos chanteurs, comme ce l'était des *guslar* yougoslaves, comme ce l'est encore au sein de la caste des griots. Parfois l'élève et le maître appartiennent à la même famille, et il arrive que se constituent ainsi des dynasties de chanteurs, comme celle des Ryabinine, dans la région du lac Onéga, dont les ethnologues russes ont pu retracer l'histoire et identifier les œuvres sur une durée d'un siècle et demi... [1].

Ce qu'ont de flou les procédures d'apprentissage gomme toute distinction nette entre le professionnel « libre » en début de carrière et l'amateur expert, comme le sont, dans les villages calabrais ou grecs, les « pleureuses » requises à chanter le lamento. Cette ambiguïté est surtout ressentie, dans leurs enquêtes, par les folkloristes travaillant en milieu rural d'Europe ou d'Amérique. En quête de témoins autorisés, ils sont généralement contraints de les choisir parmi des gens d'âge avancé, et ceux-ci, survivants d'une culture pré-moderne, depuis des siècles coupée de ses sources collectives, procurent, avec un talent inégal, des textes et des mélodies qu'ils identifient à leur propre passé. Telle paysanne québécoise enregistrée par F. Brassard, qui à quatre-vingt-quatorze ans chevrotait encore des chansons apprises quatre-vingt-sept années plus tôt et s'en montrait heureuse, ne faisait que raconter sa vie [2]. Parler d'amateurisme n'aurait ni plus ni moins de sens qu'à propos de tous ceux d'entre nous qui chantent « pour leur plaisir ». Seul diffère de l'un à l'autre le lieu d'enracinement de ce plaisir.

Mais parfois l' « art » s'y met, ou le commerce qui en porte le nom : « on » découvre un chanteur populaire de talent, une tradition encore vigoureuse et signifiante. L'exploitation de cette découverte, par le disque ou toute autre technologie, instaure (au niveau du médiat) un professionnalisme second ; et celui-ci, par-delà le mercantilisme des intermédiaires, parfois engendre une nouvelle forme de poésie, source de plaisir collectif. Certes il

1 Finnegan 1976, p. 87, 1977, p. 189, et 1978, p. 290 ; Lord 1971, p. 21-29 ; Bowra 1978, p. 417, 429-430, 454.
2. Brassard ; Harcourt, p. 11.

arrive que le chanteur «sauvage», enregistré sans autre apprêt, soit livré au grand public discophile, comme le fut, en 1970, par R. Abrahams, la chanteuse de ballades Granny Riddle, en Arkansas, témoin de ce qui apparut comme un langage poétique fascinant mais définitivement perdu. En revanche, lorsque R. Rinzler, vers 1960, dénichait en Caroline Doc Watson et lui faisait, en compagnie de sa famille, enregistrer ses deux premiers albums, il ouvrait l'ère classique du folk américain. Un peu plus tard, en Angleterre, le trio de *Young Generation* découvrait la famille Cooper ; au Chili, Violeta Parra collectait dans la montagne les *cantos a lo divino* ou *a lo humano* des *puetas* locaux... [1].

Aucun des types d'interprète distingués comme je le fais ici n'est cerné d'un trait opaque. Les figures médianes ou mixtes ne manquent pas, et leur nombre s'accroît dans les sociétés aux traditions chancelantes [2]. Dans notre monde industrialisé, les étapes ordinaires d'une carrière de chanteur retracent et mettent en perspective la série complète de ces possibles : de l'amateurisme spontané au professionnalisme et à l'embrigadement dans une institution. Ce qui fut originellement un éventail de formes sociales n'est plus qu'un répertoire de situations individuelles successives, tendues vers le vedettariat final dont l'espoir les dynamise. Les fondements anthropologiques n'ont pour autant pas changé.

Rien en revanche n'autoriserait à voir, dans l'existence de plusieurs catégories d'interprètes, une projection de la division du groupe humain en classes sociales antagonistes, riches/pauvres, dominants/dominés, nobles/roturiers ou esclaves [3]. Une situation de fait, dépourvue de toute sanction coutumière, résulte parfois (comme dans l'Europe des XVIe et XVIIe siècles ou, hier encore, en Amérique latine) du mode d'alphabétisation : si la classe dominante accapare les techniques de l'écriture, tout ce qui tient à l'oralité devient virtuellement objet de répression, et les poètes oraux passent à tort ou à raison pour les porte-parole des opprimés.

L'histoire de la poésie orale à travers le monde révèle une constante d'un autre ordre qui, dans un régime archaïque de l'imaginaire collectif, a pu revêtir une forte valeur rituelle et sociale : la cécité de beaucoup de chanteurs. Les Grecs des premières générations de l'écriture, aux Ve, IVe, IIIe siècles, interprétaient le nom d'*Homère* comme signifiant l' «Aveugle». La tradition chinoise attribue en partie à des musiciens aveugles

1. Finnegan 1977, p. 183-187 ; Vassal 1977, p. 66, 297 ; Clouzet 1975, p. 23-24.
2. Finnegan 1977, p. 200.
3. Finnegan 1977, p. 195.

la diffusion des poèmes recueillis dans l'anthologie antique du *Che-King* ; la tradition japonaise, à des chanteurs aveugles celle, dès le XIIIᵉ siècle, de la geste des Taïra ; et l'on peut douter qu'il s'agisse là seulement d'une vue mythique : le Japon n'a jamais manqué de diseurs d'épopée aveugles, et en 1979 encore le professeur T. Shimmura en produisait un dans un congrès de médiévistes [1].

L'Afrique traditionnelle entourait d'un prestige mystérieux les griots aveugles ; aujourd'hui, selon ce que me disait P. Alexandre en 1971, les aèdes aveugles, nombreux au Cameroun, non moins que les poètes lépreux ou affligés d'autres infirmités, passent pour payer ainsi dans leur chair le privilège quasi sacral de maîtriser l'art épique. En novembre 1980, on m'entretint à Bamako d'un griot, célèbre jusqu'au-delà du Mali par la puissance de sa voix et de sa mémoire, Bâ Ousmana : aveugle de naissance, il possède des dons surnaturels, et l'on considère comme un inestimable privilège de pouvoir assister à l'une de ses performances. L'un de mes étudiants, Ghanéen d'ethnie Dagaa, m'a fourni un témoignage circonstancié sur un aveugle illustre de sa région natale, Zacharia, musicien et chanteur, détenteur d'un vaste répertoire de chansons de danse et improvisateur de talent, poète animateur des rassemblements de buveurs de bière de mil, encore retentissants de magies ancestrales... J'ai connu en 1981 à Brazzaville un jeune chanteur-compositeur analphabète, Émile Ndembi, originaire d'un village de brousse, aveugle depuis l'âge de deux ans et qui tente avec énergie et talent de « percer » en ville, vivant sa cécité comme un défi, intériorisant ainsi quels anciens mythes ? à la manière, peut-être, d'un René de Buxeuil dans le Paris d'entre-deux-guerres...

Des faits semblables ont été rapportés de sociétés traditionnelles de l'Extrême-Orient : Javanais ou Yakoutes du XIXᵉ siècle, Aïno du XXᵉ... Dans des sociétés ignorant notre notion d'handicapé, l'individu privé de la vue se garde intégré dans le groupe en y gagnant sa vie avec la parole. Mais, sous la nécessité socio-économique, veillent d'autres valeurs, plus ou moins confusément perçues, même en Occident. La légende qui, dans le sud des États-Unis, durant les années vingt, entoura Blind Lemon Jefferson, l'un des premiers chanteurs de blues, puis vers 1940-1950 le grand Doc Watson, Ray Charles, Stevie Wonder provenait pour une part de leur cécité... comme dans la France louis-quatorzième celle de l'illustre Savoyard, « Orphée du Pont-Neuf » [2] !

1. Bowra 1978, p. 420-421 ; Guillermaz, p. 8 ; Sieffert 1978*a*, p. 21.
2. Chadwick-Zhirmunsky, p. 228 ; Finnegan 1978, p. 463 ; Vassal 1977, p. 65 ; Collier, p. 46 ; Vernillat-Charpentreau, p. 223-224.

L'Europe entière, jusqu'au seuil de l'époque contemporaine (si l'on se fie à ses clichés littéraires ou picturaux), fourmille d'aveugles, errants ou sédentaires, chanteurs, acteurs, poètes de toute farine. Milton lui-même, ayant perdu la vue, dicta *Paradise Lost* à sa fille : la manière dont il le composait, sans aide de l'écriture, faisait de lui le plus génial de ces gens-là. Les traditions populaires attachaient à la cécité l'idée d'une vocation particulière, d'une aptitude merveilleuse à diffuser les œuvres de la voix, soit de bouche soit, médiatement, par la vente des imprimés les plus humbles, feuilles volantes, livrets de chansons, romans à grand tirage : ainsi dans la plupart des pays celtes, germaniques, slaves. Une corporation patentée regroupait au XVIIe siècle les aveugles de Sicile chanteurs de romances. Quand, en Angleterre vers 1820, P. Buchan partit en quête des vieilles ballades écossaises, c'est un mendiant aveugle, James Rankin, qui lui fournit la matière du recueil publié en 1828[1].

La péninsule ibérique et à sa suite l'Amérique latine ont, plus que d'autres parties du monde occidental, valorisé cette mystérieuse fonction de l'aveugle : le terme de *ciego*, dès le XIVe siècle, en vint à désigner en espagnol tout chanteur populaire, et l'expression *romances de ciegos,* jusqu'à la fin du XVIIIe siècle, un genre poétique dont les diffuseurs, sinon toujours les auteurs, furent en majorité des aveugles. Madrid posséda longtemps une Congrégation des conteurs aveugles vouée à la Vierge et, vers 1750, si bien vue des pouvoirs publics que plusieurs tribunaux l'informaient des causes criminelles dont confectionner des romances à succès. Jusque vers 1900, les aveugles s'étaient assurés d'un monopole de fait dans la vente des *pliegos sueltos*, livrets non reliés, véhicule d'une abondante littérature populaire à destination orale. Vers 1925, la circulation automobile avait chassé des villes la plupart des colporteurs. E. Caro Baroja signale le dernier d'entre eux à Madrid en 1933[2].

Même évolution au Portugal. Dans le sertão brésilien, en revanche, le temps des chanteurs aveugles est à peine révolu. Pendant deux ou trois siècles, les *cegos da feira* avaient parcouru ces étendues, chanteurs puis colporteurs de *folhetos*, méprisés par les « vrais » poètes et plus ou moins assimilés à des mendiants, pourtant parfois poètes eux-mêmes comme l'aveugle Aderaldo Ferreira, mort en 1967 après avoir, quatre ans plus tôt, publié ses mémoires[3].

Les sociétés encore proches des formes archaïques de l'imagi-

1. Burke, p. 97-98 ; Bowra 1978, p. 440 ; Sargent-Kittredge, p. xxx.
2. Caro Baroja, p. 19, 41-70, 180, 310-311.
3. *Literatura*, p. 148 ; *Dicionário*, p. 11 ; Zumthor 1980*b*, p. 230-231.

naire conjoignent principalement l'image de l'aveugle à la déclamation de l'épopée : confiant mythiquement la détention de la Parole Première à celui qui n'est que Voix. Aveugle et devin, Tirésias, Œdipe, celui sur qui les divinités pèsent de toute leur redoutable puissance. Une seconde vue archétypale relaie la vision commune[1]. Amputé des valeurs symboliques et morales attachées à l'œil, l'aveugle, c'est le vieux roi Lear de la légende celtique, fou et cruel - ou bien, sombre translucidité, le Voyant d'au-delà du corps, l'homme à jamais affranchi de l'écriture.

Le mode d'activité de l'interprète durant la performance diffère selon le nombre de ceux qui l'assistent ou partagent son rôle - et la présence ou l'absence d'instruments musicaux.

Premier cas : l'interprète récite ou chante seul en présence d'un auditoire : ainsi la plupart des chanteurs professionnels, dans toutes les sociétés.

Second cas : deux interprètes récitent ou chantent alternativement, en une sorte de concours ou de débat. Toutes les époques et les cultures en fournissent des exemples, parfois rigoureusement réglés, comme chez les peuples nordiques, de la Finlande à l'Arctique canadien. Au siècle dernier, le *Kalevala* était chanté dans les villages finnois par deux interprètes assis face à face, se tenant les mains et rivalisant d'excellence. Même dramatisation codée dans les *desafios* du Nord-Est brésilien, ou ceux des gauchos du Sud. Chez les Kirghiz du XIXe siècle, dans la Galice espagnole il y a une dizaine d'années encore, comme chez les Inuit du Groenland aujourd'hui, les duels chantés, parfois à épisodes, remplissent une fonction forte de préservation sociale, en servant d'exutoire aux hostilités de personnes ou de groupes[2].

Troisième cas : le chant ou la déclamation d'un soliste sont soutenus par un chœur ou alternent avec lui. Ce type de performance, très fréquent en Afrique, se retrouvait dans plusieurs des genres afro-américains au moment de leur première diffusion. L'action du soliste prédomine généralement sur celle du chœur, en durée, en puissance, en expressivité, ou par suite d'une convention comme lors des « reprises au refrain » ou dans la récitation des *qasida,* chez les Bédouins du Sinaï, où l'auditoire répète ensemble le dernier mot de chaque vers[3]. Mais cette prédominance est fragile. Il suffit aux choristes de s'engager plus

1 Durand, p. 101-303 ; Zumthor 1980*b*, p. 239.
2. Huizinga, p. 124 ; Anido, p. 152, 167-169 ; Finnegan 1977, p. 223 ; Fernandez, p. 464-465.
3. Finnegan 1976, p. 228-229, 259-262 ; Collier, p. 40-42.

intensément dans la performance pour que leur partie tende à éclipser le solo.

A la limite, le solo se résorbe, et l'on a le chant choral pur : quatrième cas, à fonction sociale forte. Aucune partie en effet ne se distingue de l'ensemble. L'interprète est un groupe unanime. Peu importe le nombre de ses membres (au minimum un duo) et l'éventuelle répartition entre eux des tâches. C'est à ce mode d'exécution que dut en partie sa renaissance l'art européen de la chanson, dès le début des années trente. Duettistes, comme les Pills et Tabet, Gilles et Julien de mon adolescence, ou les jazzmen Charles et Johnny ; groupes plus étoffés comme les Comédiens Routiers de Chancerel, avant les Frères Jeff, les Frères Jacques, les Trois Ménestrels, les Quatre Barbus ou les Compagnons de la Chanson... Exemples français, mais la France n'est pas seule. Dans une ville aussi écartée des grands circuits que l'est Bangui, en Centrafrique, on compta durant les années soixante-dix une vingtaine de groupes plus ou moins éphémères. En Amérique comme en Europe occidentale et en URSS, c'est originellement à l'action de groupes que l'on dut, entre 1930 et 1960, la redécouverte du chant folklorique et son assimilation par une musique vocale nouvelle, aspirant confusément à rendre sa plénitude collective à la poésie de la voix [1].

Les quatre modalités d'exécution ainsi distinguées se démultiplient dans la pratique en une vingtaine de combinaisons, selon l'usage qu'elles comportent, d'instruments de musique.

L'absence de tout accompagnement musical caractérise, dans la tradition occidentale moderne, les performances parlées, perçues comme nettement différentes du chant. Il n'en va pas de même ailleurs, où les oppositions s'atténuent. Quant à la performance chantée, reçue pour telle, elle est ou non, dans toutes les cultures, accompagnée en vertu de choix rituels ou esthétiques, tantôt valorisant la seule énergie vocale, tantôt la dégageant du concert des instruments.

Premier usage : absence de tout instrument - ce qu'il convient d'interpréter comme une mise en évidence de la puissance et de l'harmonie propres de la voix.

Second usage : le chanteur s'accompagne lui-même, à la manière du griot sénégalais sur le luth, du poète soudanais sur la harpe, ou de nos chansonniers à guitare. La physiologie rend impossible le recours aux instruments à vent ; l'acoustique, peu souhaitable la percussion. L'instrument à cordes, le plus abstrait de tous, se trouve ainsi privilégié : lieu de concentration d'une

---

1. Lohisse, p. 95 ; Vernillat-Charpentreau, p. 123-124 ; Vassal 1977, p. 66, 152, et 1980, p. 61, 110, 123-125 ; Bahat, p. 300-301 ; Rytkheou, p. 14.

charge symbolique ; moyen de réinsertion de la vocalité humaine parmi les rythmes universels qu'elle s'asservit[1].

Troisième usage : ce rôle complexe se dédouble, un musicien accompagne le chanteur, d'où la possible réintégration d'instruments à vent ou à percussion. Pratique universelle, la plus commune peut-être qu'enregistre l'histoire de la poésie orale : elle constituait (si l'on en juge aux représentations picturales) dans l'Europe médiévale son moyen ordinaire de diffusion. Elle règne, aujourd'hui encore, dans le flamenco où s'établit, entre voix et guitare, un dialogue d'intonations et de timbres qui tend à dépasser figurément les conditionnements du langage[2].

Quatrième usage : un orchestre accompagne le diseur ou le chanteur - j'entends par là deux ou plusieurs musiciens, et des instruments de diverses sortes, jouant de façon continue ou épisodique. C'est ainsi que fonctionne en règle générale la poésie orale africaine. La structure des vieilles sociétés coutumières se projetait (comme chez les Éwé du Togo) dans l'institution complexe d'orchestres qui en signifiaient les divers éléments, en représentant mythiquement la Parole et l'énergie : orchestre de village, de quartier, de confrérie, de chefferie, de commandement guerrier[3]. Par le détour afro-américain nous revint, à partir de 1930, avec le jazz, puis le rock et ce qui suivit, ce besoin-là de l'«orchestre». Le chanteur «et son groupe» : photographiés sur la pochette du disque. Poète polycéphale, dont l'existence répond, certes, à une nécessité technique et commerciale, mais implique de lointains présupposés et comporte de grandes conséquences à terme pour cet art, retournant ainsi à quelque unanimité irréfléchie et violente.

Le cinquième «usage», plus rare et plus complexe, résulte de la combinaison de plusieurs autres : des auxiliaires assistent le récitant ou le chanteur, tour à tour ou simultanément instrumentistes, chanteurs, mimes... La performance, totalement théâtralisée, se diversifie en action cosmogonique autour de la figure centrale exemplaire du principal porte-voix. Ainsi des chanteurs épiques paharis, au Népal ; ainsi, en pays toussian, dans la Haute-Volta, de la danse du Dô ; ou, plus près de nous et de façon plus spectaculaire encore, entre plusieurs vedettes de notre temps, une Diane Dufresne...

Il n'y a pas de performance sans action mémorielle, et celle-ci,

1. Camara, p. 108-110 ; Dampierre, p. 17 ; Finnegan 1976, p. 117 ; Anido, p. 158-159.
2. Wurm, p. 73-77.
3. Agblemagnon, p. 115-117.

perceptible à un seul ou à plusieurs niveaux de formalisation, peut être automatisée et intégrée au système ou, dans tel cas particulier, intentionnelle : d'où l'opposition que l'on peut faire entre ce qui, dans la poésie orale, est *mnémonique* ou *mnémotechnique.*

La relation qu'entretient l'interprète avec le poème qu'il transmet se manifeste diversement, selon le mode de dramatisation vocale et gestuelle. La lecture publique en est la forme élémentaire. Nous la pratiquons en général sur une estrade, devant un micro, ou sous les sunlights : moyens d'en accuser l'artifice. D'autres cultures l'éloignent moins du corps. Mais toujours le rôle de la mémoire reste ici accessoire. La voix prononce une écriture et ne fait qu'y projeter un reflet de ses propres vertus. Toutes les autres techniques de performance se fondent en revanche, dans leur principe, sur l'opération de la *memoria,* au sens large que donnaient à ce terme les rhétoriciens de jadis.

La mémoire en effet, pour les cultures de pure oralité, constitue - dans le temps et, partiellement, l'espace - le facteur unique de cohérence. A mesure que se répand l'usage de l'écrit, son importance sociale décroît, ainsi que sa puissance chez les individus - lentement et non sans repentir. Rien ne l'élimine jamais [1]. La question se pose donc moins de sa puissance que de son fonctionnement.

Trois caractères de la mémoire paraissent en cela déterminants : sa sélectivité, les tensions qu'elle engendre, et sa globalité. Le premier importe surtout en milieu de culture traditionnelle. Chaque interprète (à moins qu'il n'exerce des fonctions rituelles) y possède son propre répertoire, découpé dans le trésor mémoriel de la communauté et, souvent, un peu flottant au cours des années. Les travaux de L. Lacourcière sur les chansons québécoises révèlent qu'il n'y a pas deux répertoires identiques et que, si, en moyenne, un témoin connaît une cinquantaine de chansons, certains en fournissent jusqu'à cinq cents [2]. Aucun d'eux ne fait en revanche le tri de l'authentique et du pastiche, de l'ancien et du nouveau : tout ce qu'il sait se présente sur le même plan. Mais la sélectivité joue aussi au sein de la performance : texte, mélodie et geste s'adaptent à celle-ci ; d'où les « variantes », sur lesquelles je reviendrai au chapitre XIV.

L'action mémorielle comporte d'incessantes tensions, courant énergétique entre un pôle individuel et le pôle collectif du désir

1. Ong 1967, p. 22-60 ; Finnegan 1977, p. 73-87 ; Yates, p. 42-113 ; Bowra 1978, p. 355 ; Tedlock 1977, p. 507 ; Fry, p. 45.
2. Lacourcière, p. 227 ; Bowra 1978, p. 439.

L'INTERPRÈTE

de poésie : l'appétit d'une jouissance personnelle, le goût d'une beauté interfèrent dans les motivations de la performance avec la convention sociale, le rite, la mode, le contrat, la demande de l'autre. D'où une situation de conflit virtuel, enrichissante pour la communauté : les ethnologues ont souvent noté que, dans les cultures pré-industrielles, il suffit d'un chanteur plus doué ou entreprenant que les autres pour infléchir soudain une tradition jusqu'alors immuable. A plus forte raison dans notre culture, où s'estompe la dimension temporelle.

En milieu technologique, en effet, la fugacité des traditions réduit la tension mémorielle ; mais, la ramenant aux proportions de nos modes, elle la convertit en opposition dramatique entre les valeurs de masse et celles auxquelles adhère intimement l'interprète. Ce dernier, simple rouage de la machinerie destinée à la production et à la diffusion des messages poétiques, y est soumis à de fortes pressions, dues au taux de renouvellement très élevé de cette industrie. D'où la nécessité d'une auto-discipline plus rigoureuse que, dans les sociétés archaïques, celle qu'elles imposent à leurs porte-voix. Le système pratique une sélection impitoyable, dont le seul critère constant, dénommé «talent», consiste en la difficile adéquation simultanée de l'offre à la demande publique et privée, aux contingences de la programmation et à l'élan personnel[1].

La «globalité» du fonctionnement mémoriel enfin constitue l'un des traits les plus généraux de la poésie orale. Ce que transmet la voix, au fur et à mesure que s'enchaînent les paroles, existe dans la mémoire de l'exécutant comme un tout : profil avec des zones incertaines, des vibrations, une mouvance ; non pas une totalité, mais une intention totalisante, d'ores et déjà pourvue des moyens de se manifester.

La lettre du texte ni de la mélodie n'importe absolument comme telle. Le «trou de mémoire», le «blanc» en performance est moins accident qu'épisode créateur : les cultures traditionnelles, en inventant le «style formulaire», avaient intégré à leur art poétique ces incertitudes de la mémoire vivante. Mais, aussi bien, nos chanteurs n'ont-ils pas retrouvé leur propre style formulaire, dans la foulée du jazz? ces manières de dire dont le propre est de faire prédominer, chez l'interprète, sur la mémorisation, ce que j'appellerais la *remembrance :* par opposition au rappel pur et simple du déjà-su, la re-création d'un savoir à tout instant mis en question dans son détail, et dont chaque performance instaure une intégrité nouvelle.

En termes d'inspiration derridienne, P. Yaoundé, à propos de

1. Burgelin, p. 57-65.

225

Cheikh Hamidou Kane, évoquait l'opération simultanée d'une double parole : l'intérieure, «pneumatologique», et la manifeste, «grammatologique», qui la réalise. H. Oster, dans son enquête de 1960 sur les blues de Louisiane, constatait qu'à la fin de la performance, la plupart des chanteurs ne conservaient qu'une vague idée de ce qu'ils venaient de faire entendre : ce que gardait leur mémoire se référait aux normes d'un genre plutôt qu'à un texte [1].

Ces chanteurs, dira-t-on, improvisaient. Mais qu'est-ce que l'improvisation ? En principe, coïncidence entre la production et la transmission d'un texte : celui-ci, composé *dans* la performance, s'oppose à ceux qui l'ont été *pour* elle. En fait, l'improvisation n'est jamais totale : le texte, produit sur-le-champ, l'est en vertu de normes culturelles, voire de règles préétablies. Quel est, sur l'improvisateur, le poids de ces normes ? quelle contrainte peut-être en résulte ?

Les chansons populaires aragonaises étudiées par J. W. Fernandez, ou les «chansons express» à la mode dans les cabarets parisiens au début du siècle ont l'apparence de créations instantanées : mais cette «poésie en mouvement» qu'elles nous font saisir, cette opération dans laquelle elles impliquent l'auditeur, ne se ramènent-elles pas à la manipulation de voix entendues, d'un langage commun, d'une tradition ? L'improvisateur possède le talent de rameuter et d'organiser prestement des matériaux bruts, thématiques, stylistiques, musicaux, auxquels se mêlent les souvenirs d'autres performances et, souvent, des fragments mémorisés d'écriture. Ou bien, s'il participe à une tradition mieux formalisée, il construit, à la manière des chanteurs de blues, au jour le jour, avec des éléments standard, des textes toujours nouveaux [2].

Mais le talent de l'exécutant ne suffit pas, fût-ce dans ces limites, à assurer le succès de l'improvisation. Un accord culturel, une attente et une prédisposition du public, une attitude collective envers la mémoire n'y sont pas moins indispensables. Ces conditions ne sont ni partout ni toujours réunies. D'où l'impression, chez les ethnologues, que telle population est «plus douée» que telle autre pour l'improvisation, «plus habile» : les Kirghiz du XIXe siècle ou, en Afrique du Sud, les Xhosa qui, vers 1970, avaient déjà fourni nombre d'improvisateurs aux services de radio. L'accord culturel, l'attente prennent forme spécifique lorsqu'un genre poétique se définit, dans une communauté, par le fait qu'on l'improvise : ainsi le flamenco andalou dans sa forme

1. Ngal, p. 335-336 ; Oster, p. 268.
2. Fernandez ; Vernillat-Charpentreau, p. 99 ; Oster, p. 267.

originale, ou les multiples modèles populaires de *versos do momento* brésiliens, exactement codés, et, avec une virtuosité parfois éblouissante, les *desafios* aux thèmes imposés par le public, qui veille à empêcher toute tricherie [1].

Le batteur de tambour, dans un village africain, transmet les nouvelles dont l'échange constitue le lien entre les individus et entre les groupes. Mais cette fonction manifeste en habille une autre, plus profonde et moins différenciée, qui est de proclamer l'histoire, de revendiquer une conscience et d'en susciter la voix. C'est pourquoi, durant le temps qu'il bat, un tabou le protège, personnage sacré : les missionnaires, quant à eux, le pourchassèrent comme sorcier. Les Tupi du Brésil, si l'on en croit Soares de Souza à la fin du XVIe siècle, renonçaient à manger un captif bon chanteur, c'est-à-dire porteur d'un discours dont les motivations et les formes participent à une réalité autre, où s'abolissent les différences entre les hommes [2]. Les mythes relatifs à la présence du poète oral au milieu de nous, les modèles de comportement qu'elle engendre actualisent une situation archétypale : certains êtres, dans le groupe social, ont d'eux-mêmes reçu mission d'expliciter un savoir, certes commun, mais replié et inefficace. Vocalisé, selon les normes coutumières, par la bouche élue, ce savoir opère triplement : biologique et mental, il éveille et fouette une énergie ; culturel, il impose un rythme, pour se le soumettre et le faire servir, au monde brut ; discursif, il se constitue récit. On pourrait soutenir que la poésie orale résulte d'une opération cumulée au premier de ces niveaux et à l'un au moins des deux autres.

1. Chadwick-Zhirmunsky, p. 218, 228 ; Opland 1975, p. 187-188 ; Wurm, p. 72-74 ; *Literatura*, p. 16 ; Fonseca 1981, p. 23 ; *Dicionário*, p. 15, 17.
2. Jahn 1961, p. 216-217 ; Clastres, p. 49-50.

13. L'auditeur

Les rôles de participation. Adaptation du texte à l'auditoire et inversement. - La réception du poème, action créatrice. - Médiats et performance médiatisée : effets sur l'auditeur. - Continuités et changement.

L'auditeur «fait partie» de la performance. Le rôle qu'il y remplit ne contribue pas moins que celui de l'interprète à la constituer. La poésie, c'est alors ce qui *est reçu ;* mais sa *réception* est un acte unique, fugitif, irréversible... et individuel, car on peut douter que la même performance soit vécue de manière identique (sauf peut-être ritualisation rigoureuse ou transe collective) par deux auditeurs ; et le recours ultérieur au texte (si texte il y a) ne la recrée pas. L'auditeur, comme le lecteur affronté à un livre, dès qu'il en accepte le risque s'implique dans une interprétation dont rien n'assure la justesse. Mais, plus que celle du lecteur, sa place est instable : narrataire ? narrateur ? sans cesse les fonctions tendent à s'échanger au sein des coutumes orales[1].

Geste et voix de l'interprète stimulent chez l'auditeur une réponse de la voix et du geste, mimétique et, par suite de contraintes conventionnelles, retardée sinon réprimée. Certains genres oraux l'ont, en revanche, réglée en la programmant : formes à répons, à refrains, et toutes les danses, même muettes, que rythme le chant d'un soliste ou d'un cœur.

La composante fondamentale de la «réception» est ainsi l'action de l'auditeur, recréant à son propre usage, et selon ses propres configurations intérieures, l'univers signifiant qui lui est transmis. Les traces qu'imprime en lui cette re-création appartiennent à sa vie intime et n'apparaissent pas nécessairement et immédiatement au-dehors. Mais il peut arriver qu'elles s'extériorisent en une performance nouvelle : l'auditeur devient à son tour interprète, et sur ses lèvres, dans son geste, le poème se modifie de façon, qui sait ? radicale. C'est en partie ainsi que s'enri-

---

1. Charles 1977, p. 15-16, 33 ; Lyotard, p. 39-40 ; Jauss 1978, p. 243-262 ; Paulme.

chissent et se transforment les traditions. Le soufisme arabe désignait sans doute cette mouvance créatrice quand il employait le mot ambigu de *samâ*, que les uns traduisent par «audition de chants mystiques» et d'autres par «danse extatique»[1].

On pourrait sans paradoxe distinguer ainsi, dans la personne de l'auditeur, deux rôles : celui de récepteur et celui de co-auteur. Ce dédoublement tient à la nature de la communication interpersonnelle et, quelles qu'en soient les modalités au cours du temps et à travers l'espace, ses effets varient peu. Deux situations toutefois, assez fréquentes, constituent des exceptions, plus apparentes que réelles.

La première est le chant ou la récitation solitaires. L'interprète n'a d'auditeur, en apparence du moins, que soi-même. N'importe quel genre de poésie orale passe occasionnellement par ce type de performance : chanter en travaillant, en marchant, au volant de sa voiture, chanter pour son plaisir s'en accommode naturellement. Pourtant, l'auditeur est-il jamais vraiment gommé, ou tout à fait intériorisé ? Le troupeau du berger chanteur reçoit la voix de son maître, et peut-être la réaction des bêtes en fait-elle les obscurs co-auteurs de cette performance ? Le *jodel* du montagnard, au fond du Valais ou du Wyoming, interpelle les forêts, les cimes, une Nature présente dans ce souffle et qui, en lui, chante à son tour...

L'autre situation, moins nette, n'a de commun avec celle-ci que l'absence d'auditoire différencié. Mais, comportant une pluralité d'interprètes, elle dissémine entre ceux-ci les rôles de la réception. Dans la récitation ou le chant intégralement choraux, où tous les individus co-présents dans le lieu de la performance prennent part à l'exécution (ainsi que le pratiquent couramment beaucoup de sociétés), interprètes et auditeurs se confondent : pourtant, au sein de l'action commune, les diverses instances fonctionnent distinctement : en chantant avec eux je les entends chanter, et le sentiment de cette communauté confirme ma volonté de chanter, ce qui accroît pour nous tous la joie du chant...

Auditeur n'est pas nécessairement destinataire : les chants africains faisant l'éloge du chef lui sont destinés, mais le peuple entier en est récepteur et, virtuellement, co-auteur. La distinction devient évidente quand le héros se chante lui-même[2].

C'est, là encore, une situation extrême. D'un point de vue plus général, Houis esquissa naguère, à propos des conteurs africains, une typologie des «comportements de réception», articulée sur

1. Rouget, p. 350-353.
2. Finnegan 1976, p. 116, 139.

celle, plus complexe, des « situations de communication ». Identifiant « réception » et « situation d'écoute », il distinguait l' « écoute à reprise » et l' « écoute muette ». R. Finnegan, pour sa part, adoptait une perspective fonctionnaliste, et opposait les performances où l'auditoire se trouve « totalement » impliqué à celles où il est plutôt spectateur [1]. Je combinerai les principes, dissymétriques, de ces analyses, et y joindrai une considération numérique : l'auditoire compte-t-il un ou plusieurs individus ? On obtiendrait ainsi moins une classification des genres performanciels qu'une simple liste des possibilités de réalisations. Tout au plus observerait-on que certaines formes poétiques se réalisent plutôt de telle manière que de telle autre : ainsi, un chant révolutionnaire requiert en général une implication « totale » d'auditeurs nombreux, dans une « écoute à reprise »...

Ces descriptions escamotent le seul problème : celui de la réciprocité des rapports qui, en performance, s'établissent entre l'interprète, le texte et l'auditeur, et provoquent, en un jeu commun, l'interaction de chacun de ces trois éléments avec les deux autres.

Quoi qu'il dise, l'exécutant, fût-il l'auteur du texte, ne parle pas de lui-même. L'emploi du *je* importe peu : la fonction spectaculaire de la performance ambiguïse assez ce pronom pour que se dilue, dans la conscience de l'auditeur, sa valeur référentielle. Par là même, pour celui qui parle ou chante, se dénoue une solitude, et une communication s'instaure. Pour l'auditeur, la voix de ce *personnage* qui s'adresse à lui n'appartient pas tout à fait à la bouche dont elle émane : elle provient, pour une part, d'en deçà. Dans ses harmoniques résonne, même très faiblement, l'écho d'un ailleurs. Les sociétés traditionnelles distinguent nettement l'opération de l'interprète et celle d'un langage autorisé, impersonnellement transmis, auquel il ne fait que prêter son talent : l'auditoire le juge en conséquence, et accepte ou refuse en définitive les innovations individuelles [2]. Nos sociétés de mode ne fonctionnent pas de manière radicalement différente : l'auditeur attend de l'interprète un certain discours, un langage dont il connaisse les règles, affranchi de toute privatisation exclusive. Ce qu'on lui dit ou lui chante ne peut être autobiographique : il y manque la signature qui l'authentifierait. On ne signe rien de vive voix.

Cette *impersonnalisation* de la parole permet à celui qui l'écoute de la prendre plus aisément à son compte ; d'identifier ce qu'il ressent avec ce qu'on lui dit. Pourtant, rien n'est plus

1. Houis, p. 9-15 ; Finnegan 1977, p. 217-230.
2. Burke, p. 112 ; Charles 1977, p. 38 ; Finnegan 1977, p. 205-206.

trompeur (s'agissant même de sociétés archaïques) que l'idée toute faite selon laquelle, sur les lèvres d'un conteur, d'un chanteur, parle la voix de la communauté, s'exprime la conscience d'un peuple. Autant que nos écrivains lettrés, le poète oral s'engage dans le jeu des pouvoirs, qu'il assume ou récuse, jamais neutre : de même que ne l'est jamais la tradition ou la mode dont il relève. S'il parle pour d'autres, c'est en cela seulement que son discours, jamais tout à fait appropriable (au contraire de l'écriture), demeure constamment disponible à d'autres voix, qui résonnent dans la sienne.

En cours de performance, divers indices langagiers, rythmiques ou gestuels, signalent ces interactions, et parfois en les manifestant les amplifient.

Certains d'entre eux, dans l'aménagement dramatique de la performance, ont pour fonction apparente le maintien du contact, et de l'attention des auditeurs. Ainsi, en Afrique, l'interprète peut introduire, dans son texte ou sa gesticulation, un détail familier, apte à créer une connivence ; ou bien il manie quelque objet emblématique qui le rapproche du public spectateur : procédés courants dans les sociétés traditionnelles et dont on relèverait des équivalents chez nous. Ou bien encore l'interprète interpelle son auditoire, intégrant parfois au rythme du poème les mots d'encouragement ou de reproche qu'il lui adresse[1].

Inversement, l'auditoire intervient, au risque de bousculer le déroulement du discours ou du chant. Les Manobo encouragent de leurs cris ou de battements de pieds le récitant de l'*Ulahingan*. Chez les Mossi, de Haute-Volta, un dialogue s'engage et ponctue le récit. « Me suivez-vous ? » demande le récitant. « D'accord », répond l'auditoire ou moins laconiquement : « Oui, Maître. » Les auditeurs d'une épopée africaine, conscients de détenir la tradition, et assumant le rôle de responsables du bien culturel commun, contrôlent le chanteur, le rappellent à l'ordre s'il s'égare ou laisse trop divaguer sa fantaisie, exigent qu'il revienne en arrière s'il a passé trop vite sur un épisode jugé d'importance[2].

Au sein de l'univers théâtralisé auquel ils appartiennent pour un peu de temps l'un et l'autre, l'auditeur réagit à l'action de l'interprète en « amateur éclairé », à la fois consommateur et juge, souvent difficile. Les sociétés modernes où se sont maintenues vivantes, même isolément, d'anciennes traditions d'oralité, ont conservé intacte la pratique de ces interférences : des populaires *cantorias* brésiliennes au subtil *rakugo* japonais. Ailleurs, sous

1. Okpewho, p. 231-232, 236.
2. Maquiso, p. 42 ; Okpewho, p. 194-201 ; Barre-Toelken, p. 224-225.

l'empire de l'écriture et de nos technologies, une désaccoutumance de la voix et la contrainte même de bienséances héréditaires n'en ont pas entièrement réprimé les manifestations ; et, chez les jeunes, en présence de leurs vedettes, elles éclatent ouvertement, passion, voix et geste.

Les péripéties du drame à trois qui se joue ainsi entre l'interprète, l'auditeur et le texte, peuvent influer de plusieurs manières sur les relations mutuelles des deux derniers, le texte s'adaptant en quelque mesure à la qualité de l'auditeur.

Dans les sociétés traditionnelles, il le fait parfois en vertu d'une programmation préalable : tel chant africain ne se dit, ne s'accompagne ni ne se danse de la même manière parmi des hommes ou parmi des femmes ; parmi des initiés ou parmi des profanes. Les mythes des Aborigènes australiens font l'objet de chants différenciés selon les clans. De façon moins exclusive, les *guslar* yougoslaves chantaient de préférence leurs épopées dans les tavernes, où l'auditoire n'est composé que d'hommes, donc de connaisseurs...

Il subsiste chez nous des traces de ces anciennes pratiques : on les vit comme réponses à une demande ; elles s'intègrent au dessein esthétique (ou, s'agissant des médiats, commercial) qui en détermine la mise en forme. Tel style s'adresse à une classe d'âge ou un groupe social plutôt qu'à d'autres. Quand, au début des années soixante, mesdames François Hardy et Sheila se mirent à tremper de guimauve, à l'intention de jeunes gens bien élevés, le brutal rock originel, celui-ci se trouva, jusqu'au *revival* de 1973-1974, réservé aux adolescents des banlieues pauvres. Dans les nations aux prises avec un régime autoritaire, comme le fut l'Espagne du franquisme, il est arrivé qu'un ton ou un style nouveau de poésie orale s'implante d'abord en milieu universitaire, et y demeure longtemps exclusivement accordé[1].

L'adaptation du texte à l'auditeur se produit, plus souplement, en cours de performance. L'interprète varie spontanément le ton ou le geste, module l'énonciation selon l'attente qu'il perçoit ; ou, de façon délibérée, modifie plus ou moins l'énoncé même... encore que les coutumes régnantes en favorisent inégalement les altérations[2]. Les chanteurs épiques observés vers 1860 en Asie centrale par V. Radlov accommodaient leurs récits aux humeurs successives de l'auditoire : les circonstances les amenaient à recomposer l'ensemble d'un poème, ajoutant, retranchant, trans-

---

1. Agblemagnon, p. 118 ; Eno Belinga 1978, p. 87 ; Derive, p. 70 ; Finnegan 1977, p. 233-234, et 1978, p. 320 ; Lord 1971, p. 14 ; Hoffmann-Leduc, p. 42-43 ; Wurm, p. 56-57.
2. Finnegan 1977, p. 54-55, 192 ; Okpewho, p. 71 ; Lord 1971, p. 16-17.

formant avec une souveraine maîtrise. Les récitants africains se comportent de même ; les *guslar* serbes ou bosniaques de Parry et Lord, lorsqu'ils chantaient dans les villages de la montagne, au milieu d'un incessant va-et-vient de curieux, pliaient leur texte à ce bruitage, coupaient, dédoublaient, changeaient selon la nécessité de l'heure et du lieu.

Les règles régissant certains genres oraux programment cette mobilité du texte : elles prévoient en effet des parties exigeant une intervention active des auditeurs. Les traditions africaines en offrent de nombreux exemples, parmi lesquels on distinguerait des degrés d'intégration du public. La récitation du *Mwindo* congolais s'accompagne d'un fredonnement des jeunes gens assis autour de l'interprète, et dont le tambour règle le rythme. Dans les performances alternées des Ijo nigérians, l'auditoire entier chante en chœur un couplet fixe répondant aux variations du soliste[1].

La plupart de ces techniques se retrouvent ailleurs ou dans d'autres temps ; n'en est-ce pas une variante, que le mystérieux refrain noté sur les manuscrits de quelques-unes de nos plus anciennes chansons de geste médiévales ? J'ai moi-même entendu, en 1969, dans le bazar de Rawalpindi, un groupe d'hommes scander, de brèves vociférations, le chant d'un aveugle qu'ils entouraient en cercle et écoutaient avec avidité. *AOI* de notre *Chanson de Roland !* Chez les Mayas du Yucatan, la performance d'un conteur comporte un rôle intermédiaire entre ceux d'exécutant et de récepteur : le «répondant», en général la personne même qui a demandé d'entendre le conte et donc constitue un lien vivant, privilégié, par où circule la vie entre ce qui est dit et ce que l'on entend[2].

L'auditeur contribue ainsi à la production de l'œuvre en performance. Il est auditeur-auteur, à peine moins que n'est auteur l'exécutant. D'où la spécificité du phénomène de réception dans la poésie orale.

La performance *figure* une expérience, mais en même temps elle l'*est*. Tant qu'elle dure, elle suspend l'action du jugement. Le texte qui se propose, au point de convergence des éléments de ce spectacle vécu, n'appelle pas l'interprétation. La voix qui le prononce ne s'y projette pas (comme le ferait la parole dans l'écriture) : elle est donnée, dans et avec lui, toute-présente ; et pourtant, pas plus qu'elle il n'est clos. Il récuse l'exégèse, qui n'interviendra qu'après sa mise par écrit, c'est-à-dire sa mise à

1. Okpewho, p. 63 ; Laya, p. 178.
2. Tedlock 1977, p. 516.

mort. Son sens n'est pas tel qu'une herméneutique «littéraire» puisse servir à l'expliciter car, foncièrement et dans l'acception la plus large du terme, il est politique. Il proclame l'existence du groupe social, en revendique (sans lui demander son avis) le droit de parole, le droit de vivre. Ce qui s'y investit, plus que des prétextes thématiques, c'est une volonté indiscrète, un cri vers l'autre, un désir de combler son attente d'ores et déjà complaisante mais qui veut être requise : ainsi peut-être se resserrera le lien, s'apaisera la menace, surgiront les forces cachées.

C'est pourquoi le texte poétique oral pousse nécessairement l'auditeur à s'identifier au porteur des paroles ainsi en commun ressenties, sinon à ces paroles mêmes. Par-delà les négativités propres à tout usage esthétique du langage, par-delà l'indifférence radicale de la poésie comme telle, la performance unifie et unit. Telle est sa fonction permanente. Un conteur maya demandait avec impatience à D. Tedlock, qui lui semblait trop peu concerné : «Ce que je raconte, le *vois*-tu, ou ne fais-tu que l'écrire ?» On ne saurait mieux dire[1].

C'est ainsi, au niveau de l'auditeur et de la réception, que se manifeste la véritable dimension historique de la poésie orale. L'existence de cette dernière, sous quelque forme que ce soit, constitue à long terme un élément indispensable de la socialité humaine, un facteur essentiel de la cohésion des groupes. On sait comment, en dépit de l'effrayante agression culturelle dont ils furent victimes, en dépit de la destruction systématique des vieux cadres tribaux, les Noirs d'Amérique réussirent par le chant à maintenir entre eux une conscience collective.

La même réaction vitale associe - dans le froid émiettement de notre société - le chant à tous les efforts tentés en faveur de communautés menacées ou qui se cherchent : dans les rues ou les bistrots des quartiers déshérités de nos mégapoles, au Larzac, ou avec les grévistes de Markolsheim. D'où la création toujours recommencée de (parfois bien humbles) groupes, musiciens et chanteurs, partant au-devant de ces anonymes qui les attendent sans le savoir : le «Folk de la rue des dentelles» de Jean Dentinger en Haute-Alsace, et tant d'autres. D'où la continuelle composition de chansons dont quelques-unes seulement finiront par émerger à l'horizon de la poésie universelle - mais où des hommes auront appris les rudiments du langage de leurs retrouvailles : le *chant des Partisans* de la Seconde Guerre mondiale ; ou la ballade de Farabundo Marti pour les miliciens FMLN du Salvador.

Impliquée par ses rythmes dans les pulsations du corps et le

1. Tedlock 1977, p. 515.

battement de la vie, la poésie orale les maîtrise et les plie à son ordre. De cette tension interne, de cette quasi-contradiction initiale résulte une énergie dont elle tient sa formidable puissance unificatrice. Elle ne diffère point par nature de toute autre communication orale : mais, en termes de capacité, elle reste incomparable. Dans les sociétés archaïques, à travers les auditeurs qui la reçoivent et sur qui elle agit, ce sont les morts qu'elle vise pour destinataires ultimes : fondateurs et garants, hors de vicissitudes. Nous avons laïcisé tout cela, c'est-à-dire perdu le sentiment des analogies. Pourtant, les ressorts élémentaires de l'œuvre poétique orale fonctionnent toujours à la racine de cet art, en dépit des distorsions historiques, des mystifications culturelles et de la sclérose partielle des surfaces. Ce qui se passe parmi nous depuis une vingtaine d'années prouve qu'au fond rien n'est vraiment cassé : une continuité, inscrite dans le réseau de nos langues et l'économie de nos pouvoirs corporels, nous a permis peut-être, par-delà le règne des scribes et des pharmaciens, d'amorcer d'ores et déjà le grand retour spiraloïde à l'aplomb de ce qu'on fut.

L'usage des médiats masque, du côté des auditeurs, cette continuité - moins pourtant qu'il n'y paraît à l'œil critique. Pour des masses peu soucieuses de modèles historiques, les médiats ont rendu son omniprésence à la voix ; ils ont par là ramené la sensibilité poétique commune à un état voisin de celui de nos ancêtres pré-gutenbergiens !

Reste que personne encore, à ma connaissance, n'a songé à utiliser le téléphone pour la transmission de poésie. Je m'en étonne. Imposant en effet, à l'individu retranché dans son existence propre, la voix d'un autre (à la fois corps et parole), le téléphone véhicule une charge érotique, latente ou manifeste, source d'une énergie langagière comparable de loin à celle qu'ailleurs s'asservissent l'incantation du chamane, le chant de l'envoûteur ou celui de l'amant. D'où les défenses de certains («Je n'aime pas téléphoner») ; d'où la répugnance qu'inspire à d'autres le répondeur automatique... Mais peut-être la destination première du téléphone suffit-elle à le rendre poétiquement inexploitable : fait pour la conversation et l'échange plutôt que pour l'affirmation commune, il ne comporte point d'*auditeur* au sens où je comprends ce terme, mais un *interlocuteur,* ce qui brouille la distribution des rôles !

Comme le téléphone, dans une bien moindre mesure, le micro accroît l'espace vocal et réduit les distances auditives. Maintenant la vue et la présence physique du corps, il améliore techniquement la performance sans en modifier aucun des éléments essentiels. D'où le succès universel de cet instrument, devenu (depuis qu'en 1937 Jean Sablon, chanteur de faible voix, l'emprunta aux orateurs politiques) le médiat presque obligé de toute transmission poétique vocale. Grâce au micro, complété par l'amplificateur (sinon par les micros de contact fixés sur l'instrument), parole et musique deviennent véritablement publiques. A cette *publicité,* le commerce autant que les artistes trouvent leur compte. L'auditoire et son lieu s'agrandissent, jusqu'à des limites acoustiques loin repoussées, fût-ce au détriment (dans certaines circonstances) de la vision directe.

D'où la possibilité de rassembler des foules : à la fois, d'étendre la puissance et l'autorité de l'interprète, et d'en permettre l'audition à un tel nombre d'individus que toute relation personnelle entre eux est suspendue : une passion collective s'y substitue, culminant dans l'admiration du héros. Dès les années quarante, s'improvisèrent ainsi les *hootenannies* américains, qui eurent pied à terre à Paris, au Centre du boulevard Raspail, entre 1964 et 1967. Le folk-song d'un Guthrie et d'un Seeger y triompha, avant la grande vague des festivals rock, que Johnny Halliday inaugura en France en février 1961 ; festival du *protest-song* à Cuba en 1967, de la nouvelle chanson chilienne à Santiago en 1969 : vingt mille, cinquante mille jusqu'à cent cinquante mille auditeurs [1] !

Dès Juan-les-Pins, en août 1961, l'usage du micro, avec Vince Taylor, est devenu un art, l'instrument lui-même revêt une fonction quasi sacrale, au sein d'un rituel exsudant les violences refoulées, couronné par le saccage des lieux, universel anéantissement symbolique. Mais ces fureurs n'eurent qu'un temps, assez bref, tandis que la mode des festivals perdure : festivals promus institution. Le *Newport folk festival* qui fut à ses débuts un succès financier, mais aussi révéla Joan Baez et Bob Dylan, tint de 1959 à 1970 tumultueusement la vedette. En France, durant les années qui suivirent 1968, les festivals de rock devenus, malgré la méfiance des autorités, périodiques prirent les apparences d'une liturgie dont les pratiquants peu à peu perdaient la foi. Pourtant, le potentiel technique et humain de ces concentrations d'auditeurs demeure inentamé. De temps à autre, il se manifeste en vastes fêtes où la ferveur collective triomphe en explosion de joie, comme autour d'Alan Stivell et de son groupe breton à l'Olympia en 1972 ; comme en 1974 au Larzac [2].

1. Vassal 1977, p. 105-106, 138, 148 ; Clouzet 1975, p. 39.
2. Hoffmann-Leduc, p. 39-41, 174 ; Rouget, p. 408 ; Vassal 1977, p. 148-150, 175-176, et 1980, p. 110.

Disque, magnétophone, cassette ou radio, les médiats auditifs tendent à éliminer, avec la vision, la dimension collective de la réception. En revanche, ils touchent individuellement un nombre illimité d'auditeurs. C'est à leur usage qu'est due principalement la diffusion des musiques afro-américaines - donc, en partie, la « révolution culturelle » qui l'accompagna ! Selon Collier, dans la seule année 1914 (avant même que fût gravé le premier disque de jazz), on vendit aux États-Unis vingt-sept millions de soixante-dix-huit tours ; en 1921, cent millions... [1].

Un appareil aveugle et sourd tient lieu d'interprète. Certes, l'auditeur le rapporte à un être humain existant quelque part. Cependant, exposé à sa voix seule, il ne reçoit aucune autre invite à participer. Sans doute recrée-t-il en imagination (effort pour maîtriser cet univers purement sonore) les éléments absents de la performance. Mais l'image qu'il suscite ne peut que lui être intimement personnelle. La performance s'est intériorisée. En dépit de l'usage que l'on en fait couramment en groupe (spécialement en vue de la danse), ces médiats s'accordent mieux ainsi à l'audition solitaire et, le cas échéant, critique.

Encore faut-il distinguer entre eux. Disque, magnétophone, cassette laissent à l'auditeur une grande liberté sélective : le fabricant d'un microsillon m'impose son choix des dix ou douze chansons qu'il grava sur la même matrice ; mais, globalement, je suis seul à décider d'entendre ce disque-là, puis tel autre, voire de modifier mon programme en cours d'exécution. Le magnétophone ou la cassette, à la portée de chacun et d'un maniement facile, m'affranchissent de cette dernière servitude : j'enregistre à mon gré.

La radio, en revanche, déroule un discours continu, entièrement programmé par d'autres : la même liberté négative m'est laissée qu'aux étalages d'un super-marché : accepter, changer de chaîne, ou presser le stop. La relative passivité requise ainsi de moi me dispose à croire que, ce que je reçois, c'est cela même que j'attends. Illusoire intériorité qui, sans doute, fit voilà vingt ans le succès en France de l'émission *Salut les copains*, suivie durant quelques saisons par une génération unanime d'adolescents, grâce à elle tôt récupérée par l'ordre régnant. Écoutée sur transistor, le radio accuse ses effets atomisants : léger, mobile et de faible coût, le poste individualise davantage encore la performance sans nécessairement l'approfondir, se prête aux longues solitudes sans les pénétrer vraiment : jusqu'au fond des campagnes du tiers monde, c'est aujourd'hui un spectacle familier que celui du paysan courbé sur son champ, le transistor à portée

1. Collier, p. 82, 88-89.

de bras mais dont le bruit de l'outil couvre la voix. Avec des écouteurs, c'en est fait : tous liens sociaux tranchés, l'Auditeur intoxiqué zigzague parmi nous, les yeux vides. Intériorisation totale - dans quelle folie ?

En dépit des distorsions qu'elle impose ainsi au fonctionnement de l'oralité, la radio s'est d'ores et déjà bien implantée dans les pays « en développement » qui, souvent, n'ont pas encore plein accès à la télévision. Adaptée à la demande de populations peu alphabétisées, elle est en train de relayer les chanteurs traditionnels presque tous vieillissants. Néanmoins elle altère peu la forme externe de la poésie orale qu'ils nous ont transmise. D'où, inévitablement, une exploitation folkloriste : la radio des îles Salomon consacre aux chants et récits indigènes un quart d'heure d'antenne par semaine ! Les stations du Nord-Est brésilien font place à des chanteurs de *cantorias*. Radio Yaoundé diffuse des *mvets* ; Radio Dakar, le *Soundiata* ; Radio Mogadiscio, des bardes somalis. L'importance relative du mouvement, en Afrique du moins, présage-t-elle l'émergence de formes nouvelles de poésie où la présence, réduite à ses éléments sonores, suspendue par la médiation mécanique, se rétablirait à quelque autre niveau [1] ? Déjà, les partis politiques africains ont découvert l'efficacité, dans des pays sans presse, d'une propagande moulée dans les formes du chant héréditaire et transmise par transistor.

Restituant l'image d'une présence, les médiats audiovisuels menacent moins leur usager de cet enfermement symbolique. L'univers qu'ils lui proposent possède l'apparence de l'intégrité et du vrai ; il provoque un dépaysement potentiellement désaliénateur.

Au cinéma, l'obscurité de la salle influe doublement sur les spectateurs-auditeurs d'un film. Elle les rend en apparence à leur solitude ; pourtant ils se savent confusément être ensemble - assez pour que parfois se dessine une réaction commune. L'image projetée, concentrant sa lumière, ses couleurs parmi nos ombres, se proclame différente, venue d'ailleurs, jaillie par quelle lézarde ouverte dans le mur de notre monde. Ça s'adresse à moi. Je vois et j'entends. Mais les sonorités balaient en moi un champ imaginaire plus large que la vue. Le jeu des sons *in* et *off* engendre une diégèse auditive dont la vision n'est que le support. Par la fenêtre de l'écran, voyeur d'objets et d'actions « grandeur nature », mon œil ne perçoit qu'une découpe de réel, encadrée d'ombre. Mais le cadre n'enserre pas ce qu'entend l'oreille. Il semble que soit reconstituée la situation de performance directe.

Nous savons cette apparence menteuse. Pourtant, dès l'origine,

1. Finnegan 1977, p. 155-158.

un lien étroit attacha au cinéma sonore les formes diverses de l'art vocal, en particulier la chanson. Dès l'époque du muet, bien des films s'illustrèrent de pots-pourris de chansons à la mode, accompagnées au piano : du *Jazz Singer,* avec Al Johnson, en 1927, premier «parlant» commercialisé, jusqu'à *Honeysuckle Rose,* de Jerry Schatzberg, présenté à Cannes en 1981, la chaîne ne s'interrompt pas. Une circulation vitale passe de l'un à l'autre des registres. La voix âpre de Marlène Dietrich, Lola de *l'Ange bleu* en 1929, fixa une tradition toujours vivante. Il y a bien peu chez nous de chansonniers qui n'aient composé pour le cinéma, ou aspiré à le faire[1]. Le disque, la radio, la TV même sont instruments de diffusion ; le film est une *forme.* Mais la chanson souvent s'émancipe du scénario auquel elle fut destinée et, lancée par lui, s'engage dans une carrière autonome. Inversement, des chansons à succès à plusieurs reprises suscitèrent sous le même titre une œuvre cinématographique : ainsi *Ramona* dès 1936, *Rio Bravo* de Howard Hawk en 1959 ou, exemple extrême, *Lily Marlène,* source et motif d'au moins quatre films. C'est après avoir vu, en 1940, à New York, le film tiré des *Raisins de la colère,* qui l'enthousiasma, que Woody Guthrie composa l'une de ses plus belles ballades, *Tom Joad.*

La télévision ouvre un dialogue sans réponses : privée, intime, mais abolissant l'apparente distance où se tient le livre ; illusoire conversation. Mais à quoi bon réagir ? Cette voix porte une parole différée. Est-ce encore une voix ? La zone de silence, qui l'entoure et la rend telle, se rétrécit jusqu'à disparaître. Sur le fond d'un discours continu se dessinent d'éphémères effets communicatifs, à peine réels. Si même d'aventure l'émission a lieu en direct et n'est pas archivée, la voix s'assure un espace planétaire mais perd toute dimension temporelle : fallacieux retour à la situation d'oralité première.

Le poste-interprète, qu'on le dissimule dans un bahut bressan ou qu'il siège au centre de la pièce commune, s'impose, intrus, avec servilité ou mauvaise conscience. Même éteint, il demeure présent, signifiant symboliquement la technicité dont il est le fruit, et l'espèce de socialité qui l'a rendue possible : jamais réduit à sa seule fonction instrumentale. En user implique l'acceptation du langage qu'il tient (sinon du contenu de ce langage) et de la typologie des genres de discours qu'il propose. Or, parmi les mieux constitués de ces genres, figure la chanson, intégrée ou non à un spectacle de variétés. D'où la fonction essentielle que remplit la télévision dans le maintien d'une poésie orale en notre fin de siècle : plus que le film, où la performance

---

1. Cazeneuve, p. 110 ; Vernillat-Charpentreau, p. 63-64 ; Vassal 1977, p. 107.

tend à se diluer dans une fiction narrative ; beaucoup plus que le disque, qui laisse l'œil hors circuit [1].

Ce qui est en cause, c'est le rapport entre réalité et conscience. L'usage des médiats l'a-t-il modifié ? ou est-ce lui, modifié, qui a rendu possible les médiats ? A l'intérieur de limites techniquement (semble-t-il) indéplaçables, les modalités de réception peuvent différer beaucoup selon la nature du milieu culturel. L'auditeur qu'atteignent les médiats est un être singulier et historique ; quelques techniques de décervelage qu'on lui applique, c'est à travers son histoire qu'il perçoit, en vertu d'elle qu'il réagit [2].

Entre lui et ce qu'il écoute s'interpose, il est vrai, le programmeur : personnage nouveau du scénario de performance, organisateur commercial qui ne connaît sa clientèle qu'au moyen de coupes sociologiques et d'études de marché. On a souvent dénoncé les conséquences d'un tel système, fonctionnant au seul profit des vedettes [3]. Pourtant la passivité que l'on reproche au public télévore tient moins au médiat qu'à des causes sociales : absence d'éducation appropriée ; critères de rentabilité (commerciale ou idéologique) introduits dans la programmation. A l'auditeur est ainsi ravie toute possibilité, en réagissant sur l'œuvre qu'on lui transmet, de concourir à sa « création ». Plusieurs tentatives, jusqu'ici marginales, prouvent néanmoins l'existence de cette possibilité [4].

La poésie orale directe, théâtralisée, engage l'auditeur, par son être entier, dans la performance. La poésie orale médiatisée laisse insensible quelque chose de lui. Le passage d'un mode à l'autre de réception représente une mutation culturelle considérable. On m'assurait, en 1980, en Haute-Volta, que les émissions radiodiffusées de griots n'ont eu en brousse qu'une très faible écoute. Il y manque la sensualité d'une présence. W. Ong fit au Sénégal une expérience semblable [5]. Une société relativement homogène intériorise cet effet de mutation, sans en perdre la conscience. Retour d'Afrique, je demandai à Jean et Brigitte Massin leur témoignage de musicologues : en quoi diffèrent pour eux le disque et le concert en salle ? Au premier, on reconnaît une perfection technique aujourd'hui presque absolue, ainsi que l'avantage d'une écoute solitaire, plus intime. Mais le second, imposant et particularisant sa dimension spatiale, mobilise plus totalement l'attention

1. Berger, p. 107-115.
2. Corbeau, p. 335.
3. Bertin ; R. Cannavo dans le Matin du 6 avril 1981.
4. Cazeneuve, p. 60-63, 218-219 ; Berger, p. 18.
5. Ong 1979, p. 6.

et, par suite de l'unicité de la performance, met en valeur à l'audition les éléments d'invention personnelle.

Les médiats audio-visuels restituent à l'œil sa fonction. Mais ce que j'ai nommé, au chapitre XI, la *tactilité*, reste perdu... en dépit des trucs inventés jadis par Griffith et Abel Gance, gros plans et les yeux dans les yeux. Le regard que je porte sur l'écran ne peut être le même que celui dont je caresse les choses. Plus abstrait, dépourvu d'érotisme... D'où, peut-être, la tentation des programmeurs d'exhiber à l'écran les signes tout externes d'une exaltation du corps, incitation à un narcissisme de salle de bain.

C'est ainsi que, dans la performance médiatisée, la participation proprement dite - identification collective avec le message reçu, sinon avec son émetteur - tend à faire place à une identification solitaire avec le modèle proposé... quitte à ce que par la suite (comme on le constate chez nos jeunes) ces solitudes se conjoignent massivement. Le Modèle, c'est le savoir-faire ou le comportement d'un Héros. Le vedettariat constitue, dans notre monde, un facteur indispensable au fonctionnement des médiats... comme l'«héroïsme» à celui de l'antique épopée. Mais, on le sait, le héros type de notre culture de masse, c'est le chanteur : rien encore n'abolit la magie de la voix[1].

Film et TV s'exposent à un œil omniprésent et impitoyable. Leur technologie tend à accuser des imperfections qu'estompe la performance directe. On en arrive à dissocier l'enregistrement du vocal et du gestuel : en *play-back,* le chanteur ou l'acteur ouvre la bouche devant la caméra, mais c'est un disque que l'on entend... Certes, la perfection du produit n'est pas toujours atteinte, on le sait de reste. Mais, intégrée au projet même du médiat, elle oriente les recherches techniques et les investissements financiers qu'il exige. Nul doute que cela ne soit (obscurément mais efficacement) perçu par les usagers. C'est là, me semble-t-il, l'une des causes de la fascination exercée par la télévision sur les enfants, et de son intrusion dans leur univers fantasmatique. Le bébé sur les genoux de sa mère se détourne d'elle pour regarder le poste, même éteint. Je renvoie ici aux belles pages de R. Berger, évoquant la nouvelle naissance, aussi traumatisante que la première, qu'est pour le petit de l'homme sa soudaine immersion dans le télévisé[2].

Assis dans un fauteuil de cinéma ou devant sa télé, l'auditeur-spectateur consomme des images et des sons. Nécessairement, il en fabrique quelque chose. Si le monde où il existe lui offrait des vides où les caser, sans doute en ferait-il des objets, à la manière

---

1. Burgelin, p. 134-147, 152-153 ; Cazeneuve, p. 91-96.
2. Berger, p. 44-50.

des anciens «patenteux» du Québec. Mais il n'y a plus de place aujourd'hui pour des objets. Images et sons tombent, apparemment inutiles, dans le contexte micro-sociologique de chacun, s'y coulent dans les matrices de l'imaginaire servant au bricolage d'une mythologie au jour le jour[1].

Tout est devenu spectacle - «en direct». L'actualité remplace le Temps Primordial ; l'Actuel, l'originel. Nous n'avons pas moins que nos ancêtres besoin de mythes pour survivre, prostrés comme les hommes de Platon dans leur caverne. Des formes venues d'ailleurs se projettent sur le mur. Certes, nous ne confondons pas entièrement le réel extérieur avec ces ombres ; simplement, nous préférons les ombres. Pourtant, il arrive que l'image frappe si fort qu'il faut se lever et aller voir. Un message s'ébauche, là-dehors. La Voix d'un poète y retentit[2].

1. Certeau, p. 11 ; Corbeau, p. 333-334.
2. Berger, p. 52-55, 64 ; Cazeneuve, p. 100-103.

14. Durée et mémoire

La fausse réitérabilité. Les deux temps de la poésie orale. - La dimension géographique. - Migrations et traditions. « Mouvance » et « états latents ». Variantes. Retours et idendité.

L'œuvre transmise en performance, déployée dans l'espace, échappe d'une certaine manière au temps. Elle n'est en effet, en tant qu'orale, jamais exactement réitérable : la fonction de nos médiats est de pallier cette incapacité. Une reprise est toujours possible ; en fait, il est exceptionnel qu'une œuvre ne soit pas l'objet de plusieurs performances : ce n'est, par la force des choses, jamais la même. De la première à la seconde ou à la troisième écoute d'un disque, les altérations restent minimes : les unes (dispositions psychiques de l'auditeur, circonstances) affecteraient aussi bien les lectures successives d'un livre ; d'autres sont spécifiques, comme les conditions acoustiques. Dans la série des déclamations d'une épopée, en revanche, les modifications vont parfois jusqu'à estomper l'identité de l'œuvre.

De toute manière, la *fausse réitérabilité* constitue le trait principal de la poésie orale. Elle en fonde le mode d'existence hors performance. Elle en détermine la conservation. Cette dernière peut résulter de deux pratiques différentes, contradictoires quoique, de nos jours, en général cumulées :

- ou bien la *mise en archive,* par l'écrit ou l'enregistrement électronique - ce qui a pour effet de fixer tout ou partie des éléments de l'œuvre : verbaux, sonores, visuels même s'il s'agit d'un film ou d'un disque vidéo ;

- ou bien la *prise en mémoire* directe ou, par médiations diverses, indirecte, comme celle qui, passant par l'écrit, exige une intériorisation du texte.

La mise en archive stoppe le courant de l'oralité, l'arrête au niveau d'*une* performance. Celle-ci, stabilisée, perd ce qui fait le mouvement de la vie, mais conserve du moins son aptitude à susciter d'autres performances. Je puis chanter, faire chanter, et varier à ma guise une chanson lue en partition ou entendue sur disque. Le jeu de la concurrence m'amènera peut-être à refaire

245

une édition de cette œuvre, à en enregistrer une réinterprétation : enchaînement qui pose à l'ethnologue (dont les pratiques s'inscrivent nécessairement dans ce schéma) de délicats problèmes de méthode[1].

La prise en mémoire, moyen naturel de conservation de la poésie orale, resta le seul en vigueur dans les sociétés même d'écriture aussi longtemps que l'usage de cette dernière n'y fut pas généralisé : en Europe jusqu'à la fin du XIXe siècle ou au milieu du nôtre selon les régions ; jusqu'aujourd'hui dans une grande partie du tiers monde. Au-delà du seuil technologique à partir duquel son importance relative décroît rapidement, la prise en mémoire continue à remplir son office, en marge de l'archive.

J. Coody observait emblématiquement que les sociétés d'oralité possèdent des conteurs et des orchestres, mais ni roman ni symphonie. Le texte oral, du fait de son mode de conservation, est moins appropriable que l'écrit ; il constitue un bien commun dans le groupe social au sein duquel il est produit. Il est ainsi plus concret que l'écrit : les fragments discursifs préfabriqués qu'il véhicule sont à la fois plus nombreux et sémantiquement plus stables. A l'intérieur d'un même texte au cours de sa transmission, et de texte à texte, on observe des interférences, des reprises, des répétitions probablement allusives : tous faits d'échange qui donnent l'impression d'une circulation d'éléments textuels voyageurs, à tout instant se combinant avec d'autres en compositions provisoires. Ce qui fait l'« unité » du texte (si tant est que l'on en accepte l'idée) appartient à l'ordre des mouvements plus que des proportions et des mesures : percevoir cette unité, en performance, c'est moins constater une organicité nécessaire du texte qu'identifier celui-ci parmi ses possibles variantes[2].

La complexité de son mode d'existence interdit d'étudier la poésie orale autrement que dans la perspective d'assez longues durées. Encore convient-il d'écarter le préjugé historiciste poussant à la recherche d'une origine où seraient contenus en germe les développements ultérieurs. J'insisterais plutôt sur l'équivocité du statut temporel de l'œuvre, à la fois insituable dans le temps abstrait, mesure externe du devenir, et inconcevable en dehors d'un temps concrètement et intérieurement vécu.

Par voie de conséquence, son statut spatial n'est pas moins équivoque. De l'espace, en effet, propre à chaque performance et qui en constitue la dimension réelle, s'engendre un autre

1. Derive, p. 58-64.
2. Goody 1979, p. 72 ; Zumthor 1981*b*, p. 15-16.

espace, extrinsèque, dû à la multiplicité des performances successives. Peu sensible quand celles-ci se déroulent dans un même
lieu, l'effet de cette extériorisation peut devenir considérable
quand se produit un déplacement géographique de grande échelle [1].

En Europe et en Asie, nous disposons de documents assez
nombreux et sûrs pour dater la tradition de beaucoup d'œuvres.
Le *Rig Veda,* dont la transmission en milieu brahmanique est
restée (en dépit des mises par écrit) orale jusqu'à nos jours, dut
être, dans ses versions primitives, contemporain d'Homère ! C'est
là un cas extrême et unique. Plus modestement, un certain
nombre de «chansons populaires» françaises sont attestées dès
le Moyen Age. Plusieurs ont passé au Québec : sur un ensemble
de trois cent cinquante-cinq «chansons en laisses», C. Laforte
en repère deux du XIIIᵉ siècle, une du XIVᵉ, onze du XVᵉ... Des
trois cents ballades anglaises et écossaises tirées par H. Sargent
et G. Kittredge du recueil de Child, une dizaine sont datables des
XIIIᵉ, XVᵉ, XVIᵉ siècles ; mais combien d'autres sont aussi anciennes
à notre insu [2] ?

En Afrique, en Océanie, chez les Amérindiens, l'absence de
preuves n'empêche pas de présumer l'antiquité de quelques
poèmes ou cycles de poèmes. Ainsi, plusieurs chants des Maori
exaltent la terre qu'ils habitaient avant de se fixer en Nouvelle-
Zélande, peut-être au XIVᵉ siècle. Le Soundiata de l'épopée mandingue, personnage historique, mourut en 1255 : combien de temps
fallut-il pour que se forme le poème que chantent aujourd'hui
encore des griots comme Mamadou Kouyaté [3] ?

La dispersion géographique de la poésie orale n'est pas toujours plus clairement attestée. Il arrive que des formes très semblables associées à des thèmes presque identiques se retrouvent
dans les traditions de peuples aux habitats éloignés et, historiquement, sans contact. Interférence culturelle fortuite due à
l'aventure de quelque navigateur solitaire ? ou créations indépen-
dantes, manifestant l'existence d'un modèle universel ? Ces
questions ne concernent qu'un petit nombre de cas isolés. La
plupart des faits assurés de dispersion poétique ont été relevés le
long d'itinéraires par ailleurs bien connus : routes de migration,
de commerce, de pèlerinages. Parfois, l'histoire d'un individu,
d'un groupe, fournit une explication plausible et, dans le détail,
toujours contestable [4].

Rien n'est moins mystérieux que le mouvement par lequel, dans

1. Finnegan 1977, p. 134-136, 139-142.
2. Finnegan 1977, p. 135, 150-151 ; Davenson, p. 116-118 ; Laforte 1981, p. 8 ;
Sargent-Kittredge, p. XIII-XIV.
3. Finnegan 1978, p. 290 ; Niane 1975, p. 24-37.
4. Finnegan 1977, p. 153-154.

le sillage des flottes espagnoles, portugaises, françaises, anglaises du XVIe au XVIIIe siècles, la poésie populaire européenne essaima (je l'ai rappelé au chapitre IV) sur le continent américain... mais aussi à Madère (où l'on découvrit, en notre siècle, une version inconnue du *Cid*) comme chez les Sefardim exilés au Maroc à la fin du XVe siècle. Des ballades recueillies en Angleterre ou en Écosse aux XVIIIe, XIXe siècles, ont été retrouvées par C. J. Sharp vers 1930 sur les lèvres de montagnards des Appalaches, dans les régions écartées du Kentucky, de la Virginie, des Carolines. Certaines d'entre elles ont été signalées en Australie [1].

Importés, ces poèmes peuvent se maintenir longtemps dans une forme peu altérée. Mais le besoin qui leur permit de survivre dans de petites communautés d'immigrés les travaille de l'intérieur et, à terme, les transforme : autour de ces reliques, se reconstituent des traditions nouvelles qui, tout en maintenant certains de leurs traits premiers, se développent selon un rythme et des tendances autres : ainsi, le *hillbilly* appalachien à partir de la ballade anglaise [2].

Un hasard favorable permet parfois à un groupe peu nombreux de migrants, établis en milieu allophone, de conserver sa cohésion, sa langue et quelque chose de sa poésie orale. De tels îlots, sans cesse menacés de submersion, pointillent la carte des zones de migration à travers le monde. Mon collègue E. Seutin m'a procuré les enregistrements de chansons en français ou en dialecte wallon encore en usage parmi les vieillards de quelques familles rurales du Wisconsin, dans une région qu'ouvrirent à l'agriculture vers 1860 des immigrants belges. Ce groupe, dispersé en fermes isolées, conserva pourtant jusque vers 1940 quelque unité sociale. La plupart de ses chansons avaient été des succès de cabarets à Liège et aux alentours dans les années 1830-1850. Les chanteurs d'aujourd'hui, quoique ignorant souvent le français (mais parlant encore un wallon altéré) en conservent à peu près pure la forme originale [3].

De temps à autre une découverte fortuite révèle le cheminement d'une œuvre isolée, transmise par quelque déraciné et qui, dans d'autres circonstances, eût pu engendrer en terre d'exil une tradition originale. Ainsi, M. Da Costa Fontes, enquêtant parmi les travailleurs portugais immigrés à Toronto, recueillit sur les lèvres d'une femme de soixante-dix-sept ans, originaire des Açores, un *romance* relatif à la guerre du Paraguay (1864-1870),

1. Menendez Pidal 1968, II, p. 203-238, 306-365 ; Sargent-Kittredge, p. XIV-XV, XXVI ; Finnegan 1977, p. 136-137.
2. Vassal 1977, p. 58-63.
3. Lempereur.

de toute évidence amené aux Açores par un autre migrant retour du Brésil méridional[1] !

A défaut d'un déplacement de population, une osmose peut se produire entre secteurs voisins d'une aire géographique et culturelle assez homogène : des versions du *Ge-Sar* tibétain se chantent en Mongolie et dans certains cantons de la Chine ; la « nouvelle chanson » chilienne, dans les années soixante de notre siècle, était en voie de gagner toute l'Amérique latine... [2]. Les frontières linguistiques ne suffisent pas à stopper ce mouvement ; mais la parenté lexicale, syntaxique et surtout rythmique des langues en contact le facilite. C'est ainsi que, des siècles durant, la circulation de poésie orale fut intense entre les diverses zones linguistiques scandinaves, et toucha parfois l'Écosse[3].

Un mouvement comparable, de moindre envergure (par suite de la force des traditions écrites dans ces terroirs ?), unit, en milieu populaire, jusqu'au début du XIXe siècle, les langues romanes occidentales. La chanson *Donna Lombarda*, probablement composée (selon un thème légendaire très ancien) au XVIe siècle dans la région de Turin et en dialecte piémontais, sur le timbre d'un *noël*, a été recueillie dans une demi-douzaine d'autres dialectes italiens, en version française dans le Massif central et au Québec, en espagnol... et jusqu'en albanais ! *Gentils galants de France*, de tradition ancienne, est commune, avec, il est vrai, de notables variantes, à la France et à l'Espagne. Le dramatique *romance* de *Bernal Francés*, dont le héros fut l'un des vainqueurs de Grenade en 1492, rayonna dans tout le monde hispanique, jusqu'en Argentine et dans les communautés judéo-espagnoles de Turquie ; mais on en possède des versions catalane, française, piémontaise dont aucune n'altère la structure métrique de l'original[4].

La translation d'une langue à l'autre peut entraîner des ratés contribuant au flottement thématique : un *romance* espagnol composé à la fin du XIXe siècle (et peut-être inspiré de *Bernal Francés*) conte la mort tragique de l'épouse d'Alphonse XII en 1878. Or, dans une version portugaise retrouvée au Brésil, le nom d'*Alfonso Doce* a été compris comme « le doux Alphonse », ce qui modifie remarquablement l'équilibre et le sens de cette triste histoire ! Combien d'adaptations européennes des textes américains chantés sur la musique de rock ont conservé la violence première de ceux-ci et leur puissance allusive[5] ?

1. Costa Fontes, n° 489.
2. Finnegan 1977, p. 135 ; Clouzet 1975, p. 60-61.
3. Burke, p. 54-55.
4. Foschi ; Davenson, p. 204-206 ; Menendez Pidal 1968, II, p. 320-323, 361-362.
5. Moreno-Fonseca ; Burgelin, p. 176.

Comment, jusqu'où, dans cette double dérive, l'œuvre, en changeant, reste-t-elle elle-même ? A cette question tente de répondre la notion controversée de « tradition ». Pour les ethnologues de l'école contextualiste actuelle, le terme renvoie à une construction scientifique plus qu'à un produit culturel ; et le discours que l'on tient sur elle procède d'une idéologie aux fonctions assignées dans notre propre champ social[1]. En fait, il est assez aisé (en observant les mécanismes d'imitation par lesquels se conforte et se perpétue une société) de circonscrire *des* traditions ; beaucoup moins, de définir *la* tradition. Je considère plutôt ici, d'assez loin et d'assez haut, cette épaisseur du temps social qui, plus ou moins, à tout moment de la durée, tend à neutraliser les contradictions existant entre le présent et le passé, voire le présent et l'avenir.

Ici peut-être on les nie, ces contradictions, et ailleurs on s'en targue, de façon purement verbale ou par des conduites efficaces, avec délibération ou inconscience : manières diverses de vivre ensemble la profondeur temporelle, critères possibles d'une typologie des cultures... et des poésies. « Traditions » : réponses multiples au défi que nous lance la fugacité de tout ce que désigne notre langage : dans l'ordre d'une perception sauvage de notre fragilité, l'équivalent de ce qu'est le travail dans celui de la transformation du milieu naturel. Le groupe social, collectivement, se réfère à l'univers comme à son terme et son garant, et intériorise cette référence en consentant à la norme ainsi objectivée, relative à ce qu'il faut savoir, et comment.

Tant que cet effort demeure irréfléchi, la pensée et le langage, proches de leurs archétypes, se réadaptent incessamment, en durée brute, avec plasticité et sans trop de contraintes. La réflexion ouvre les portes de l'histoire, et introduit le risque lié au statut d'héritiers. Peut-être, de nos jours, le comportement culturel d'une jeunesse abandonnée à elle-même manifeste-t-il son désir de repasser, s'il se pouvait, les portes dans l'autre sens...

C'est parmi ce réseau de perceptions, de coutumes et d'idées que se développent et perdurent les « traditions orales »[2]. La langue, lien de la collectivité, procure la seule possibilité de *faire connaître* le nom et la conduite des ancêtres ainsi que la raison d'être du groupe au jour le jour ; mais la parole, intériorisation de l'histoire, ne se déroule pas dans le temps comme le ferait une séquence d'événements ; elle se succède dialectiquement à elle-

1. Ricard 1980, p. 21.
2. Slattery-Durley, p. 8-9 ; Bäuml-Spielmann, p. 64 ; Lapointe, p. 139.

même, en constante réorientation des choix existentiels, affectant chaque fois qu'elle résonne la totalité de notre être-au-monde. Pour confirmer ou pour contester, la voix que j'entends jette sa fragile passerelle sonore entre deux voix inexprimées, murmurantes en nous, trop profondes pour percer sur l'agora : la voix antérieure que parlent en nous nos pères, et l'autre voix, qui les récuse [1]. C'est ainsi qu'à la fois on nous propulse et nous restons pris.

D'où, selon J. Goody (réfuté par J. Vansina...), un équilibre « homéostatique » entre une société et ses traditions orales : ce qui, à tel moment de la trajectoire historique, ne correspond plus, dans ces discours, à un besoin actuel, devient l'objet d'une « amnésie structurelle », et survit comme forme vide ou disparaît. S'il s'ensuit un traumatisme culturel trop fort, la société qui le subit mettra plusieurs générations à reconstituer l'économie générale de la parole collective [2] : ainsi, la vieille Europe après Gutenberg, l'Afrique de la colonisation... ou notre « Occident » dans sa confrontation avec l'ordinateur. L'instabilité et l'ambiguïté fonctionnelle sont les traits majeurs des « images », comme les nomme H. Scheub, formes complexes - mentales, linguistiques et corporelles -, dont la performance constitue nos traditions.

Celles-ci existent moins par elles-mêmes qu'elles ne s'engendrent dans la mémoire de ceux qui les vivent et en vivent : savoir cumulatif que le groupe, comme groupe, a de lui-même, et qu'il investit en langage selon des règles thématiques ou formulaires. Ces règles et les modalités de leur emploi diffèrent selon les types de cultures. Les sociétés archaïques possèdent une capacité plus grande d'absorber les apports individuels et de les fondre en coutumes plus ou moins contraignantes ; l'élargissement du rayon des communications, la diffusion de l'écriture puis l'établissement d'un régime lui assurant la prééminence contribuent à l'affaiblissement des mémoires et à l'accélération des rythmes de transmission : contradiction désormais inscrite dans le langage même, et dans la relation qu'il entretient avec le corps. D'où l'émergence de rôles sociaux nouveaux : l'intellectuel, le poète, l'« auteur »... [3].

Néanmoins - comparée aux autres éléments fondant la conscience de la communauté -, la poésie orale ne relève pas de ce que F. Zonnabend appelle la « mémoire longue ». A l'exception

---

1. Ong 1967, p. 176 ; Rosolato, p. 301.
2. Goody 1968, p. 27-67 ; Vansina 1971, p. 457 ; Scheub 1975.
3. Certeau, p. 157, 162-165 ; Havelock, p. 93-94 ; Goody 1979, p. 73-74 ; Mc Luhan 1971, p. 136-139.

des formes mythiques fortement ritualisées, le discours poétique oral est beaucoup moins durable qu'on ne le pensait encore il y a peu : son dynamisme dissimule la fragilité de ses éléments linguistiques, vocaux, gestuels, voués à ce que, dans un ouvrage déjà ancien, et par rapport aux textes médiévaux, j'ai nommé la *mouvance,* désignant ainsi l'instabilité radicale du poème[1].

Mais celle-ci n'est concevable et perceptible qu'en performance, de même qu'un discours ne l'est qu'en situation. Quand je fredonne pour mon plaisir l'une des chansons que je détiens en mémoire, je l'assimile pour un instant à ma conscience de vivant ; ensuite, elle retombe au silence. L'auditeur passionné de rock ou de *salsa* participe à ce qu'il éprouve comme tradition (ou comme mode, ce qui revient au même) : mais cette participation se manifeste par l'intensité du plaisir associé à *telle* performance, relativement à *telle* attente circonstanciée[2]. Sans doute la tradition n'est-elle rien d'autre que le conditionnement, devenu (pour un temps plus ou moins long ou bref) habituel, de cette attente. Conditionnement « ouvert » ou « fermé », selon le schème proposé par M. Houis, d'une attente « publique » ou « sélective », à laquelle s'adressent les porteurs « actifs » ou « passifs » d'une réponse plus ou moins décalée, mais que je reconnais.

Ce que me révèle en effet la voix du poète, c'est - doublement - une identité. Celle qu'apporte la présence en un *lieu commun,* où s'échangent les regards ; celle aussi qui résulte d'une convergence des savoirs et de l'évidence antique et universelle des *sens.* Woody Guthrie déclarait vouloir être « l'homme qui vous dit ce que vous savez déjà ». I. Lotman a montré naguère comment cette « esthétique de l'identité » - propre aux formes d'art pré-modernes, à la poésie orale et aujourd'hui aux textes diffusés par les médiats - fonctionne par assimilation de stéréotypes pourtant jamais automatisés, flottant dans le milieu instable de l'expérience vécue[3]. Les voix ordinaires de la communauté tissent en elle et pour elle une trame continue, horizontale, successive, d'où surgit et se distingue celle des poètes, une, et formant (dans une dimension temporelle qui lui est propre) une continuité verticale.

Comme la mémoire des individus et des groupes, la poésie vocale fait, de perceptions dispersées, une conscience homogène. Les chants sont toujours donnés à l'avance, dans le présent immobile de la mémoire, disait Blanchot. Menendez Pidal parlait de *latence.* Il l'entendait (s'agissant d'épopée) de l'espace histo-

---

1. Finnegan 1977, p. 53 ; Zumthor 1972, p. 68-74.
2. Hymes 1973, p. 5 ; Houis, p. 8-9 ; Burke, p. 89 ; Lord 1971, p. 22.
3. Alatorre 1975, p. xxii ; Vassal 1977, p. 94 ; Lotman 1973, p. 56-57, 396-399 ; Gaspar, p. 116.

rique indéterminé où l'événement engendre le mythe et celui-ci émerge en poésie[1]. J'en étendrais la notion à cette dernière même, à tout instant prête, comme la voix de mon corps, à chavirer du probable au manifeste, de l'attendu à l'actuel, au centre du cercle qui nous réunit. Ce n'est plus, dans cette perspective, un passé qui m'influence et m'informe quand je chante ; c'est moi qui donne forme au passé... de même que, on l'a dit, chaque écrivain crée ses précurseurs. Chaque poème nouveau se projette sur ceux qui le précédèrent, réorganise leur ensemble et lui confère une autre cohérence.

La performance d'une œuvre poétique trouve ainsi la plénitude de son sens dans le rapport qui la lie à celles qui l'ont précédée et à celles qui la suivront. Sa puissance créatrice résulte en effet pour une part de la *mouvance* de l'œuvre. Certes, plusieurs genres de poésie orale exigent une stricte mémorisation du texte et proscrivent toute variation : chants de danse polynésiens, poèmes généalogiques du Rwanda, rituels amérindiens, peut-être la poésie japonaise la plus ancienne. Tous apparaissent liés à une conception particulière du savoir et de sa transmission. Il s'agit donc ici de « mouvance zéro », significative comme telle[2]. Dans notre société, des habitudes contractées sous l'influence de l'écriture poussent les organisateurs de spectacle à en programmer exactement les détails au cours des répétitions : quelle qu'en soit la visée ultime, cette technique contribue à écraser les effets de mouvance. Ceux-ci, atténués, n'en disparaissent pas pour autant.

La tradition romantique depuis Schlegel a considéré l'œuvre littéraire écrite dans son *unicité* comme l'aboutissement d'une genèse évolutive. On soutiendrait qu'il en va de même de l'œuvre orale, mais dans sa *multiplicité*, manifestée par l'ensemble des performances ; en cela, jamais achevée : « context sensitive », comme s'exprime D. Hymes[3]. L'écriture engendre la loi, instaure avec l'ordre la contrainte, dans la parole non moins que dans l'État. Au sein d'une société saturée d'écrit, la poésie orale (résistant mieux que nos discours quotidiens à la pression ambiante) tend - parce qu'orale - à se dérober à la loi et ne se plie qu'aux formules les plus souples : d'où sa mouvance.

D'où l'inexistence de texte « authentique ». D'une performance à l'autre on glisse de nuance en nuance ou en mutation brusque ; où tracer, dans ce dégradé, la ligne de démarcation entre ce qui

1. Menendez Pidal 1959, p. 49-73 ; Campos, p. 20-22.
2. Finnegan 1976, p. 118, 267, 1977, p. 156-157, et 1980 ; Bower-Milner, p. 40 ; Lapointe, p. 131.
3. Hay, p. 228 ; Finnegan, 1977, p. 143-151 ; Hymes 1973, p. 35 ; Goody 1979, p. 12-13.

est encore l' « œuvre » et ce qui déjà ne l'est plus ? Folkloristes et ethnologues se sont périodiquement interrogés : Davenson jadis, à propos de chansons françaises comme *la Pernette* et *Mon père avait cinq cents moutons*. L'interprète lui-même, surtout s'il est analphabète, souvent n'a pas conscience des modifications qu'il apporte à ce qu'il tient pour un objet d'usage, immuable[1]. La notion de plagiat n'aurait ici pas plus de sens que celle de droit d'auteur : toutes deux, fondatrices de l'Institution littéraire. Si parmi nos chansonniers on pourchasse le premier et revendique le second, c'est là une influence marginale de l'écriture : j'ai signalé au chapitre XII que ce droit concerne les seuls « rôles » compromis avec l'écrit, celui du parolier et celui du compositeur. Pour accéder à ce statut, l'interprète doit inscrire sa voix sur un disque.

La tradition, bien attestée, des ballades anglaises a fourni un excellent terrain d'exercice aux chercheurs. Ainsi, l'on a tenté d'y mesurer des paramètres de variabilité. Selon W. Anders, l'ampleur des variations serait fonction de quatre facteurs : le délai séparant les performances, la longueur du texte, l'étendue du répertoire de l'interprète et la familiarité de ce dernier avec l'œuvre en question. Truismes ? Seule compte vraiment la proba-bilité du mouvement. J'ai fait un bref calcul sur 200 ballades de la collection Child, en utilisant les notes de Sargent-Kittredge : 6 pièces (3 %) comportent de 20 à 28 versions différentes recensées ; 28 (14 %), de 10 à 19 ; 52 (26 %), de 5 à 9, et 85 (42,5 %), de 2 à 4... Ces chiffres n'ont qu'une valeur indicatrice, assez approximative[2].

Plus que le nombre importe l'ampleur. R. Finnegan observe qu'en Afrique les chansons de danse et de travail témoignent d'une assez grande stabilité ; de même en général la poésie orale de peuples en contact avec l'écriture, comme les Swahili et les Hausa[3]. Davenson à titre exemplaire dressa une table compara-tive vers pour vers des quatre versions connues de la complainte française de saint Nicolas, *Il était trois petits enfants...*, versions, il est vrai, relevées à des époques diverses (du XVIe siècle au XXe) et en diverses régions : elles diffèrent à la fois par la mélodie, la forme strophique, la longueur, par les noms et les qualifications des personnages (à l'exception du saint), par le nombre et le rôle de ceux-ci (il y a ou non la femme du boucher), par les

1. Davenson, p. 82-83, 91-94 ; Menendez Pidal 1968, I, p. 39-40 ; Lacourcière p. 224-225 ; Derive, p. 70-71 ; Chadwick 1940, p. 867-869 ; Lord 1954, p. 241, et 1971, p. 28 ; Gossman, p. 773.
2. Anders, p. 223 ; Buchan, p. 170-171 ; Coffin, p. 2-15 ; Sargent-Kittredge, p. 671-674.
3. Finnegan 1976, p. 106.

instruments de leur action ! Reste le schème narratif commun, explicitement référé à Nicolas et réductible à quelques «fonctions» et «actants», bien reconnaissables[1]. Nous tenons là une «œuvre» proprement dite, existant réellement, à la fois pré-texte mémoriel et multiplicité de textes concrets qu'il est apte à engendrer.

La plupart des chansons enfantines (aussi longtemps du moins que l'école ne s'en est pas emparée) se meuvent dans un espace poétique aussi ample : d'une génération à l'autre, texte et mélodie varient, et l'on ne saurait parler en cela d'«évolution». Dans les ballades roumaines, les variations formelles de toute espèce peuvent affecter, selon A. Fochi, jusqu'à 54% du texte. Les chansons relevées par B. Jackson dans les prisons texanes n'ont guère pour éléments fixes qu'un titre, un refrain, quelques couplets isolés : les chanteurs les identifient néanmoins, au sein d'une poésie toujours en train de se faire. Cette fécondité textuelle et musicale, intrinsèque à l'œuvre vocale particulière, peut, dans la durée historique, dépasser de beaucoup la période créatrice d'œuvres nouvelles. Ainsi, entre les années quatre-vingts du XIXᵉ siècle (où F. J. Child rassembla ses cinq volumes de ballades anglaises) et 1904 (date du recueil de Sargent et Kittredge), furent recueillies plusieurs versions de textes déjà connus, mais aucune ballade nouvelle[2].

Je regroupe sous le terme de *variantes* les différences de toute espèce et de toute ampleur par où se manifeste, dans l'action performatrice, la mouvance de l'œuvre. J'en distingue deux types (en fait, cumulés dans le fonctionnement de l'œuvre), selon qu'elles se réalisent entre performances dues à des interprètes différents ou au même interprète.

Le premier type suppose l'intervention de différences personnelles, formation, âge, mais parfois aussi contraintes sociales imposant à telle classe d'individus un certain style ou un ton particulier : ainsi, dans les belles années de Ma Rainey et de Bessie Smith, entre chanteuses et chanteurs de blues ; aux débuts du jazz, entre interprètes noirs et blancs[3].

Les variantes du second type proviennent soit de modifications qualitatives dues aux circonstances, soit au contraire d'une volonté expresse de ne pas se répéter ; parfois, d'une intention plus subtile : le désir de moduler la réponse sur l'attente de tel

1. Davenson, p. 265-267.
2. Jackson, p. 87 ; Knorringa 1980, p. 54-56 ; Fochi, p. 104-105 ; Sargent-Kittredge, p. XIII ; Roy 1981, p. 160.
3. Collier, p. 128-129, 142-145.

auditoire. Le temps écoulé joue un rôle, et accroît beaucoup la portée de ces effets. A. Gilferding, qui entre 1860 et 1880 collecta des *bylines* russes dans la région du lac Onega, nota que jamais un chanteur n'exécutait un poème deux fois de la même manière. P. Rybnikov, parcourant la région vingt ou trente ans plus tard, constata dans les performances de témoins déjà enregistrés par son prédécesseur des différences telles qu'il hésita sur l'identité de plusieurs œuvres : ainsi, la ballade d'*Ilya de Murom* dans les deux versions fournies par le célèbre chanteur Trophime Tyabinine varie en durée du simple au double. Les ballades roumaines ont fait l'objet de plusieurs études de variantes. Dans un excellent petit livre, R. Knorringa en particulier, examinant de près les onze versions connues du poème *Mogos Vornicul,* est amenée à dépasser les limites assez floues de l'œuvre et c'est au niveau de la tradition comme telle qu'elle définit une intertextualité spécifique qui la constitue et lui confère son unité [1].

Plusieurs tentatives ont été faites, pour classer, en perspective poétique, les diverses espèces de variantes. Celles, d'inspiration formaliste, qui se limitent à l'appareil verbal de la tradition me semblent ici de faible utilité : ainsi, celle de V. Voigt concernant les dits proverbiaux [2]. Je donnerais la préférence à celles qui se fondent sur l'économie respective des modifications textuelles, mélodiques et rythmiques : les chansons traditionnelles françaises ont été à plusieurs reprises analysées de ce point de vue.

On y a relevé des variations autonomes, mais corrélatives, du texte d'une part, de la mélodie de l'autre. La seconde s'use et se renouvelle plus vite que le premier ; ses frontières sont plus incertaines encore : des motifs, des phrases musicales entières, se dissocient, migrent vers d'autres contextes, se recomposent au sein de la tradition, à la façon des formules épiques. On a pu écrire que la mélodie de tradition orale n'existe que par ses variantes. Si d'aventure l'œuvre est transférée dans une région culturellement éloignée de son milieu d'origine, une transformation plus profonde s'y produit, destinée à l'adapter à un autre système musical : telle cette complainte européenne sur la mort de l'aviateur Chavez, que chantait un Indien du Pérou selon les degrés de sa gamme pentatonique... Tel, le blues dont la diffusion se paya d'un prix musical assez fort : l'abandon des « notes bleues » [3].

1. Finnegan 1978, p. 324 ; Okpewho, p. 248 ; Bowra 1978, p. 217 ; Renzi 1971 ; Knorringa 1978, p. 66-112.
2. Voigt 1978.
3. Davenson, p. 82-89 ; Laforte 1976, p. 34-35 ; Burke, p. 121-122 ; Harcourt, p. 21 ; Collier, p. 123-125.

Ou bien, la même mélodie porte plusieurs chansons ; parfois, au cours de son histoire, elle transite de l'une à l'autre ; inversement, un texte unique et à peu près stable peut se chanter sur plusieurs mélodies : de *la Belle Barbière* (n° 44 de Davenson), on n'en a pas recueilli moins de quatorze ; du *Beau Déon* (n° 6), vingt-huit ! Le rythme du vers se maintient mieux, semble-t-il ; en revanche, la forme strophique, en général liée à la mélodie, est à peine moins instable que celle-ci.

Les variantes musicales s'accompagnent ordinairement de variantes textuelles, moins par voie de conséquence qu'en vertu de la liberté d'invention prévalant dans la performance - et que, de nos jours, la mécanisation des transmissions n'a pas tout à fait abolie. Quand l'autorité du texte (imposée par un rite ou sur le modèle de l'écriture) en interdit toute modification, l'interprétation musicale offre la seule marge possible de jeu. Les fans de Bob Dylan assurent que jamais ce chanteur n'interpréta deux fois une chanson de la même manière et qu'à chaque tournée il varie ses mélodies.

Celles des variantes textuelles qui touchent au vocabulaire ou aux enchaînements syntaxiques peuvent être diversement motivées :

- par le désir d'adapter l'œuvre au contexte particulier de la performance, soit en écartant ce qui pourrait y détonner ou n'être pas compris, soit au contraire en y concentrant incongruités ou provocations ;

- par le besoin d'aplanir les difficultés sémantiques soulevées par le texte, surtout s'il est traditionnel et d'origine ancienne : mots archaïques, ambiguïtés dues à l'effacement de contextes culturels périmés, apparent arbitraire des noms propres ; d'où une incessante ré-interprétation, riche de contre-sens ;

- par les nécessités enfin de la versification, dont les rythmes ou les sonorités, en s'altérant au cours du temps, exigent parfois de délicats réajustements, surtout dans les langues qui utilisent la rime.

D'autres variantes textuelles touchent à la disposition des masses discursives et à la mise en ordre des parties. Sans doute tiennent-elles davantage au dynamisme profond qui anime toute opération de la voix : cette élancée de parole, répugnant aux programmations préalables ; élan que ne rabat jamais sans mal quelque « art poétique » que ce soit. Cette tendance se manifeste aussi bien dans la distribution des schèmes micro-textuels, le rythme de récurrence des formules, que dans l'organisation des sous-ensembles : introduction, suppression, échange de refrains ou de strophes. L'examen de vastes secteurs poétiques comme celui des chansons folkloriques françaises, anglaises ou mexicaines suggère que l'unité poétique orale (au niveau de laquelle se reconnaît une identité) réside dans la strophe plus que dans la chanson même. La mouvance comporterait ainsi deux étages : celui de l'unité strophique, et celui de l'assemblage de ces unités. Cette instabilité se projette, si le poème est narratif, sur les structures de récit ; d'où les additions, éliminations, déplacements d'épisodes ou de personnages, comme on en rencontre si souvent dans l'épopée [1].

Même mobilité, mêmes glissements dans le style et la composition, mêmes strophes éphémères, mêmes altérations tonales durant l'existence orale du beau poème de Jean Cuttat, *Noël d'Ajoie :* composé en 1960, enregistré sur bande, cette longue romance fut, au cours de quinze années de luttes politiques, sans cesse déclamée dans les cafés et les réunions publiques du Jura suisse, s'y chargeant peu à peu des fonctions d'hymne national et de chant de libération. Un nombre incertain de versions en circulent encore, quoique l'auteur ait publié en 1974 ce qu'il veut être le texte définitif. De l'un à l'autre de ces textes, des motifs émergent ou disparaissent ; de l'épique à l'intimiste, le ton change ; le thème général s'infléchit en sens qui pourraient être divergents. C'est finalement la fonction même de l'œuvre dans le groupe social qui peu ou prou se modifie [2].

Aux motifs errants correspondent des couplets, des vers migrateurs, souvent débris de chansons oubliées, disponibles, aspirant à se réintroduire dans des combinaisons nouvelles : la chanson française de *la Pernette* (n° 3 de Davenson) ne compte pas moins, dans sa tradition, de quatre débuts et trois dénouements différents, chacun d'entre eux se retrouvant dans quelque autre chanson. Même brassage dans les ballades anglaises, dans les chansons enfantines, dans tel chant folklorique italien où l'amoureux transi contemple, dans une version, la mer, dans une autre, la montagne... ou dans les *bylines* russes où Pierre le Grand, Ivan le Terrible et Ilya de Murom échangent allègrement noms et souvenirs héroïques [3]. D'où, souvent, des modifications globales, touchant aux capacités allusives du texte. Telle ballade anglaise, recueillie à vingt ans de distance sur les lèvres d'une jeune fille devenue femme de pasteur, présente deux versions narrativement identiques mais dont la seconde gomme les moindres détails relatifs à la nourriture, à la boisson et à l'amour [4].

1. Buchan, p. 110 ; Coffin, p. 5-7 ; Alatorre 1975, p. XIX ; Sargent-Kittredge, p. XXIX.
2. Conférence de M. Moser-Verrey à mon séminaire, février 1980.
3. Davenson, p. 91-92 ; Coffin, p. 6 ; Charpentreau, p. 120-121 ; Cirese, p. 39 ; Burke, p. 144.
4. Buchan, p. 115-116.

Plus généralement, on invoquerait ici la technique de la *contrafacture,* pratiquée dans toute l'Europe depuis le Moyen Age et dont plusieurs exemples restent célèbres. La séquence *Laetabundus,* du XIIe siècle, fut «contrefaite» une cinquantaine de fois, en toutes langues et en tous registres. La pièce no 122 de Davenson - peut-être *noël* à l'origine, parodiée dans un vaudeville de 1627 qui évoquait en couplets successifs Alexandre, Moïse, Gédéon et d'autres héros -, non seulement connut diverses variantes onomastiques, mais par substitution de termes ou de motifs donna naissance dès le XVIIe siècle à des chansons bachiques (c'est sous cette forme que j'en eus connaissance vers 1950), à des chansons d'actualité (dont une, en 1792, en l'honneur de la guillotine!) et à plusieurs autres *noëls.* Le no 138, invoqué par les amateurs de «poésie pure» au temps de l'abbé Bremond («*Orléans, Beaugency...* »), air de carillon orléanais du XVIe siècle réduit à une énumération de toponymes, fut refait au XVIIe pour glorifier le général de Vendôme, pourvu au XVIIIe siècle d'un couplet évoquant la lenteur des heures nocturnes, et au XIXe de celui que nous connaissons, sur le Dauphin Charles, ce qui rattache bien artificiellement ce petit texte à la légende de Jeanne d'Arc...[1].

Livrée ainsi aux aléas du temps, l'œuvre poétique orale flotte dans l'indétermination d'un sens qu'elle ne cesse de défaire et de recréer. Le texte oral appelle une interprétation elle aussi mouvante. L'énergie qui le sous-tend et en bricole les formes, à chaque performance récupère l'expérience vécue et l'intègre à son matériau. Les questions que lui pose le monde ne cessent, elles, de se modifier; tant bien que mal, l'œuvre modifie ses réponses. J'ai entendu chanter à Bangui pour la fuite de Bokassa une chanson composée vingt ans plus tôt pour la mort du président Boganda : il suffisait d'en changer peu de mots pour faire de la complainte une moquerie. L'altération du texte n'est même pas indispensable, pourvu qu'ait changé le contexte historique. Les *Brigands* de Schiller, remarquait L. Gossman, montés par Piscator dans le Berlin révolutionnaire de 1926 ou dans le Mannheim trop bien nourri de 1957, ne sont, fonctionnellement, pas la même pièce. Les chansons russes de recruteurs étaient-elles les mêmes chansons vers 1930 et sous le régime tsariste où un engagement dans l'armée durait vingt ans[2]? Transférée d'Amérique en Europe et même en conservant identique son véhicule musical, la chanson de nos jours souvent s'affadit, incline à la commémoration plutôt qu'à l'éclatement des valeurs :

1. Davenson, p. 530-532, 579-580 ; Harcourt, p. 55.
2. Gossman, p. 774-775, 778.

259

effet de l'imitation, sans doute, mais plus encore de la différence des mentalités et des mœurs, atténuant l'immédiateté des connotations.

C'est dans cette mouvance de la fonction poétique que s'inscrivent les « retours aux sources » dont l'histoire de la poésie orale depuis deux siècles est tellement plus riche que celle de la poésie écrite... comme si la voix plus naturellement que la main cédait à ces nostalgies.

Retour aux thèmes émotifs, aux lieux communs et aux ficelles d'une poésie « populaire », puisée au vaste creuset romantique : chansonniers paysans et ouvriers de la fin du XIXe siècle, comme Gaston Couté, ou boulevardiers d'entre-deux-guerres comme un Charles Trenet des belles années... Le Boris Vian lui-même de *Cueille la vie* ou de *l'Ecole de l'amour* revint périodiquement, au risque de quelque grisaille, conforter son art dans ce courant commun. Mouvement parallèle au Québec, affrontant un Gilles Vigneault, une Louise Forestier pour un temps, aux Charlebois d'une Amérique disloquée et aux sarcasmes du groupe montréalais de l'Ostid'cho...[1].

Retour à un folklore ressenti comme originel, matrice infiniment féconde des chants - comme le Québec encore en donna l'exemple durant une vingtaine d'années avec la Mère Bolduc et l'abbé Gadbois ; ou le Chili, qui redécouvrait vers 1960 les rythmes du *cachimbo ;* ou l'Argentine d'Atahualpa Yupanqui ; ou l'Italie de Giovanna Marini... remontée, par-delà des siècles de culture musicale, aux timbres de la parole et aux inflexions charnelles de la voix. Aux Etats-Unis, où la musique européenne savante avait poussé de moins profondes racines, la « renaissance folklorique » des années quarante puisait aux richesses mêlées de traditions populaires anglo-saxonnes, irlandaises, méditerranéennes, africaines, déversées sur le continent par les immigrations successives. Lié aux campagnes pacifistes du temps du Vietnam, mais indifférent aux idéologies, le folk, fragile, un peu tendre, rêvait d'une autre vie et d'une reconnaissance unanime dans ce chant dont il pensait avoir retrouvé le secret. Mais voici que Bill Haley le mariait au blues, l'ouvrait aux rythmes noirs et lançait vers 1954 le rock'n roll. C'en était fait de l'idylle ; mais il parut soudain que tous les folklores d'un monde suranné ressuscitaient, méconnaissables et sûrs d'eux-mêmes, ruisselants de vie et de violence salvatrice, dans ce bain de jouvence[2].

A travers cette quête aveugle d'un illusoire paradis perdu, l'art

---

1. Clouzet 1966, p. 83 ; Millières, p. 67-78, 103-106.
2. Millières, p. 17-38 ; Clouzet 1975, p. 33 ; Vassal 1977, p. 127-130 ; Hoffmann-Leduc, p. 14-16, 23-27.

contemporain de la voix a retrouvé, à sa manière et dans son style, ce qui fonde la valeur sociale de la poésie orale : valeur qu'avaient étouffée les siècles « classiques » de notre Écriture. Au cœur du groupe, cette voix chanteuse, cette voix tellement ancienne et profonde, signifie la Loi d'un père, mais d'un père réconcilié.

15. Le rite et l'action

Rites archaïques et rituels contemporains. - L'action de jeu ; la fête. - L'«engagement» : du poème guerrier à la chanson de contestation. - Les récupérateurs.

Dans la poésie niche l'espoir qu'un jour un mot dira tout. Le chant exalte cet espoir, et emblématiquement le réalise. C'est pourquoi la poésie orale donne à la voix sa dimension absolue ; au langage humain, sa mesure comble. D'où les deux fonctions que, simultanément ou alternativement, elle remplit au milieu de nous : l'une, divertissante, suscite le savoir ou provoque le rire ; l'autre, efficace, sacralise, spécifie ou déclenche l'action[1]. Le contexte culturel les modalise. Du moins, toujours la voix qui chante se dérobe-t-elle en cela aux parfaites identités du sens : son écho retentit dans les ombres inexplorées de son propre espace ; elle les révèle, feint de nous les livrer un instant, puis se tait, ayant passé par-delà tous les signes.

Pas plus que le conteur, le chanteur ne nomme ce dont il parle : il le prénomme, d'un discours préalable et singulier, référant à l'incommunicabilité d'un sujet. En saisissant tel événement, tel objet pour lui conférer l'existence - à la fois poétique et vocale - il les rend probables, aptes à éveiller le désir ou l'effroi, à causer douleur ou plaisir ; mais il ne les *ex*-plique pas ; au contraire, il les *im*-plique.

Les civilisations africaines (je le rappelais au chapitre III) tiennent la parole rythmée et chantée pour puissance de vie et de mort, lieu d'émergence de toute invention : le nom fait être, l'existence se conçoit en termes de rythme. Telle est la clé des sagesses, des arts, des pratiques quotidiennes, non moins que de la survie des États. Mais ces valeurs qu'a magnifiées l'Afrique exemplaire, aucune culture au monde ne les ignora tout à fait[2]. Aucune d'entre elles ne fut inconsciente du lien génétique attachant à l'action la poésie. «A quoi ça sert ?» interroge le *sens*

---

1. Gaspar, p. 123 ; Thomas, p. 418 ; Kristeva 1975, p. 26.
2. Jahn 1961, p. 149, 178, 186 ; Finnegan 1977, p. 239.

commun. Le point d'interrogation s'applique à *quoi,* non à *sert.*
Le poème, animé par la voix, s'identifie à ce qu'il fait exister dans l'ordre des perceptions, des émotions, de l'intelligence, de sorte qu'aucune paraphrase n'en serait possible, si même on en éprouvait, par aberration, le besoin.

Une chanson évoquant l'enfance, le pays perdu ou tel être cher provoque chez la plupart des humains une réaction affective beaucoup plus intense que ne le ferait une phrase ordinaire développant les mêmes thèmes. D'où l'universalité des chants de nostalgie, et la brutalité parfois de leurs effets sur des êtres frustes. Louis XIV, dit-on, interdit dans les régiments suisses le chant du *Ranz des vaches,* car cette complainte de bergers poussait à la désertion des mercenaires pourtant peu suspects de sensiblerie ! La parole que projette vers l'auditeur la voix scandée ou chantée agresse ou pacifie, sépare ou médiatise. L'écriture, quoi qu'on fasse, atténue et irréalise ; dans la voix éclate, se transmet sans intermédiaire lénifiant le Non qu'oppose l'art à la demande de l'Institution, au moment où celle-ci se fait le plus pressante [1].

La voix, de sa profondeur spatiale, s'écarte de l'Ordre muet. Elle fait naturellement scandale. Lors même que, dans les cultures traditionnelles, le poète avec bonne conscience soumet sa parole à l'autorité et l'assujettit aux censures, sa voix même, chaleureusement corporelle, élevée du milieu de tant de discours fugaces et sans poids, signifie autre chose. Il arrive qu'une société très fermée reconnaisse, comme un moindre mal, afin de le désamorcer, ce désir de transgression et l'avoue : d'où les traditions de chants destinés à braver les tabous scatologiques, sexuels ou religieux, comme celle qu'étudie J. Fribourg dans les *jotas* aragonaises [2].

Récupération ? Le terme est ambigu. C'est l'une des constantes de l'histoire des sociétés que leur volonté d'asservir et de se faire servir la voix. Mais il suffit que résonne çà et là cet appel à la jouissance et à l'inquiétude, ce rebrassement du sang, pour que s'annule l'effet récupérateur.

Il n'en a pas toujours été ainsi. La poésie orale naquit des rites archaïques : ontologiquement, sinon (qui le saura ?) dans l'histoire. Le rite la contint. Un jour, elle s'en évada ; dès lors... Peu importent les détails dont on ornerait cet apologue. J'entends ici par *rite* (terme dont souvent on abuse) celui qui, embrassant le groupe social, y définit des rôles fonctionnels en même temps

1. Ong 1967, p. 192-193.
2. Kristeva 1975, p. 13 ; Fribourg 1978*b*, p. 315-318 ; Coyaud.

qu'il en assure les relations avec le divin. Un rite est d'autant plus efficace qu'il s'actualise en drame : mimant les symboles sacrés du vécu et de l'inimaginable. Un geste le constitue, que vient expliciter la voix, scandée ou chantée. Le mythe, autre forme matricielle, inversement, a pour essence une parole qu'explicite le geste. Il engendre le récit ; le rite engendre le chant : l'un et l'autre à tout instant réanimés par le désir que porte la voix. La voix rituelle prononce dans un espace-temps éternisé la parole secrète et impérative qui somme la divinité d'être présente, de remplir le lieu vide au centre de l'assemblée. Un Inconnu de passage, un ange musicien, Orphée, en enseigna aux temps immémoriaux la formule à nos mages, dont elle fonde le pouvoir : théâtralisée au point de se résorber parfois en danse, comme dans le rituel balinais de Rangda[1].

Le rite sécurise, confirme les tabous protecteurs ; ou bien il les dépasse et se branche sur l'inconditionné. Dans l'un et l'autre de ces fonctionnements, son opération s'intègre à la magie ; son agent, sorcier ou chamane, porte la marque de l'étrange : or, cette marque réside dans sa voix. Celle-ci n'est pas tout à fait humaine, le timbre, la hauteur ou l'articulation la distinguent des nôtres. Chez les Amérindiens Kwakiutl, le sorcier porte un masque destiné à la modifier, tant il importe de manifester que l'Esprit intervient en elle. Elle n'appartient qu'instrumentalement à cette gorge humaine. C'est pourquoi les mythes existant sur l'origine de la poésie la rattachent toujours à quelque déité, comme les Muses[2].

Dans le rite, en effet, la voix poétique parle une langue commune aux mortels et aux dieux : les «belles paroles» des voyants guarani, où bruit encore la mémoire d'un séjour antérieur, et déjà la promesse de la « Terre sans mal ». Elle fonde sur l'origine sa prophétie, mêlée à notre histoire où elle retentit mais qu'elle interrompt soudain, au profit d'un autre présent, qui est, comme l'écrivait magnifiquement Blanchot, cette présence des hommes entre eux, pauvres et nus. Prophétie nomade, celle des poètes d'Israël, récusant ce qui n'est pas errance, annonçant pour avenir ce que jamais on ne saurait vivre ici et maintenant ; plus humblement, poésie mantique des devins africains : toujours la voix chante, vibre dans le rire théurgique, ouvrant un hiatus en pleine ordonnance du savoir, à la manière de l'énigme que le Sphinx, selon le scoliaste d'Euripide, «chantait comme un oracle »[3].

1. Gans, p. 129-130 ; Ong 1967, p. 161 ; Geertz, p. 112-115.
2. Bologna 1981, § 2, 1, 3, 4 ; Finnegan 1977, p. 237-238.
3. Clastres, p. 106-109 ; Blanchot, p. 117-123 ; Meschonnic 1973, p. 260-263, 268-271 ; Bologna 1980, p. 557 ; Finnegan 1976, p. 187-191.

On suppose, sans trop de preuves, que l'usage rituel de la poésie orale prédomine dans les sociétés archaïques[1]. Il en subsiste assez de traces aujourd'hui pour satisfaire les curiosités ethnographiques : hymnes chamaniques de deuil, de départ, de mariage relevés au XIXᵉ siècle chez les peuples turcs d'Asie centrale et en Polynésie ; aujourd'hui encore, chants magiques de chasseurs amérindiens, chants d'initiation de beaucoup d'ethnies africaines, incantations collectives accompagnant une naissance chez les Pokot du Kenya : survivances, que j'ai signalées au chapitre IV. Mais aussi, hier encore, pathétiques reviviscences, comme dans les hymnes du prophètes zoulou Isaïe Shembé, fondateur de l'« Église africaine de Nazareth » durant le premier tiers de notre siècle... Ou bien, dérisoires reliques, menus cailloux de ce long chemin d'histoire : dans le XVIᵉ siècle italien ou anglais, certains conteurs ou chanteurs se signaient ou se découvraient au commencement de la performance - dernier hommage aux puissances sacrées touchées par la voix. Rite devenu coutume, habitude sociale figée et sans motivation.

De ce qu'ainsi nous avons perdu subsiste jusqu'à nous, écho d'un désir oblitéré, cet appel à l'identification qui continue de résonner dans toute poésie vocale. Mais le rituel initial s'est socialisé ; sa puissance dramatique, affadie dans le syncrétisme des religions et le conservatisme des mœurs. Les griots africains n'ont rien du shamane. Leur fonction est d'apaiser, par la musique et le verbe, les rivalités sociales. La voix du poète change d'adresse et de timbre. Le rite a cessé de la contenir. Son dynamisme, libéré, la propulse vers l'horizon confus des possibles, avide d'y susciter une action. Peut-être la société sent-elle dans cette émancipation un danger, et prend-elle peur. Elle inventera de pseudo-rites, à renfermer cette voix, à en neutraliser du moins l'élément perturbateur : ainsi, sans doute, fut dans la nuit des temps inventée l'écriture ; ainsi, la société bourgeoise se fabriqua-t-elle son Institution littéraire, aujourd'hui relayée dans cette fonction par l'Institution télévisuelle...[2].

Figure sonore, la voix libérée imprime, déjà chaude, dans le tissu existentiel, la trace de l'action à venir. Elle est cette action même, dans l'une ou l'autre de ses modalités : ludique, ou « engagée », l'une aussi réelle que l'autre, quoique l'une à l'autre opposée comme, au faire, le « faire-comme-si », référant à des niveaux distincts d'expérience.

---

1. Winner, p. 34-45 ; Chadwick-Zhirmunsky, p. 238-241 ; Chadwick 1942, p. 15-40 ; Savard 1974, p. 8 ; Finnegan 1978, p. 124 ; Burke, p. 176.
2. Cazeneuve, p. 72-75, 79.

Du rite au jeu s'étend l'espace où l'utile bascule au gratuit. La qualité du jeu, c'est son intensité : sa folie, son éloignement de l'ordinaire. Non moins ordonné que toute autre action, mais autrement, volontaire et libre, avec un commencement et une fin marqués, son lieu et son temps, perfection limitée où, quand elle s'élève, s'inscrit la parole. Indiscutable réalité d'« une apparence qui est », selon le mot d'E. Fink. Mais est *où,* sinon dans cette parole même ? En fait, pour la plupart des cultures, rares sont les jeux que n'accompagne pas la voix, sous quelque forme rythmiquement marquée, en général le chant. Chez les Inuit de l'Arctique central, au système ludique très élaboré, ont été inventoriées dix espèces de jeux, dont neuf comportent une activité vocale et huit des formes diverses de chant[1].

Lorsque, écrivait Huizinga dans un livre célèbre, le développement social a tranché les liens primitifs qui amarraient au jeu la loi, le commerce et la guerre, la poésie, elle, maintient le contact[2]. Elle joue avec les mots, jouit. Huizinga pensait à la poésie écrite. Sa proposition est plus vraie de la poésie orale, seule, grâce aux articulations sonores, à pouvoir accomplir le désir refoulé de faire du corps un *jouet.*

Marquée par sa préhistoire, la poésie orale remplit ainsi une fonction plus ludique qu'esthétique : elle tient sa partie dans le concert vital, dans la liturgie cosmique ; elle est à la fois énigme, enseignement, divertissement et lutte. Jamais elle ne perd, historiquement, tout à fait ces caractères. D'où sa relative indifférence aux canons successifs de la beauté. D'où, souvent, son agressivité, sa tendance à s'organiser en formes contrastives, provocatrices, suscitatrices de compétition : ce qu'exprima peut-être à l'origine le grec *iambos; potlatch* poétiques et vaticinatoires auxquels nous devons les formes les plus antiques du chant, aussi bien chez les Arabes que, semble-t-il, chez les Germains ; réglés avec rigueur afin d'exciter le plaisir agonistique de la voix, pliant à ses propres exigences le langage[3].

Dans l'archéologie de la poésie, rien ne permet de remonter en deçà du rite et du jeu. Le chant ludique coexiste, dans les sociétés archaïques (aujourd'hui encore en Afrique), avec le chant rituel : à vue d'historien, on ne saurait assigner l'un à l'autre, mais bien, hypothétiquement, tous deux à une origine commune, si lointaine qu'elle ne nous importe plus. Apparemment dépense pure, en profondeur stratégie et investissement, le jeu comme le rite, comme le *fort-da* freudien, fixe une limite par le geste même qui

1. Huizinga, p. 2-10 ; Fink, p. 76-77 ; Beaudry, p. 50-52.
2. Huizinga, p. 132-134.
3. Huizinga, p. 66-70, 110-122.

la brise, et inversement[1]. Il manipule le rapport sujet-objet et par-delà met en cause les relations qui constituent pour chacun de nous le monde. Miroir, mais qui fait naître, produisant ce dont il donne la figure, à l'intérieur de son cadre : mon poème, mon chant, *symbole* au sens étymologique du terme, indice de reconnaissance. Le mot dit, plus encore le mot chanté, est célébration ; la transmission du savoir, initiation et jouissance. Il n'en va pas autrement de nos jours de la parole diffusée par les médiats et, de façon éminente, de ce que l'on nommerait la poésie télévisée.

Plus radicalement encore que théâtre, la performance est ainsi *fête*. Elle requiert une convergence spontanée des volontés, adhérant aux formes imaginaires communes. Dans notre monde, les médiats purement auditifs ont atrophié ce caractère. La télévision le restitue en l'altérant. Mais il suffit, pour qu'il se manifeste dans son intensité première, de rassembler autour d'un chanteur en chair et en os n'importe quel auditoire non blasé. Ailleurs, une somptueuse étiquette suscite et encadre la participation exaltée de l'auditoire, comme lors des *pajadas* du Rio Grande do Sul[2]. Un James Brown, ancien chanteur de *gospel* et qui, à plus de cinquante ans, reste l'une des puissantes figures du chant afro-américain, conserve jusque dans ses cabotinages d'aujourd'hui la passion des communautés noires de sa Géorgie natale : vingt musiciens, des danseurs, des choristes, des comédiens, toute frelatée qu'on puisse la dire, la James Brown Revue explose comme une fête universelle. Qui, dans la salle, n'y participerait pas ? A demain la critique.

Avec des moyens plus pauvres, tel groupe de Brazzaville, embrouillant à dessein costume traditionnel et complet-veston, mais toujours pieds nus, mêle ses voix à celles d'un public soudain dressé entre tables et banquettes, vibrant du chant brisé qui lui parle de terre, de mère, de l'unité africaine, autre fête espérée. Voici que les villageois de brousse en accueillent les échos, les répercutent à leur manière, kermesses déchaînées dans la moite nuit équatoriale, où la vie du quartier de son peuple se raconte en chansons, en cris de guerre, en stridences de tambourins, de *maracas* et de bouteilles entrechoquées... Exemples dispersés, dont quel est le sens ultime, sinon qu'à travers le monde désemparé de notre fin de siècle se dessine en pointillé, de tentative en tentative, de lieu en lieu, tâtonnante, menacée incessamment par les puissances mercantiles, une Fête perdue,

---

1. Finnegan 1977, p. 208 ; Fink, p. 123 ; Huizinga, p. 46-47 ; Ong 1967, p. 28-30 ; Cazeneuve, p. 81.
2. Cazeneuve, p. 80-83, 213 ; Anido, p. 167-169.

auto-célébration communautaire du verbe, de la voix et du corps ?
Saisonnière ou commémorative, publique ou privée, la fête ne
comporte pas nécessairement de connotation joyeuse : les chants
de funérailles africains sont d'admirables poèmes festifs. La
destruction de biens précieux et rares, les ripailles, le gaspillage
de pauvres richesses laborieusement rassemblées (comme on
l'observe encore chez les populations les plus déshéritées, de la
Papouasie à l'Afrique orientale), cet excès ostentatoire, ce déni
des oppressions vécues, la voix peut l'assumer[1]. A défaut
d'abolir matériellement ces signes, le groupe délègue à ses
chanteurs la grande tâche dévastatrice du langage : au-delà de ce
que disent les mots, au-delà même de ce corps, jusqu'aux limites
de la voix.

C'est pourquoi (Rousseau déjà le remarquait dans la *Lettre à
d'Alembert*) fête s'oppose à spectacle comme une action communautaire à toutes les autres : à plus forte raison, à l'industrie
culturelle qui régit pêle-mêle «fêtes nationales» et festivals. La
chanson y préside presque toujours ; mais où sont *nos* fêtes ? Les
traditions qui les nourrissaient se sont dégradées en même temps
et dans la mesure même que se transformait notre relation au
monde et aux autres. Cependant, d'autres fêtes surgissent, grands
rassemblements sauvages qui ne cessent depuis trente ans de se
reformer ailleurs autour d'un autre chanteur, d'un autre orchestre,
dès qu'ici le showbizz a récupéré le précédent.

Le jeu, tant qu'il est déclaré tel, la fête patentée, à tort ou à
raison sentis comme institutions, ne semblent pas comporter pour
l'Ordre de danger. Innocuité toute apparente. Dans sa tendance
profonde, le jeu voisine avec l'action engagée ; il en subit
l'attraction, et des interférences se produisent. Les dichotomies
que pratiquait Huizinga entre le ludique et l'utile, le jeu et le
travail ou la science, ne résistent plus à la critique. Le jeu
comporte son sérieux, son effort, son utilité[2]. Neutralisant la
peur qui freine l'action efficace, le jeu dépense une énergie
épurée où l'homme croit découvrir sa vraie nature cachée,
autrement codée que son moi social. D'où la force exemplaire
qu'y déploie la voix. Elle s'élève du fond d'une enfance, en deçà
du principe de réalité ; elle affirme cette marginalité mesurée à
laquelle le commun des hommes attache le masque de la liberté.

Ainsi, l'aire du jeu confine à celle de l'action engagée. Une
zone frontière mouvante les sépare mais parfois aussi les confond : c'est de là que proviennent les poèmes parlés ou chantés,

1. Huizinga, p. 48 ; Smith 1972, p. 161-168 ; Smith 1980.
2. Warning 1979, p. 327-328 ; Lotman 1973, p. 105-110.

improvisés ou non, que suscitent, sous l'impact d'une expérience ou d'un spectacle, l'humour, la moquerie, le sarcasme, part numériquement considérable (qualitativement, souvent médiocre) de la poésie orale de notre temps, tout-venant de la chanson. Mais - à l'exception peut-être des plus fortement ritualisées - il n'est pas de culture qui ne connaisse cette forme d'«art» : chansonnettes piquantes qu'improvisent, pour s'interpeller l'une l'autre, des femmes voltaïques travaillant au mortier dans leur cour ; taquineries grivoises que chantent ses aînées à une fiancée zouloue. Humour innocent ; ou tel autre qui l'est moins : improvisations comiques de paysans asturiens, couvrant la gamme entière des nuances, de la plaisanterie hilare au presque-blasphème [1].

Insensiblement, le poème dérape, de la plaisanterie à l'accusation et à la menace. Le même texte, selon les circonstances, s'interprétera de l'une ou l'autre manière. Ainsi, dans bien des cultures traditionnelles, de l'Afrique aux Pyrénées et à l'Acadie, les chants de reproche qu'adresse à l'infidèle un amant trahi : au sein de petites communautés isolées, de telles invectives, aussitôt endossées par le groupe, passent dans le répertoire local et y font dès lors fonction de discours moralisateur, justifiant la persécution de l'inconduite [2].

Mais (parce que présence manifeste et communauté vécue) c'est dans ses formes ouvertement collectives que la performance revendique avec le plus d'éclat le passage à l'action «engagée». Branchée sur les tensions d'où sourd l'énergie sociale, elle ancre l'œuvre vocale dans l'*agôn* politique ou la violence militaire. Animatrice, exaltante ou déploratoire, la voix poétique donne alors forme à des passions déjà mûres mais encore en quête d'elles-mêmes, et les précipite à leur terme.

Ainsi, du chant guerrier [3]. La plupart des sociétés traditionnelles entretiennent des chanteurs chargés de rameuter les mâles en état de porter les armes, de fouetter leur agressivité, de les exciter au combat : pratique habituelle dans le Haut Moyen Age européen, comme elle l'avait été chez les Celtes et les Germains antiques, comme elle l'était encore en 1812 dans les régiments de cavalerie russe, et jusqu'à la fin du XIXᵉ siècle dans les royaumes africains. Et qu'est-ce que la *Marseillaise* de Rouget de Lisle, dont le sens initial s'est estompé dans l'usage ?

Ou bien, la voix magnifie, en lui conférant le poids de sa propre présence, le passé commun, en extrait une incitation à la lutte, une justification, d'autant plus convaincante dans l'émotion

---

1. Vassal 1977, p. 10-11 ; Finnegan 1978, p. 140 ; Fernandez, p. 474-476.
2. Finnegan 1978, p. 135 ; Ravier-Séguy, p. 94-95 ; Dupont, p. 222-223.
3. Bowra 1978, p. 413 ; Camara, p. 181-182.

provoquée, qu'elle est sommaire ; évocations glorieuses, commémorations des héros morts, célébration du chef invincible, effervescence mythologique dont la seule issue sera la violence ainsi déclenchée. Le pouvoir en sait l'efficace, et l'exploite [1] : les États de 1914-1918 en donnèrent de riches exemples, dont celui de la France des Montéhus et des Botrel n'est pas le moindre ! Au début de la guerre contre l'Iran en 1980, la radio irakienne diffusait chansons et poèmes sur la classique victoire de Qadissieh non moins que sur les opérations en cours et sur le Président, porte-étendard de la cause arabe. Ou bien, après le fait, la voix l'évoque en vue de le multiplier dans l'avenir où elle le projette. Le cheikh somali Mahammed Abdille Hassan - grand poète et héros des guerres que mena son peuple durant vingt ans contre les Éthiopiens, les Britanniques, les Italiens - ayant en 1913 exterminé le corps expéditionnaire anglais, improvisa sur cette victoire un chant demeuré célèbre.

Plus le groupe est faible, menacé et conscient des périls, plus la voix poétique y résonne avec force. La chanson devient arme : chants de partisans, durant la Seconde Guerre mondiale, à travers l'Europe occupée, de la France à l'URSS ; chants de guérilleros latino-américains aujourd'hui, telles ces chansons sandinistes dont le texte fournit les règles du maniement de l'arme ou de la fabrication des explosifs [2] ; chants des guerres civiles... Mais l'horreur de cette violence n'est pas source moins féconde de poésie. Les hommes n'ont jamais cessé d'investir, dans l'œuvre de leur voix, leur haine de la guerre, leur volonté de se dérober à son Ordre : au nom de leur simple désir de paix, ou dans le mouvement d'un refus plus global. Le *folk-song* américain, à son origine, baignait dans une tradition pacifiste entretenue par des chansons datant de la guerre de Sécession : chagrin des gars enrôlés de force, fiancées perdues, colère devant la mort absurde. Un Tom Paxton, un Phil Ochs, cent ans plus tard, sauront tirer de ce fonds les mots tragiquement ironiques de leurs chansons sur le Vietnam [3]. J.-D. Penel m'a communiqué une série de belles chansons, d'un bouleversant laconisme, improvisées en 1969-1971 dans des camps de réfugiés soudanais, par de pauvres diables en butte à la fois aux armées nordistes et aux partisans noirs.

Une poésie populaire antimilitariste s'est ainsi développée, en France et en Amérique, dès le XVIIIᵉ siècle, en même temps que croissait la puissance des armées et que s'industrialisait la guerre.

1. Brécy, p. 217-241 ; *Le Monde* du 11 octobre 1980 ; Andrzejewski-Lewis, p. 72.
2. Disque *Guitarra armada*, Éd. FSLN, Managua.
3. Vassal 1977, p. 72-74, 216-222.

La conscription napoléonienne engendra un véritable genre nouveau, à connotations épiques, la chanson de réfractaire, exaltant ces héros des temps modernes : on en relève aujourd'hui encore dans le folklore breton ; parmi les chansons qu'enregistra X. Ravier dans les hautes Pyrénées figurent cinq versions d'une longue ballade sur un déserteur du temps de Louis-Philippe, encore vivant dans le souvenir de quelques vieillards. *Le Déserteur* de Boris Vian (dont la diffusion fut interdite durant plusieurs années) relevait, en 1954, sur une scène plus vaste, cette tradition. Cependant, Brel composait *la Colombe...* [1].

La Colombe, comme *le Déserteur*, s'« engageaient » de manière explicite : chansons politiques à proprement parler ; de celles dont le rapport à l'action possible, souhaitée, revendiquée, se manifeste avec immédiateté : d'autant plus vivement que, contestataires, elles appellent au refus, à la lutte, aux volontés de différence où se retrempe le sentiment collectif d'exister. C'est un fait, que la plupart des chansons politiques sont des chansons de contestation : moins encore par le message qu'elles transmettent que dans l'acte même de leur performance, contribuant à déstabiliser un ordre qu'elles nient ou dont elles louent la subversion. Elles forment le pendant maudit du chant de propagande, vieil instrument dont usèrent plus ou moins tous les États depuis la Chine antique, et dont les Anglais du XVIIIᵉ siècle commencèrent à théoriser l'emploi [2].

Articulée sur l'événement, la chanson politique le mime figurément en performance : soit pour provoquer par identification chez l'auditeur un élan d'enthousiasme ou de révolte, soit pour lui imposer la distance de l'ironie ou de la tendresse, qui susciteront, à terme, les mêmes effets. La voix physiquement façonne ce qu'elle dit et, plus encore, ce qu'elle chante, elle reproduit le fait raconté, l'épanouit dans son propre espace-temps. La force du discours (le talent du chanteur) en fonde définitivement la réalité. La proximité de l'événement n'est pas même nécessaire. La très belle ballade de Phil Ochs sur l'assassinat de Lou Marsh à Harlem s'éleva aussitôt comme un cri. Les chansons de Woody Guthrie sur Sacco et Vanzetti furent composées, à la demande des Folkways, vingt ans après l'affaire [3].

D'origine urbaine, liée au développement de la société industrielle qui l'a produite sans la désirer et qu'elle parasite, la

---

1. Coirault, p. 78, 119; Vassal 1977, p. 53-54, et 1980, p. 36; Clouzet 1964, p. 92-93, et 1966, p. 114-116; Ravier-Séguy, p. 13-40.
2. Neuburg, p. 117-118.
3. Vassal 1977, p. 109-110, 222-223.

chanson de contestation plonge ses racines dans la France, l'Angleterre, l'Allemagne, l'Italie des XVe et XVIe siècles. A la faveur de la crise sociale et morale qui bouleversait alors l'Europe occidentale, les langues se déliaient : «ballades séditieuses» signalées à Venise vers 1575, chansons françaises du temps des guerres de religion, mazarinades. Méprisée par les doctes mais surveillée par la police, rejetée dans la marginalité du «populaire», cette poésie déferle sur le XVIIe siècle monarchique. Des chansons circulaient, vers 1615, dans les villes néerlandaises, prenant parti pour ou contre Oldenbarnevelt ; dans les villes anglaises, aux temps troublés de Charles Ier où déjà des *streetballads* dénonçaient et vouaient à l'enfer les hommes d'affaires monopolistes ! Imprimeurs spécialisés et chanteurs de rue diffusaient opuscules satiriques, chansons et prophéties : on en a retrouvé plus de cent cinquante, d'argument ouvertement politique, pour la seule ville de Londres dans la seule année 1641[1].

Dans toute l'Europe du XVIIIe siècle, poèmes et chansons par milliers narrent les faits du jour, à la manière de notre presse d'information. La littérature de colportage s'en nourrit en partie, comme elle le faisait il y a peu d'années encore en Amérique latine ou au Nigeria. Mais évoquer l'événement ne peut être neutre : pas plus que de nos jours de la part d'un Victor Jarra chanter les squatters de Puerto Mont ou d'un Bob Dylan la mort du boxeur Davey Moore. Un renversement ironique redouble l'effet en déclarant le sens : en 1892 on chanta dans les cercles anarchistes français les bravades que Ravachol était censé avoir entonnées au pied de la guillotine. D'un peu plus loin se rangerait dans cette tradition la douce ironie dynamiteuse de la romance québécoise de Raymond Lévesque, *Bozo les culottes*. L'ironie introduit le doute au cœur de la fiction qu'est l'événement, et sous couleur narrative suggère le rejet[2].

Dans le groupe à qui elle s'adresse la voix du chanteur assume une violence. Ensuite, littéralement, elle la régurgite. Dans la plupart des nations européennes, du XVIIe au XIXe siècle, circulèrent des chansons sur les crimes du jour, meurtres, viols, incestes, tout ce qui brise spectaculairement le contrat social, ou sur les criminels eux-mêmes : poésie où la Morale disait trouver son compte, puisque y étaient décrits par le menu des forfaits atrocement punis à la fin[3]. Les matins d'exécution capitale, des vendeurs distribuaient dans la foule le texte de la chanson

1. Vernillat-Charpentreau, p. 197-199 ; Burke, p. 71-72, 163, 255 ; Brécy, p. 10.
2. Zumthor 1982a ; Brécy, p. 146-148 ; Clouzet 1975, p. 48-49 ; Vassal 1977, p. 160-163, 172 ; Millières, p. 57, 175.
3. Neuburg, p. 83, 86, 127, 137.

composée pour la circonstance : mais, prenant part à la violence du spectacle auquel elle s'intégrait ainsi, cette chanson signifiait moins la détestation du crime que le dévoilement d'une oppression.

C'est le long de ces voies détournées que débuta, timidement, dans la France des Encyclopédistes, une poésie chantée ouvrière, commémorant des conflits comme celui des papetiers angoumois en 1739 ou la révolte des canuts lyonnais en 1786. Je renvoie au bel album de R. Brécy, qui suit cette histoire de 1789 à 1945. C. Pierre n'a pas recensé moins de deux mille chansons de ce genre entre 1789 et 1800, la plupart sur des mélodies à la mode. Au cours du XIXᵉ siècle, tous les groupes socialisants ou anarchistes s'efforcèrent de diffuser des chansons engagées, souvent d'une extrême violence - à demi dissimulée à nos yeux modernes par la pompe de leur style ! Des années vingt jusqu'à la guerre, le PCF reprit cette stratégie : P. Vaillant-Couturier et la chorale de son AEAR créèrent ainsi et répandirent, bien au-delà du parti, une poésie contestataire, originale ou de traduction, dont une œuvre au moins eut quelques années de gloire sous le Front populaire : *Au-devant de la vie,* de Jeanne Perret, sur une musique de film de Chostakovitch... [1].

C'est l'histoire entière de l'Europe depuis deux siècles qu'a ainsi *faite* la voix : discours-en-présence, modulé par les rythmes du corps, imprégné de sensualité chaleureuse, brouillé de bruits quotidiens, peu nuancé mais immédiatement impératif dans la vérité de son évidence.

Au cours des années qui suivirent 1945 et le traumatisme nazi, une convergence se produisit entre cette tradition populaire et une poésie « littéraire » issue de la Résistance : la ligne rouge sembla s'effacer, qu'avaient laborieusement tracée et maintenue des siècles de culture élitiste entre poème et chanson. La poésie vocale réintégrait - au centre de la scène sociale où commençait à chanter Léo Ferré - sa fonction native.

Aux Etats-Unis l'aventure avait suivi un itinéraire différent. Dans les chansons de pionniers qui scandèrent, à partir de 1780, la poussée vers l'Ouest, veillait une causticité qui souvent démentit de façon implacable la légende. Mais c'est plutôt dans le folklore noir des Etats agricoles du *Deep South* que s'enracine le *protest-song;* et, s'il poussa quelques rameaux en milieu ouvrier, il resta longtemps poésie presque exclusivement rurale. Une enquête menée en 1950 par J. Greenway révélait à la fois la relative rareté du chant contestataire chez les travailleurs d'usine et le fait remarquable qu'il ne s'élevait guère qu'en période de

---

1. Brécy, p. 7-14, 257-267, 274.

grève. Or, action ouvrière par excellence, la grève est la seule qui, dans les conditions habituelles du travail industriel, puisse être vécue - ou mythifiée - comme désaliénante. Dès 1910, grâce à Joe Hill, le chanteur fusillé en 1915, les syndicats avaient en effet compris de quelles profondeurs de l'existence sociale le chant tire sa puissance. La Grande Dépression leur donna raison : au début des années trente se fondèrent, dans l'Arkansas, le Tennessee, le Kentucky, plusieurs groupes voués à la chanson de contestation. C'est alors qu'à dix-huit ans Woody Guthrie découvrit le chemin qu'il allait suivre et qui le mènerait, en 1946, à adhérer à l'association *People's Song,* pourvoyeuse des syndicats, des sociétés ouvrières, des communautés à la recherche d'une voix [1].

Au cours des années cinquante, la lutte pour les Droits Civils mêla une nouvelle fois les traditions du blues et du spiritual à celles que possédait dès lors le chant populaire blanc. En jaillit la voix d'or de Joan Baez : en anglais, en espagnol, en français même, voix des sans-voix, inébranlablement cohérente (malgré l'inégalité de ses réussites) avec la pensée qui la sustente, chantant *le Déserteur* sur le parvis de Notre-Dame, interprète de Victor Jarra, de Violeta Parra, figures de proue de la nouvelle chanson chilienne. Rencontre d'autant plus riche de sens que la chanson contestataire s'était développée au Chili à partir de traditions andines, selon une trajectoire comparable à celle du *folk-song ;* mais, dès les années où se formait l'Unité populaire, plusieurs organisations de masse en avaient soutenu, encadré et dirigé la diffusion, lui conférant un poids politique unique sur le continent américain : celui d'une évidence culturelle [2].

L'Afrique des indépendances - à mesure que, dès le début des années soixante, elle s'enfonçait dans l'injustice et la misère d'un «développement» conçu hors d'elle - çà et là réappropriait certaines de ses vieilles traditions poétiques, de moquerie, d'éloge ou de blâme, et les réactivait face aux réalités nouvelles : appelant moins au refus qu'éveillant, de la voix et du son des instruments, les forces latentes qui, en chacun de nous déchirés, fondent la communauté vivante. Dans le chanteur travaille, selon le mot de S. Camara, l'inconscient du groupe [3]. Le griot malien ou voltaïque, le chanteur kényan retrouvent le rôle de médiateur des conflits sociaux qui avait été le leur avant la colonisation. Tel griot de Ouagadougou, Traoré Mamadou Balaké, premier chanteur

---

1. Greenway 1960, p. 303 ; Vassal 1977, p. 75-78, 84-92, 111-118 ; Clarke, p. 135-145.
2. Vassal 1977, p. 47-50, 137-163, 237-246 ; Clouzet 1975, p. 45, 51-53, 61.
3. Camara, p. 327, 335.

« moderne » qu'ait engendré la Haute-Volta, cultive aujourd'hui un type de chanson original, qu'il a créé, par dérive progressive, à partir de formes traditionnelles, en vue d'un commentaire ironique de l'actualité grande ou petite, publique ou privée : à quel moment ce non-conformisme deviendrait-il intolérable aux pouvoirs, et à quels pouvoirs ?

Mais, par-delà les circonstances et la désintégration des rhétoriques héritées, continue à vibrer dans ces voix, comme une signification ultime, la revendication de l'unité du continent et de l'identité de l'homme noir : dans tel poème déclamé à radio Mogadiscio lors de la crise de Suez, dans la chanson du poète somali Qarshé sur le mur de Berlin, riposte de l'Histoire à la Conférence portant le nom de cette même ville, et qui en 1885 découpa en tranches l'Afrique ; dans telle improvisation du Zoulou Kunene contre les missionnaires [1].

Simultanément, sous l'impact du chant afro-américain se dégagent, de traditions locales, d'autres formes plus agressives. Aujourd'hui, la métropole de Lagos retentit d'énormes haut-parleurs débitant l'*afro-beat* et le *juju,* les chansons d'Ebenezer ou de Sunny Adé. Dans ce pays immense, potentiellement richissime, en fait misérable, Fela, roi de l'*afro-beat,* est devenu pour le pouvoir en place un adversaire menaçant ; la police le tracasse, l'armée brûle sa maison, il paie de sa personne pittoresque, dénonce les scandales, intervient dans les campagnes électorales et parade comme un prince dans le quartier prolétarien de Surelers, au milieu de ses vingt-sept jolies épouses !

On invoquerait aussi bien d'autres régions du monde, d'autres populations en lutte. A la fin du XIXᵉ siècle se forma, dans le fil des traditions maori de Nouvelle-Zélande, une poésie orale indigène de contestation du pouvoir blanc. Durant un quart de siècle, jusque vers 1920, la poésie ouzbek nourrit son agressivité aux tensions politiques qui travaillaient ce peuple : révoltes contre les khans, lutte des classes, appel au prolétariat [2]. Rien ne distingue en cela radicalement la poésie d'un tiers monde prétendument décolonisé et celles qu'engendrent dans la vieille Europe les mouvements régionalistes. Assumant des traditions depuis longtemps folklorisées, elles tentent de leur rendre vie en les faisant servir un dessein politique. D'où la tendance à urbaniser, quand il est possible, les publics et les thèmes ; d'où le recours, au moins épisodique, aux langues ou dialectes locaux ; le remplacement, souvent, des instruments d'accompagnement traditionnels par de modernes, comme la guitare électrique.

1. Finnegan 1978, p. 99, 115, 117, 141.
2. Finnegan 1978, p. 292, 314, 316 ; Bowra 1978, p. 426, 473, 513.

Un petit livre de M. Wurm analyse avec vivacité l'exemple des provinces espagnoles. Ce n'est pas seulement au sein de vastes unités historiques et culturelles, Catalogne, Pays basque, Andalousie, mais à l'échelle de communautés plus réduites, parfois intérieures aux premières, Galice, Asturies, Aragon, Baléares, que s'enracine et prend forme en poésie ce mouvement des « pays qui veulent vivre ». Volonté, parfois brouillonne, de crever un cadre politique étroit, de vider de son sens l'abstraction du discours étatique, pour fonder une société d'hommes concrets. Utopie de notre siècle, conçue et pourvue par des intellectuels ? Seule importe ici la prise de parole qu'elle a rendue possible et dont elle se conforte en retour : la poésie d'un Gilles Servat ou d'un Gweltaz Ar Fur, pour prendre des exemples bretons... [1].

Au début des années soixante se produisit en Europe un fait nouveau dont, avec le recul du temps, l'importance historique apparaîtra sans doute considérable : le *rock'n roll* tombait d'Amérique sur une jeunesse en blousons noirs, à demi marginalisée et fermentant de violences réprimées. Aux Etats-Unis, le rock, héritier légitime du renouveau musical des années quarante, avait déjà dix ans d'âge. En Europe, il promettait d'emblée un Mai 68 radical, totalement irresponsable, dont le vrai, quand il survint, ne fut qu'une ombre éphémère. Chant, le rock intégrait et résumait toutes les poésies de contestation antérieures, mais en dirigeait l'élan dans le souffle de pures énergies irrationnelles. Il brisait l'enveloppe phonique du corps, protectrice et sécurisante ; éclatait en discordances furieuses la tendre voix maternelle, reniée. C'est pourquoi le rock fut reçu et propagé comme musique et comme rythme collectif : à peine s'il avait besoin de mots pour faire passer son ouragan. Figure d'acte pur, jouissance arrogante, rupture du langage envahi d'onomatopées et de hoquets. Violence, sadisme, frénésie, noirceur, pessimisme, cruauté, disait François Truffaut de James Dean dès 1956 ; mais aussi pudeur des sentiments, pureté, rigueur, goût de l'épreuve et refus des intégrations profitables. Dix ans de fêtes libératrices, des dizaines de millions de fans à travers le monde, un tel foisonnement d'expériences que rien jamais ne redeviendra comme avant.

Scandales, intolérances familiales et policières : on connaît cette brève histoire. L'ampleur de la réaction témoignait de la puissance de ces voix contestatrices. Mais, plus que cette contre-violence, plus que les édulcorations du twist, l'industrie l'emporta. Quand le chiffre d'affaires de la *rock music* atteint des

1. Wurm p. 37-38 ; Vassal 1980, p. 82-97, 164.

milliards de dollars, les voix, dans le monde où nous sommes, se taisent[1]. Les Beattles se séparent, Bob Dylan se retire, meurent Brian Jones et Jimi Hendrix. Subsistent quelques étiquettes et une descendance assagie. A la même époque se multipliaient en Amérique latine les festivals de la chanson de protestation, entreprises de bon rapport.

Pourtant, la récupération commerciale n'est pas seule à guetter toute poésie d'action. Le risque d'asservissement provient en partie d'elle-même et du rapport ambigu qui joint le langage à la praxis. Dès 1965 les plus radicaux parmi les syndicalistes américains rejetaient les *protest-songs,* source de trop bonne conscience, étouffant la volonté d'agir[2]. L'Ordre même, objet de la contestation, joue de cette équivoque et des conséquences qu'elle comporte. Il manipule le chanteur en en interprétant à son profit le dessein : Elvis Presley à ses débuts bénéficia du racisme de ceux qui voyaient en lui le concurrent blanc des chanteurs noirs de *rhythm and blues*[3]. Réaction au doux anarchisme des hippies, la musique *country,* lancée sous Nixon, réinterprète globalement le rock par rapport aux sources rurales d'une Amérique «profonde».

La Crise qu'on dit économique inocule aux révoltés d'hier le conservatisme de la peur. Quand se tait la contestation, c'est qu'il n'y a plus d'espoir. Dans le Québec de 1981 (j'écris ces lignes le 31 décembre), les chansonniers semblent hors de course : sur ce terroir privilégié de la chanson, où pendant vingt ans résonnèrent quelques-unes des voix les plus chaudes de notre monde, un Ferland aujourd'hui chante la vie de famille, et Charlebois, l'universel bonheur de l'amour ! Un peu plus au sud, la voix de Tammy Wynette, reine de Nashville, berce de son folklore sécurisant les rêves de braves gens comme vous et moi : de ceux qui, à Nashville justement, font la queue dans la foule des pèlerins pour aller vénérer la Cadillac en or massif d'Elvis ou la piscine en forme de guitare de Webb Pierce... La poésie enfin ramène au rite !

1. Hoffmann-Leduc, p. 109-111 ; Clouzet 1975, p. 80.
2. Vassal 1977, p. 315.
3. Millières, p. 53.

Conclusion

On est toujours à la fin d'un monde. Durant les sept ou huit années de mon pèlerinage en Oralie, combien de fois n'ai-je pas eu le sentiment de toucher un terme, au-delà duquel quelque chose d'irremplaçable serait à jamais perdu ? Dans la voix du vieux Matthieu Mestokosho, Indien montagnais de Mingan, qui à quatre-vingt-cinq ans inventait encore des contes et des contes sur les contes, résonnait, semblait-il, le dernier écho d'une période historique. Avec Matthieu se tairait bientôt une sagesse, un immense savoir, la fidélité de la vie [1]. Quel ethnologue n'a pas, un jour ou l'autre, éprouvé cette tristesse ?

En quête de voix vives, il a fallu traverser trop de champs de ruines. La destruction de vieilles cultures vénérables dénude l'humanité entière, dépossédée de son travail millénaire, de sa mémoire et de ses morts ; expulsée de la chaude étroitesse de communautés en prise réelle - quoique incertaine - sur le monde... alors que la nôtre est certaine mais de plus en plus irréelle. Rien pourtant n'est jamais tout à fait joué. Dans tout le tiers monde, des peuples aujourd'hui commencent à se réveiller de ce choc, s'accrochent aux débris d'une identité éclatée : qu'est-ce d'autre, dans ses excès mêmes, que le réveil actuel de l'Islam ? Et parmi nous les mouvements régionalistes, encore, malgré leurs naïvetés ou leurs aberrations, attestent que l'unitarisme jacobin n'a pas eu le dernier mot [2].

Déjà se dessine la « troisième vague » d'Alvin Toffler, prête à déferler vers un monde décentralisé, fait du concert de nos différences... On voudrait le croire. Mais les annonces que l'on en clame et l'écologisme qui la préfigure tiennent de ce millénarisme récurrent, étudié naguère par P. Worsley, épidémie soudaine, surgissant irrépressiblement dans les sociétés en crise, au moment où la peur collective est sur le point de tourner au désespoir : appel imprécatoire, conjuration de totalités impossibles. Vers 1660 déjà, sous le sceptre inspiré de Kimpa Vita - la

1. Bouchard, p. 9-10.
2. Lafont, p. 210-250.

Dona Beatriz des Portugais - dans le royaume du Congo, peu après le premier contact avec les Blancs ; chez les Xhosa d'Afrique australe, autour de la prophétesse Nonqause, instigatrice du grand massacre de bétail de 1856 ; chez les Sioux de 1870-1890, sur la *Ghost Dance* qui conduisit à l'hécatombe de Wounded Knee ; chez les Papous de Nouvelle-Guinée, au milieu de leurs villages saccagés attendant le Cargo salvateur ; maintenant chez nous...

Et la voix, dans cette aventure ?

La voix est l'instrument de la prophétie, en ce sens qu'elle la fait. La voix sonne - ou se tait - au cœur - au chœur - du drame. Depuis le XVIIᵉ siècle, l'Europe s'est répandue sur le monde comme un cancer : subrepticement d'abord, mais voilà beau temps qu'il galope, ravage aujourd'hui dément de formes de vie, animaux, plantes, paysages, langues. A chaque jour qui passe, plusieurs langues au monde disparaissent : reniées, étouffées, mortes avec le dernier vieillard, voix vierges d'écriture, pure mémoire sans défense, fenêtres jadis grandes ouvertes sur le réel. L'un des symptômes du mal fut sans doute, dès l'origine, ce que nous nommons littérature : et la littérature a pris consistance, prospéré, est devenue ce qu'elle est - l'une des plus vastes dimensions de l'homme - en récusant la voix. Mais, pour avoir perdu sa position prépondérante, la voix n'a pas pu être bannie du concert des puissances vitales qui déterminent le destin des civilisations : au pis, elle s'y dissimula sous le prétexte d'éloquence. Elle continue d'émettre des signaux. Les vieux de Samoa chantent des récits de captifs noyés au large, de villages brûlés par le feu du ciel. Ce ne sont pas des mythes, ou peut-être le sont-ils devenus. Mais des jeunes gens aujourd'hui, éveillés de cette servitude, y nourrissent leur colère, dernière chance.

Il ne s'agit pas de déplorer ce qui, bon gré mal gré, est devenu notre histoire, ni ce qui a fait la grandeur de notre littérature ; mais bien de décrypter les messages brouillés qu'elles nous adressent. Cinq mille cultures anéanties, merveilleuse floraison d'humanité, aujourd'hui fanée, profanée, radiée de nos cartes, ne peuvent plus nous importer comme telles, mais le témoignage qu'elles ont inscrit dans cette histoire même, au profit de valeurs que nous préférons occulter.

Il ne s'agit pas de faire un tri dans la compacité de la durée, ni de reconstituer, fût-ce au titre d'un patrimoine, des modes de vie et de pensée traditionnelle, chaleureux, mais étouffants. Il s'agit d'écarter un faux universalisme qui est enfermement - de renoncer (puisqu'il est question de poésie) à privilégier l'écriture.

C'est en ce sens qu'il est urgent de dépasser l'ethnocentrisme, qu'inspire, avec les naïvetés nationales, une conception périmée de l'évolution. Depuis vingt ou trente ans, il est vrai, nous est venu, avec les premières décolonisations, un goût nouveau de l'autre, la curiosité du divers. L'ethnologie en a profité, tant mieux pour elle. Mais ni le goût ni la curiosité ne sont en cause. Ce qui seul compte, c'est cet appel à la différence - à ce qui nous mettra dans l'impossibilité de rester in-différents. Depuis quelques siècles déjà, « on » est en train de construire autour de nous le cachot culturel unitaire où nous tenir en repos : notre technologie, notre science, notre art, nos problèmes. Le seul espoir à long terme, c'est qu'« on » est en train : jamais le cachot n'est tout à fait achevé. A nous de saisir cette chance pour saboter tant soit peu l'entreprise, glisser du sable dans la serrure en train d'être montée, un bout de tuyau dans le ciment en train de sécher : qu'au moins par là nous vienne de l'extérieur le son d'une voix !

Leur bout de tuyau, les jeunesses d'Europe l'y ont planté deux fois au cours de ce siècle : au cours des années vingt, puis vers 1950-1960. Alors qu'elles accueillaient bruyamment la première vague, puis la seconde du nouveau chant afro-américain, s'effilo-chait le système symbolique dont avait jusqu'ici vécu l'Occiden-tal. Notre science même interrogeait suspicieusement ses certi-tudes : l'ordre ne se dissociait plus du désordre, la connaissance exigeait une autre logique, où le tiers fût inclus [1]. Mais la société régnante, en marginalisant les foules juvéniles des premiers fans du jazz, puis des rockers à chaînes de vélo, se marginalisait elle-même à l'égard de ce dont confusément ils faisaient l'expérience : tout le reste - provisoirement refoulé - du savoir, mais qui peut-être reviendrait.

A ce carrefour d'énergies se situe pour nous la voix poétique : son lieu d'enracinement et où elle reprend vie. Certes, en 1982, dans le déclin mondial de l'industrie du disque, à la veille encore incertaine de la généralisation d'autres médiats, la mégalomanie des producteurs, l'uniformisation des produits, donne soudain l'impression d'un second échec : cette forme d'oralité à son tour sombre dans le sous-développement culturel. Notre société dés-enchantée, empêtrée dans ses mesures rétrécies, ses paramètres de moins en moins diversifiés, nous accule à la seule issue : tenter une fois de plus - sans trop savoir si ce sera la bonne ! - de répondre (en termes que l'on ne puisse traduire en langue morte) aux questions que pose au corps le langage, au langage le corps, par le truchement des ces voix aviliés.

Çà et là dans le monde les tentatives, encore dispersées, se

1. Lyotard, p. 11-13.

multiplient. Peut-être la grande et malheureuse Afrique, clochardisée par notre impérialisme politico-industriel, se trouve-t-elle plus que d'autres continents près du but : parce que moins gravement touchée par l'écriture, plus tiède encore du feu premier dont forger l'instrument nouveau. Or, pour nous-mêmes, à vue d'histoire et en dépit de l'accélération moderne des durées, l'ère de l'écrit n'aura représenté peut-être qu'un décisif mais bref intermède...

Mc Luhan notait que, depuis la diffusion de l'imprimerie, l'Occidental semble habité par le regret d'un monde du toucher et de l'ouïe - celui même que lui faisait perdre la pure visualité abstraite de l'écriture. Dès la fin du XVIIIᵉ siècle, en France, en Angleterre, en Allemagne, perce chez les lettrés le sentiment qu'il y a trop de livres. Bien des choses ont changé. Durant les cent dernières années, l'évolution de nos sciences comme celle de la poésie s'orienta vers la redécouverte d'une intériorité, vers une écoute des voix primordiales auxquelles la pensée européenne semblait devenue sourde. Pourtant, courbés sous les rafales de messages qui nous assaillent, à notre tour nous ressentons jusqu'à la nausée une lassitude de l'écrit : lassitude secouée de sursauts d'espoir ou d'effroi devant le nouvel envahissement de l'ordinateur - poussant à l'extrême une abstraction que l'usager, dans l'état présent des choses, non seulement ne contrôle pas mais est contraint de mythifier pour n'en pas périr.

Tout se passe comme si, épisode d'un conflit millénaire, nous participions aujourd'hui à un retour en force de l'oralité : provoqué par l'inflation de l'imprimé, depuis la fin du siècle dernier... au point que le tournant de l'histoire moderne semble moins avoir été, ainsi qu'on le suppose en général, l'invention de l'imprimerie que sa *massification* ! En Amérique du Nord comme dans l'Europe entière, les enseignants constatent la désaffection des jeunes envers le livre, leur incapacité grandissante de dominer la langue écrite : bon ou mauvais, et quelles qu'en soient les motivations proches, c'est un indice. J. Sherzer me racontait que des Indiens Cuma, du Panama, ouvriers dans la capitale et dûment alphabétisés, désireux de maintenir le contact avec leur village, écrivaient naguère des lettres ; maintenant, ils envoient des cassettes, et retrouvent, en s'enregistrant, quelque chose de l'art des anciens conteurs. Dans la surproduction de l'écrit, la fonction de celui-ci perd toute évidence, tandis que la voix retrouve la sienne, de manière sauvage, en quête aléatoire de sa plénitude biologique.

Depuis une dizaine d'années, l'un des points de convergence des sciences humaines, de mieux en mieux perçu comme tel, n'est autre que cette fonction de la voix. Centres de recherches, enquêtes, travaux d'équipe, thèses, collections savantes, numéros spéciaux de revues se multiplient sur les cinq continents. Historiens, sociologues, et les littéraires mêmes à l'incitation de l'anthropologie : je n'ai pas eu connaissance depuis 1975 d'un seul congrès international qui ne comportât une section au moins sur les problèmes d'oralité. On ne compte plus les colloques, séminaires, tables rondes qui s'y consacrent spécialement ; et déjà l'on est sorti du ghetto universitaire... comme en témoignaient un débat sur les littératures orales au Salon du Livre en mai 1981, et en mars et mai 1982 les conférences sur « le travail du temps » au Centre Georges-Pompidou.

L'écriture demeure et stagne ; la voix foisonne. L'une s'appartient et se conserve ; l'autre s'épanche et se détruit. La première convainc ; la seconde appelle. L'écriture capitalise ce que la voix dissipe ; elle élève des remparts contre la mouvance de l'autre. Dans son espace clos, elle comprime le temps, le lamine, le force à s'étirer en direction du passé et de l'avenir : du paradis perdu, et de l'utopie. Immergée dans l'espace illimité, la voix n'est que présent, sans estampille, sans marque de reconnaissance chrono-logique : violence pure. Par la voix nous restons de la race antique et puissante des Nomades. Quelque chose en moi refuse la ville, la maison, la sécurité de l'ordre : exigence foncière, irrationnelle, que l'on occulte aisément, mais aux réveils vengeurs [1].

C'est cela que nous commençons à savoir : et ce ne peut être un hasard si cette reconnaissance nouvelle aura suivi les années où fut « mis en question » (comme on aimait à dire) le « sujet », opérateur potentiel et immuable, centre invariant de toutes nos séries - faisceau de pulsions plutôt, de langues oubliées, de silences, de propositions confuses parmi quoi trie la mémoire, administratrice de ce territoire, productrice d'un *je* dont elle folklorise ce que son industrie n'accepte pas...

Depuis Artaud, c'est dans cette atomisation qu'un théâtre d'avant-garde est parti à la découverte de l'irréductible unicité du corps et de son geste. Mais la quête a mené plus loin encore - au-delà des dramaturgies et des narrativités, au seuil d'un « post-modernisme » (dont le préfixe signifie négation plus que consécution), dans ce que l'on a pris l'habitude de nommer tout uniment « performance ». Apparue dans les Etats-Unis des années soixante, au confluent des *happenings* de Kaprow, de recherches musicales et chorégraphiques comme celles de Cage, théâtrales comme celles de Foreman, de questionnements d'acteurs comme Cantor, la « performance » commence à peine à susciter l'atten-

1. Duvignaud, p 13-16, 26-39.

tion critique [1]. Elle en est encore à se chercher des antécédents, à s'inventer une histoire innocente, et elle en tire les éléments de souvenirs liés aux manipulations plastiques plutôt qu'à celles du langage, en particulier à l'œuvre de Marcel Duchamp.

Acte, mais moins action que flux vital, «allégorie de l'illisibilité», selon l'expression de C. Owens, antérieure à l'émergence d'un sujet «théâtral» et du symbolisme qui permet la répétition, la démultiplication, la rhétorique : la «performance» récuse la *mimésis* et choisit d'emblée le parti d'un *art* sevré pour nous de l'antique illusion représentative. Un être humain *a lieu*, ici, devant moi, sur scène ou à l'écran où se projette le vidéo-disque : lieu traversé de courant qu'aucun sens n'immobilise, trajectoire sans personnage, corporellement dessinée au détriment d'un sujet qu'elle démystifie. Dans l'espace entièrement investi, devenu instrument sensoriel et qui *est* la performance, un corps parcellaire se décompose en fragments d'objets libidinaux dont s'enrichit sans fin sa simple présence instable, totalement objectivée. Dans les performances de Meredith Monk, en surgit une voix.

La voix ne fait plus, ne peut plus faire, que pré-nommer les choses, et — nous le savons aujourd'hui mieux que naguère — c'est cela l'opération poétique par excellence. Un prénom ne signifie rien qu'une présence : une *ori-gine* («issue de bouche», si l'on s'en rapporte au latin), hors des affiliations et des généalogies. Le prénom tend à renverser la dérive qui, dans les eaux du langage, pousse les noms vers le sens, le concret vers l'abstraction choisie.

Dans le prénom s'élève un appel à cette terre polluée, saccagée, mais encore vivante et pathétique sous les barbouillis de nos barbaries. Une lumière s'allume quelque part : une loupiote mais qui m'embrase. Me voici, premier matin immémorial, et ce cri sorti de moi, bien pauvre chose, c'est la longue histoire des êtres. Dès lors, tout a été dit. Je traduis ici en métaphores ce qu'ont avoué, au cours des dernières années, plusieurs de nos chanteurs. La chanson, c'est le cri poétique, antérieur aux phrases que banaliserait l'époque où elles tombent.

De même que l'Afrique d'aujourd'hui fait ses chaussures avec nos vieux pneus, récupère selon son génie et revivifie les débris de nos techniques, de nos littératures, de nos musiques : de même il est temps pour nous de bricoler, au souffle de nos voix, dans l'énergie de nos corps, l'immense et incohérent héritage de ces quelques siècles d'écriture. Sur la grand-place du «village global» de Mc Luhan, de rétablir entre l'œil et l'oreille un équilibre tel que la voix bientôt soit en état de percer autour de nous l'opacité

1. Pontbriand ; Durand 1980 ; Féral.

CONCLUSION

de ce qu'on prend pour le réel, avec autant de puissance et d'efficacité que l'a fait notre peinture depuis un siècle. Non de repartir d'un zéro qui, par définition, n'existe pas - mais de thématiser les traditions de la poésie vocale, reconnues, inventoriées, apprivoisées, revécues selon les exigences quotidiennes qui sont les nôtres, à nous campés pour le temps d'une vie sur notre lopin de siècle éphémère.

Liste des études citées

Les références données en note le sont sous le nom de l'auteur; je n'ajoute l'année de parution que si plusieurs titres du même auteur figurent dans la liste ci-dessous. Les chiffres arabes renvoient aux pages; le chiffre romain, s'il y a lieu, au volume. Les ouvrages collectifs sont cités sous le nom du responsable de la publication (désigné par l'abréviation *éd.*); s'il y a plusieurs responsables, je relève le premier seul; en l'absence de cette indication, je cite sous le premier mot significatif du titre.

Je renvoie, à titre complémentaire, aux bibliographies fournies par Du Berger 1971 et 1973, Finnegan 1976 et 1977, Laforte 1976, Neuburg 1977 et (partiellement) Rouget 1980. Documentation arrêtée en 1981.

Numéros spéciaux des revues :
Langage 10, 1968;
Langue française 42 et 44, 1979;
Poétique 39, 1979;
Littérature 45, 1982.
Abd El-Fattah (K.) 1979, « Sur le métalangage métaphorique des poéticiens arabes », *Poétique*, XXXVIII, p. 162-174.
Abrahams (R.D.) 1969, « The Complex Relations of Simple Forms », *Genre*, II, p. 104-127.
— 1972, « Folk Drama », *in* Dorson, p. 351-362.
Agblemagnon (F.N.) 1969, *Sociologie des sociétés orales d'Afrique*, Paris-La Haye, Mouton.
Alatorre (M.F.) (éd.) 1975 et 1977, *Cancionero folclórico de México*, Mexico, Colegio de México, 2 vol.
Alexandre (P.) 1969, « Langages tambourinés : une écriture sonore ? », *Semiotica*, I, p. 273-281.
— 1976, « De l'oralité à l'écriture : sur un exemple camerounais », *Études françaises* (Montréal), XII, p. 71-78.
Alexandrescu (L.) 1976, « Le *Bethléem*, un mystère paysan contemporain du nord de la Roumanie », *Estudios escénicos* (Barcelone), XXI, p. 149-167.
Alleton (V.) 1980, « En Chine : la contagion de l'écrit », *Critique*, CCCLXXXIV, p. 217-227.
Alvarez-Pereyre (F.) 1976, *Contes et tradition orale en Roumanie*, Paris, SELAF.
Amzulescu (A.I.) 1964, *Balade populare romînesti*, Bucarest, Institut du folklore, 3 vol.

— 1970, « Despre stilistica oralitatei cîntelor epice românesti », *Revista de etnografie si folclor* (Bucarest), XVII.

Anders (W.) 1974, *Balladensänger und mündliche Komposition*, Munich, W. Fink.

Andrzejewski (B.W.) et Lewis (I.M.) 1964, *Somali Poetry*, Oxford, Clarendon.

Angenot (M.) 1973, « Les traités de l'éloquence du corps », *Semiotica*, VIII, p. 60-82.

— 1975, *Le Roman populaire*, Montréal, Presses de l'université du Québec.

Anido (N.) 1980, « *Pajadas* et *desafios* dans le Rio Grande do Sul », *Cahiers de littérature orale*, V, p. 42-170.

Austin (J.) 1970, *Quand dire, c'est faire*, Paris, Éd. du Seuil (original anglais de 1962).

Awouma (J.-M.) et Noah (J.-C.) 1976, *Contes et fables du Cameroun*, Yaoundé, CLE.

Ayissi (L.M.) 1972, *Contes et berceuses béti*, Yaoundé, CLE.

Bahat (A.) 1980, « La poésie hébraïque médiévale », *Cahiers de civilisation médiévale*, XXIII, p. 297-322.

Barber (B.) 1981, « The Function of Performance in Postmodern Culture », *in* Pontbriand, p. 32-36.

Barre-Toelken (J.) 1969, « The Pretty Language of Yellowman », *Genres*, II, p. 211-235.

Barthes (R.) 1971, « Écrivains, intellectuels, professeurs », *Tel quel*, XLVII, p. 3-18.

Bastet (N.) 1971, « Valéry et la voix poétique », *Annales de la faculté des lettres de Nice*, XV, p. 41-50.

Baumgarten (M.) 1977, « Lyric as Performance », *Comparative literature*, Eugene (Oregon), XXIX, p. 328-350.

Bäuml (B. et F.) 1975, *A Dictionary of Gestures*, Metuchen (N.J.), Scarecrow press.

Bäuml (F.) et Spielmann (E.) 1975, « From Illiteracy to Literacy : Prolegomena to a Study of the *Nibelungenlied* », *in* Duggan 1975, p. 62-73.

Bausinger (H.) 1968, *Formen der Volkspoesie*, Berlin, E. Schmidt.

Beaudry (N.) 1978, « Le *Katajjaq*, un jeu inuit traditionnel », *Études inuit* (Québec), II, p. 35-53.

Bec (P.) 1977, *La Lyrique française au Moyen Age*, Paris, Picard.

Bellemin-Noël (J.) 1979, *Vers l'inconscient du texte*, Paris, PUF.

Ben-Amos (D.) 1974, « Catégories analytiques et genres populaires », *Poétique*, XIX, p. 265-296 (original anglais de 1969).

— 1976, *Folklore Genres*, Austin, University of Texas Press.

Benson (L.) 1966, « The Literary Character of Anglosaxon Formulaic Poetry » *P.M.L.A.*, LXXXI, p. 334-341.

Berger (R.) 1976, *La Téléfission*, Paris, Castermann.

Bernard (M.) 1976, *L'Expressivité du corps*, Paris, Delarge.

— 1980, « La stratégie vocale », *Esprit* (juillet), p. 55-62.

Berthet (F.) 1979, « Eléments de conversation », *Communications*, XXX, p. 109-163.

Bertin (J.) 1981, *Chante toujours tu m'intéresses, ou les combines du show-bizz*, Paris, Éd. du Seuil.

Blanchot (M.) 1971, *Le Livre à venir*, Paris, Gallimard (1ʳᵉ éd. 1959).
Boglioni (P.) (éd.) 1979, *La Culture populaire au Moyen Age*, Montréal, L'Aurore.
Bologna (C.) 1980, article « Mostro », *in Enciclopedia* Einaudi, IX, Turin.
— 1981, article « Voce », *in Enciclopedia* Einaudi, XIV, Turin.
Bouazis (C.) 1977, *Essais de la sémiotique du sujet*, Bruxelles, Complexes.
Bouchard (S.) 1977, *Chroniques de chasse d'un Montagnais de Mingan*, Québec, Ministère des Affaires culturelles.
Boucharlat (A.) 1975, *Le Commencement de la sagesse : les devinettes rwandaises*, Paris, SELAF.
Bouissac (P.) 1971, « Pour une sémiotique du cirque », *Semiotica*, III, p. 93-120.
Bouquiaux (L.) et Thomas (J.) 1976, *Enquête et description des langues à tradition orale*, Paris, SELAF, 3 vol.
Bourdieu (P.) 1980, *Le Sens pratique*, Paris, Éd. de Minuit.
Bouvier (J.-C.) 1980 (éd.), *Tradition orale et identité culturelle*, Paris, CNRS.
Bowra (C.M.) 1962, *Primitive Song*, New York, New American Library.
— 1978, *Heroic Poetry*, New York, Mc Millan (1ʳᵉ éd., 1952).
Bragaglia (A.G.) 1961 (éd.), *Andrea Perrucci, Dell'arte rappresentativa... al improviso (1699)*, Florence, Sansoni.
Brassard (F.) 1947, « Recordeux de chansons », *Archives du folklore* (Québec), II, p. 191-202.
Brécy (R.) 1978, *Florilège de la chanson révolutionnaire*, Paris, Éd. Hier et Demain.
Brednich (R.), Roehrich (L.) et Suppan (W.) 1973, *Handbuch des Volksliedes*, Munich, W. Fink.
Bronzin (G.B.) 1976, « La drammatica popolare », *in Drammatica*, p. 3-62.
Brower (R.H.) et Milner (E.) 1975, *Japanese Court Poetry*, Stanford (Cal.), University Press (1ʳᵉ éd., 1961).
Bruns (G.L.) 1974, *Modern Poetry and the Idea of Language*, New Haven, Yale University Press.
Brunschwig (C.), Calvet (L.-J.), Klein (J.-C.) 1980, *Cent ans de chanson française*, Paris, Éd. du Seuil (rééd.).
Buchan (D.) 1972, *The ballad and the Folk*, Londres, Routledge-Kegan.
Burgelin (O.) 1970, *La Communication de masse*, Paris, SGPP.
Burke (P.) 1980, *Cultura popolare nell' Europa moderna*, Milan, Mondadori (original anglais de 1978).
Burness (D.) 1976, *Shaka, King of the Zulus, in African Literature*, New York, Three Continents Press.
Bynum (D.E.) 1969, « The Generic Nature of Oral Epic Poetry », *Genres*, II, p. 236-258.
Calame-Griaule (G.) 1965, *Ethnologie et langage : la parole chez les Dogon*, Paris, Gallimard.
— 1976, « Enquête sur le style oral des conteurs traditionnels », *in* Bouquiaux-Thomas, III, p. 915-929.
— 1980a, « Le temps des contes », *Critique*, CCCXCIV, p. 278-287.

— 1980*b*, «La gestuelle des conteurs : état d'une recherche», communication au colloque *Oralité, Culture, Discours*, Urbino, juillet 1980 (à paraître 1983, Rome, Ateneo).

— 1982, «Ce qui donne du goût aux contes», *Littérature*, XLV, p. 45-59.

Camara (S.) 1976, *Gens de la parole*, Paris-La Haye, Mouton.

Campos (H. de) 1976, *A Operação do testo*, São Paulo, Perspectiva.

Caro Baroja (J.) 1969, *Ensayo sobre la literatura de cordel*, Madrid, Occidente.

Cazeneuve (J.) 1974, *L'Homme téléspectateur*, Paris, Denoël-Gonthier.

Certeau (M. de) 1980, *L'invention du quotidien : I. Arts de faire*, Paris, Bourgois, «10/18».

Chadwick (H.M. et N.) 1932-1936-1940, *The Growth of Literature*, Cambridge University Press, 3 vol.

Chadwick (N.) 1942, *Poetry and Prophecy*, Cambridge University Press.

Chadwick (N.) et Zhirmunsky (V.) 1969, *Oral Epics of Central Asia*, Cambridge University Press.

Charles (D.) 1981, «Le timbre, la voix, le temps», *in* Pontbriand, p. 110-117.

Charles (M.) 1977, *Rhétorique de la lecture*, Paris, Éd. du Seuil.

Charpentreau (S.) 1976, *Le Livre d'or de la chanson enfantine*, Paris, Éd. Ouvrières.

Charron (C.-Y.) 1977, *Quelques mythes et récits de tradition orale inuit*, thèse de l'université de Montréal, 2 vol. (inédite).

— 1978*a*, «Le tambour magique», *Étude inuit* (Québec), II, p. 3-20.

— 1978*b*, «Toward a Transcript and Analysis of Inuit Throat Games», *Ethnomusicology*, XXII, p. 245-260.

Chasca (E. de) 1972, *El arte juglaresca en el Cantar de mío Cid*, Madrid, Gredos (1re éd., 1967).

Chevalier (J.) et Gheerbrandt (A.) 1973-1974, *Dictionnaire des symboles*, Paris, Seghers, 4 vol. (1re éd., 1969).

Chopin (H.) 1979, *Poésie sonore internationale*, Paris, Éd. Place.

Cirese (A.M.) 1969, «Il mare come segno polivalente», *Uomo e cultura* (Palerme), II, p. 26-58.

Cixous (H.) et Clément (C.) 1975, *La Jeune Née*, Paris, Bourgois, «10/18».

Clarke (S.) 1981, *Les Racines du reggae*, Paris, Éd. Caribéennes (original anglais de 1980).

Clastres (H.) 1975, *La Terre sans mal : le prophétisme tupi-guarani*, Paris, Éd. du Seuil.

Clouzet (J.) 1964, *Jacques Brel*, Paris, Seghers.

— 1966, *Boris Vian*, Paris, Seghers.

— 1975, *La Nouvelle Chanson chilienne*, Paris, Seghers.

Coffin (T.P.) 1977, *The British Traditional Ballads in North America*, Austin, University of Texas Press (1re éd., 1950).

Coffin (T.P.) et Cohen (H.) 1966, *Folklore in America*, Garden City (N.J.), Doubleday.

Coirault (P.) 1953, *Formation de nos chansons folkloriques*, Paris, Scarabée.

Collier (J.L.) 1981, *L'Aventure du jazz*, Paris, Albin Michel (original anglais de 1978).

Compagnon (A.) 1979, « La glossolalie, une affaire sans histoire ? », *Critique*, CCCLXXXVII, p. 824-838.
Conroy (P.) (éd.) 1978, *Ballads and Ballad Research*, Seattle, University of Washington Press.
Copans (J.) et Couty (P.) 1976, *Contes wolof du Baol*, Paris, Bourgois, « 10/18 ».
Coquet (J.-C.) 1973, *Sémiotique littéraire*, Paris, Mame.
Corbeau (J.-P.) 1979, « Télévision urbaine et imaginaire rural », *in Les Imaginaires*, Paris, Bourgois, « 10/18 », III, p. 333-344.
Cosnier (J.) 1980 « La gestualité dans l'interaction conversationnelle », communication au colloque *Oralité, Culture, Discours*, Urbino, juillet 1980 (à paraître 1983, Rome, Ateneo).
Costa Fontes (M. da) 1979, *Romanceiro português do Canadà*, Coïmbre, Presses Universitaires.
Courlander (H.) 1963, *Negro Folk Music USA*, New York, Columbia University Press.
Couty (D.) et Rey (A.) 1981, *Le Théâtre*, Paris, Bordas.
Coyaud (M.) 1980, « La transgression des bienséances dans la littérature orale », *Critique*, CCCXCIV, p. 325-332.
Cuisenier (J.) 1978, « Le théâtre en Indonésie », *in Théâtres*, p. 223-241.
Dampierre (E. de) 1963, *Poètes nzakara*, Paris, Julliard.
Davenson (H.) 1944, *Le Livre des chansons*, Neuchâtel, La Baconnière (rééd., Paris, Éd. du Seuil, 1955).
Denisoff (R.G.) 1966, « A Sociological Analysis of Urban Propaganda Songs », *Journal of American folklore*, LXXIX, p. 581-589.
Derive (J.) 1975, *Collecte et traduction des littératures orales*, Paris, SELAF.
Derrida (J.) 1967a, *L'Écriture et la Différence*, Paris, Éd. du Seuil.
— 1967b, *De la grammatologie*, Paris, Éd. de Minuit.
— 1972, *La Voix et le Phénomène*, Paris, PUF.
Devereux (G.) 1949, « Mohave Voice and Speech Manierism », *Word*, V, p. 268-272.
Dicionário 1978 *(D. bio-bibliográfico de repentistas e poetas de bancada)*, João Pessoa (Brésil), Editora Universitaria.
Diény (J.-P.), 1977, *Pastourelles et magnanarelles*, Genève, Droz.
Dieterlen (G.) 1965, *Textes sacrés d'Afrique noire*, Paris, Gallimard.
Dolby (W.) 1976, *A History of Chinese Drama*, New York, Barnes-Noble.
Dorson (R.M.) 1972, « Concepts of Folklore and Folklife Studies », *in :* Dorson (R.M.) (éd.), *Folklore and folklife*, Chicago, University Press, p. 1-47.
Dournes (J.) 1976, *Le Parler des Jöraï et le Style oral de leur expression*, Paris, Publications Orientalistes.
— 1980, « Aspects de l'oralité dans une culture traditionnelle », communication au colloque *Oralité, Culture, Discours*, Urbino, juillet 1980 (à paraître 1983, Rome, Ateneo).
Dragonetti (R.) 1961, *Aux frontières du langage poétique*, Gand, Romanica Gandensia, IX.
Drammatica 1976 *(La Drammatica popolare nella valle padana)*, Modène, ENAL.

LISTE DES ÉTUDES CITÉES

Du Berger (J.) 1971, *Introduction à la littérature orale*, Québec, Presses de l'université Laval.
— 1973, *Introduction aux études en arts et traditions populaires*, Québec, Presses de l'université Laval.
Duby (G.) 1978, *Les Trois Ordres ou l'Imaginaire du féodalisme*, Paris, Gallimard.
Dugast (I.) 1975, *Contes, proverbes et devinettes des Banen*, Paris, SELAF.
Duggan (J.J.) 1973, *The Song of Roland : Formulaic Style, Poetic Craft*, Berkeley-Londres, University of California Press.
— 1975, « Formulaic Diction in the Cantar de mío Cid », *in* Duggan (J.J.) (éd.) 1975, *Oral Literature : Seven Essays*, Londres, Scottish Academic Press, p. 74-83.
Dumont (M.) 1982, *Alliances sexuelles et cannibalisme*, thèse de l'université de Montréal (inédite).
Dundes (A.) (éd.) 1965, *The Study of Folklore*, Englewood Cliffs (N.J.), Prentice Hall.
Dupont (J.-C.) 1977, *Héritage d'Acadie*, Montréal, Leméac.
Durand (G.) 1969, *Les Structures anthropologiques de l'imaginaire*, Paris, Bordas (1ʳᵉ éd., 1960).
Durand (R.) 1980, « Une nouvelle théâtralité : la *performance* », *Revue française d'études américaines*, X.
— 1981, « La performance et les limites de la théâtralité », *in :* Pontbriand, p. 48-54.
Duveau (G.) 1946, *La Vie ouvrière en France sous le second Empire*, Paris, Gallimard.
Duvignaud (J.) 1975, « Esquisse pour le Nomade », *Cause commune*, II, Paris, Bourgois, « 10/18 », p. 13-40.
Edmonson (M.S.) 1971, *Lore : An Introduction to the Science of Folklore*, New York, Barnes-Noble.
Edson Richmond (W.) 1972, « Narrative Folk Poetry », *in* Dorson p. 85-98.
Eliade (M.) 1955, « Littératures orales », *in Histoire des littératures*, Paris, Gallimard, « Encyclopédie de la Pléiade », p. 3-26.
Elicegui (E.G.) 1972, « Poesía griega de amigo y poesía arabigo-española », *Emerita* (Madrid), XL, p. 329-396.
Elliott (A.G.) 1980, « The Myth of the Hero », *Olifant* (Winnipeg, Canada), VII, p. 235-247.
Eno Belinga (S.M.) 1970, *Découverte des chante-fables du Cameroun*, Paris, Klincksieck.
— 1978, *La Littérature orale africaine*, Issy-les-Moulineaux, Classiques africains.
Etiemble 1974, *Essais de Littérature (vraiment) générale*, Paris, Gallimard.
Fabbri (P.) 1979, « Champ de manœuvres didactiques », *Bulletin du GRSL*, VII, p. 9-14.
Fabre (D.) et Lacroix (J.) 1974, *La Tradition orale du conte occitan*, Paris, PUF, 2 vol.
Faik-Nzuji (C.) 1977, « La voix du cyondo », *Recherche, Pédagogie, Culture*, XXIX-XXX, p. 19-29.

LISTE DES ÉTUDES CITÉES

Favret-Saada (J.) 1977, *Les Mots, la Mort, les Sorts*, Paris, Gallimard.
Faye (J.-P.) et Roubaud (J.) (éd.) 1975, *Change de forme*, I, Paris, Bourgois, « 10/18 ».
Fédry (J.) 1977a, « De l'expérience du corps comme structure de langage », *L'Homme*, XVI, p. 65-108.
— 1977b, « L'Afrique entre l'écriture et l'oralité », *Études*, CCCXLVI, p. 581-600.
Feral (J.) 1982, « Performance and Theatricality », *Modern Drama*, XXV, p. 170-181.
Fernandez (J.W.) 1977, « Poetry in Motion », *New Literary History*, VIII, p. 459-484.
Fink (E.) 1966, *Le Jeu comme symbole du monde*, Paris, Éd. de Minuit (original allemand de 1960).
Finnegan (R.) 1976, *Oral Literature in Africa*, Oxford, University Press (1re éd., 1970).
— 1977, *Oral Poetry, Its Nature, Significance and Social Context*, Cambridge, University Press.
— 1978, *Oral Poetry : An Anthology*, Londres, Penguin Books.
— 1980, « Oral Composition and Oral Literature in the Pacific », Communication au colloque *Oralité, Culture, Discours*, Urbino, juillet 1980 (inédite).
Flahaut (F.) 1978, *La Parole intermédiaire*, Paris, Éd. du Seuil.
— 1979, « Le fonctionnement de la parole », *Communications*, XXX, p. 73-79.
Fochi (A.) 1980, *Estetica oralitatii*, Bucarest, Minerva.
Foerster (D.M.) 1962, *The Fortunes of Epic Poetry*, Washington, Catholic University Press.
Fonagy (I.) 1970-1971, « Les bases pulsionnelles de la phonation », *Revue française de psychanalyse*, I, p. 101-136, et IV, p. 543-591.
Fonagy (I.) et Magdies (K.), 1963, « Emotional Patterns in Intonation and Music », *Zeitschr. f. Phonetik, Sprachwissenschaft und Kommunikationsforschung*, XVI, p. 293-313.
Fonseca dos Santos (I.) 1979, « La littérature populaire en vers du Nord-Est brésilien », *Cause commune*, I, Paris, Bourgois, « 10/18 », p. 187-223.
— 1981, *Littérature populaire et littérature savante au Brésil*, thèse de l'université de Paris III, 3 vol. (inédite).
Foschi (U.) 1976, « La Donna Lombarda », *in Drammatica*, p. 128-140.
Fowler (R.) (éd.) 1966, *Essays on Style and Language*, New York, Humanities Press.
Freud (S.) (1962), *Trois Essais sur la théorie de la sexualité*, Paris, Gallimard (original allemand de 1905-1924).
— (1977), *Cinq psychanalyses*, Paris, PUF (original allemand de 1905-1915).
Fribourg (J.) 1980a, *Fêtes à Saragosse*, Paris, Musée de l'Homme.
— 1980b, « Aspects de la littérature populaire en Aragon », *Critique*, CCCXCIV, p. 312-324.
Fry (D.K.) 1975, « Caedmon as a Formulaic Poet », *in* Duggan 1975, p. 41-61.

Gaborieau (M.) 1974, « Classification des récits chantés », *Poétique*, XIX, p. 313-332.

Gans (E.) 1981, « Naissance du moi lyrique », *Poétique*, XLVI, p. 129-139.

Garnier (P.) 1968, *Spatialisme et poésie concrète*, Paris, Gallimard.

Gasarabwe (E.) 1978, *Le Geste rwandais*, Paris, Bourgois, « 10/18 ».

Gaspar (L.) 1978, *Approche de la parole*, Paris, Gallimard.

Gatera (A.) 1971, « Les sources de l'histoire africaine : l'exemple du Rwanda », *Présence africaine*, LXXX, p. 73-90.

Geertz (C.) 1973, *The Interpretation of Cultures*, New York, Basic Books.

Genette (G.) 1976, *Mimologiques*, Paris, Éd. du Seuil.

— 1979, *Introduction à l'architexte*, Paris, Éd. du Seuil.

Georges (R.A.) 1972, « Recreations and Games », *in* Dorson, p. 173-189.

Giard (L.) et Mayol (P.) 1980, *L'Invention du quotidien : II. Habiter, cuisiner*, Paris, Bourgois, « 10/18 ».

Gide (A.) (1981), rééd. de *Voyage au Congo* et *Retour du Tchad*, Paris, Gallimard (1re éd., 1927).

Gilles (H.) 1979, « Une nouvelle approche de la dynamique du langage », *Diogène*, CVI, p. 119-136.

Gili (J.) 1961, « Western et chanson de geste », *in* Agel (H.) (éd.) *Le Western*, Paris, Minard.

Goody (J.) 1968, *Literacy in Traditional Societies*, Cambridge, University Press.

— 1979, *La Raison graphique*, Paris, Éd. de Minuit (original anglais de 1977).

Goody (J.) et Watt (I.R.) 1963, « The Consequences of Literacy », *Comparative Studies in History and Society*, V, p. 304-345.

Görög-Karady (V.) 1976, *Noirs et Blancs : leur image dans la littérature orale africaine*, Paris, SELAF.

— 1981, *La Littérature orale africaine : bibliographie analytique*, Paris, Maisonneuve-Larose.

Gossman (L.) 1971, « Literary Education and Democracy », *Modern Language Notes*, LXXXVI, p. 761-789.

Grassin (J.-M.) 1980, « La littérature africaine comparée : tradition et modernité », *L'Afrique littéraire*, LIV-LV, p. 3-10.

Greenway (J.) 1960, *American Folksong of Protest*, New York, Barnes. (1re éd., 1953).

— 1964, *Literature among the Primitives*, Hartboro (Pa), Folklore Association.

Greimas (A.J.) 1970, *Du sens*, Paris, Éd. du Seuil.

— 1979, « Pour une sémiotique didactique », *Bulletin du GRSL*, VII, p. 3-8.

Greimas (A.J.) et Courtès (J.) 1979, *Sémiotique : dictionnaire raisonné de la théorie du langage*, Paris, Hachette.

Grice (P.) 1979, « Logique et conversation », *Communications*, XXX, p. 57-72.

Groddeck (G.) 1972, « Musique et inconscient », *Musique en jeu*, IX.

Guéron (J.) 1974, « La métrique des nursery rhymes », *Cahiers de poétique comparée*, I, p. 68-93.

— 1975, « Langue et poésie : mètre et phonologie », *in :* Faye-Roubaud 1975, p. 137-157.

Guibert (A.) 1962, *Léopold Sedar Senghor,* Paris, Présence africaine.

Guillermaz (P.) 1966, *La Poésie chinoise des origines à la Révolution,* Paris, Marabout (1re éd., 1957).

Guiraud (P.) 1980, *Le Langage du corps,* Paris, PUF.

Haas (R.) 1980, *Die mittelenglische Totenklage,* Francfort, Lang.

Hall (E.) 1959, *The Silent Language,* Greenwich (Conn.), Fawcett.

Halle (M.) et Keyser (S.) 1975, « Sur les bases théoriques d'une poésie métrique », *in* Faye-Roubaud 1975, p. 94-134.

Hamori (A.) 1975, *On the Art of Medieval Arabic Literature,* Princeton University Press.

Harcourt (M. et R. d') 1956, *Chansons folkloriques françaises au Canada,* Paris, PUF.

Hauser (M.) 1978, « Inuit Songs from Southwest Baffin Island », *Études inuit* (Québec), II, p. 55-83.

Havelock (E.A.) 1963, *Preface to Plato,* Cambridge (Mass.), Harvard University Press.

Hay (L.) 1979, « La critique génétique : origine et perspectives », *in* Debray-Genette (R.) *et al., Essais de critique génétique,* Paris, Flammarion, p. 227-236.

Haymes (E.R.) 1973, *A Bibliography of the Studies relating to Parry's and Lord's Oral theory,* Cambridge (Mass.), Harvard University Press.

— 1977, *Das mündliche Epos,* Stuttgart, Metzler.

Heidegger (M.) 1976, *Acheminement vers la parole,* Paris, Gallimard (original allemand de 1959).

Helffer (M.) 1977, *Les Chants dans l'épopée tibétaine de Ge-Sar,* Genève, Droz.

Hell (V.) 1978, *Nathan Katz,* Colmar, Alsatia.

Henry (H.) et Malleret (E.) 1981, « Traduire en français les rythmes de la poésie russe », *Langue française,* II, p. 63-76.

Herkovits (M.J.) 1960, *Cultural Anthropology,* New York, Knopf.

Hilger (M.I.) 1971, *Together with the Ainu,* Norman (Oklah.), University of Oklahoma Press.

Hoffmann (R.) et Leduc (J.-M.) 1978, *Rock babies : vingt ans de pop music,* Paris, Éd. du Seuil.

Houis (M.) 1978, « Pour une taxinomie des textes en oralité », *Afrique et langage,* X, p. 4-23.

Huizinga (J.), *Homo ludens,* Londres, Routledge-Kegan, s.d. (original en allemand de 1939).

Husson (R.) 1960, *La Voix chantée,* Paris, Gauthier-Villars.

Hymes (D.) 1973, *Breakthrough into Performance,* Documents du centre de sémiotique d'Urbino, 26-27.

— 1977, « Discovering Oral Performance », *New Literary History,* VIII, p. 431-457.

Ikegami (Y.) 1971, « Hand Gestures in Indian Classical Dancing », *Semiotica,* IV, p. 365-391.

Iser (W.) 1978, « Narrative Strategies as Means of Communication », *in* Valdes (M.J.) et Miller (O.J.), *Interpretation of Narrative,* Toronto, University Press, p. 100-117.

Jackson (B.) 1972, *Wake up Dead Man : Afro-American Worksongs from Texas Prisons*, Cambridge, Harvard University Press.

Jahn (J.) 1961, *Muntu : l'homme africain et la culture néo-africaine*, Paris, Éd. du Seuil. (original allemand de 1958).

— 1968, *Negro-African Literature*, New York, Grove Press.

Jakobson (R.) 1963, *Essais de linguistique générale*, Paris, Éd. de Minuit (originaux de 1949-1962).

— 1973, *Questions de poétique*, Paris, Éd. du Seuil (originaux de 1919-1972).

Jaquetti (P.) 1960, « La comptine », *in : Atti VIII° congresso internazionale di studi romanzi*, Florence, Sansoni, 3 vol., II, p. 567-599.

Jason (H.) 1969, « A Multidimensional Approach to Oral literature », *Current Anthropology*, X, p. 413-426.

— 1977, « A Model for Narrative Structure in Oral Literature », *in* Jason (H.) et Segal (D.) (éd.) 1977, *Patterns in Oral Literature*, Paris-La Haye, Mouton, p. 99-140.

Jauss (H.R.) 1977, *Alterität und Modernität der mittelalterlichen Literatur*, Munich, W. Fink.

— 1978, *Pour une esthétique de la réception*, Paris, Gallimard (originaux allemands de 1972-1975).

— 1980, « Limites et tâches d'une herméneutique littéraire », *Diogène*, CIX, p. 102-133.

Jemie (O.) 1980, *Langston Hughes*, New York, Columbia University Press.

Jouve (D.) et Tomenti (A.) 1981, « Essai sur la culture orale urbaine à Bangui », *Sendayanga ti laso : linguistique actuelle* (Bangui), IV, p. 16-26.

Jung (C.G.) 1943, *L'Homme à la découverte de son âme*, Genève, Mont-Blanc (originaux allemands de 1931-1943).

— 1964, *Essai d'exploration de l'inconscient*, Paris, Gonthier (original allemand de 1961).

— 1971, *Les Racines de la conscience*, Paris, Buchet-Chastel (original allemand de 1953).

Kellogg (R.) 1977, « Literature, Non-Literature and Oral Tradition », *New Literary History*, VIII, p. 531-534.

Kerbrat-Orecchioni (C.) 1980, *L'Énonciation*, Paris, A. Colin.

Kesteloot (L.) 1971a, *La Poésie traditionnelle*, Paris, Nathan.

— 1971b, *L'Épopée traditionnelle*, Paris, Nathan.

— 1980, « Problématique de la littérature orale », *L'Afrique littéraire*, LIV, p. 38-48.

Kibedi-Varga (A.) 1977, *Les Constantes du poème*, Paris, Picard (1e éd. 1963).

Kindaiti (K.) 1941, *Ainu Life and Legend*, Tokyo, Board of Tourist Industry.

Knorringa (R.) 1978, *Fonction phatique et tradition orale : constantes et transformations dans un chant narratif roumain*, Amsterdam, Rodopi.

— 1980, *Het oor wil ook wat*, Assen, Van Gorcum.

Kristeva (J.) 1974, *La Révolution du langage poétique*, Paris, Éd. du Seuil.

— 1975, *La traversée des signes,* Paris, Éd. du Seuil.
Lacourcière (L.) 1966, « La tradition orale au Canada », *in* : Galarneau (C.) et Lavoie (E.), *France et Canada français du XVIᵉ au XXᵉ siècle.* Québec, Université Laval, p. 223-231.
Lafont (R.) 1967, *La Révolution régionaliste,* Paris, Gallimard.
Laforte (C.) 1976, *Poétiques de la chanson traditionnelle française,* Québec, Université Laval.
— 1981, *Survivances médiévales dans la chanson folklorique française,* Québec, Université Laval.
Lamy (S.) 1979, *D'elles,* Montréal, Hexagone.
Languages 1976 *(Languages, Literatures in the Formation of National and Cultural Communities),* Adelaïde (Australie), Griffin Press.
Lapointe (R.) 1977, « Tradition and Language : The Import of Oral Expression », *in* Knight (D.) (éd.), *Tradition and Theology in Old Testament,* Philadelphie, Fortress Press, p. 125-142.
Lascaux (G.) 1973, *Le Monstre dans l'art occidental,* Paris, Klincksieck.
Laya (D.) 1972, *La Tradition orale : problématique et méthodologie des sources de l'histoire africaine,* Paris, Unesco.
Laye (C.) 1978, *Le Maître de la parole,* Paris, Plon.
Leach (M.) 1949, *Dictionary of Folklore,* New York, Funk-Wagnalls, 2 vol.
Le Goff (J.) 1977, *Pour un autre Moyen Age,* Paris, Gallimard.
Lejeune (P.) 1980, *Je est un autre,* Paris, Éd. du Seuil.
Lempereur (F.) 1976, *Les Wallons d'Amérique du Nord,* Gembloux, Duculot.
Likhatchev (D.) 1972, « L'étiquette littéraire », *Poétique,* IX, p. 118-123 (original russe de 1967).
Lindenfeld (J.) 1971, « Verbal and Non-Verbal Elements in Discourse », *Semiotica,* III, p. 223-233.
Literatura 1973 *(Literatura popular em verso : Estudos),* Rio de Janeiro, Casa Rui Barbosa.
Lohisse (J.) 1979, « La société de l'oralité et son langage », *Diogène,* CVI, p. 78-98.
Lomax (A.) 1964, « Phonotactique du chant populaire », *L'homme,* IV, p. 5-55.
— 1968, *Folksong Style and Culture,* Washington, American Association for the Advancement of Sciences.
Lomax (A.) et Halifax (A.) 1971, « Folk Song Texts as Culture Indicators », *in* : Maranda (P.) et Kongkas (E.) (éd.), *Structural Analysis of Oral Tradition,* Philadelphie, Pennsylvania University Press, p. 235-267.
Lord (A.B.) 1954, *Serbo-Croatian Heroic Songs,* Cambridge, Harvard University Press.
— 1959, « The Poetics of Oral Creation », *in* : Friederich (P.) (éd.), *Comparative Literature,* Chapel Hill, University of North Carolina Press, I, p. 1-6.
— 1971, *The Singer of Tales,* New York, Athenaeum (1ʳᵉ éd., 1960).
— 1975, « Perspectives on Recent Work on Oral Literature », *in* Duggan 1975, p. 1-24.

Lotman (I.) 1970, « Le hors-texte », *Change*, VI, p. 68-81.
— 1973, *La Structure du texte artisitque*, Paris, Gallimard (original russe de 1970).
Lotman (I.) et Piatigorsky (A.), 1969, « Le texte et la fonction », *Semiotica*, I, p. 205-217.
Lusson (P.) 1973, « Notes préliminaires sur le rythme », *Cahiers de poétique comparée*, I, p. 30-54.
— 1975, « Sur une théorie générale du rythme », *in* Faye-Roubaud, p. 225-245.
Lyotard (J.-F.) 1979, *La Condition post-moderne*, Paris, Éd. de Minuit.
Mahony (P.) 1979, « The Boundaries of Free Association », *Psychoanalysis and Contemporary Thought*, II, p. 155-198.
— 1980, « Towards the Understanding of Translation in Psychoanalysis », *Journal of the American Psychoanalytic Association*, XXVIII, p. 461-475.
Maquet (J.) 1966, *Les Civilisations noires*, Paris, Marabout.
Maquiso (E.) 1977, *Ulahingan, An Epic of the Southern Philippines*, Dumaguete City (Phil.), Silliman University Press.
Maranda (P.) 1978, « Le folklore à l'école », *in Mélanges L. Lacourcière*, Montréal, Leméac, p. 293-312.
— 1980, « The Dialectic of Metaphor », *in* Suleiman (S.R.) et Crosman (I.) (éd.), *The Reader in the Text*, Princeton, University Press, p. 183-204.
Maranda (P.) et Kongkas (E.) 1971, *Structural Models in Folklore*, Paris-La Haye, Mouton.
Marin (F.M.) 1971, *Poesía narrativa árabe y epica hispánica*, Madrid, Gredos.
Massin (B.) 1977, *Franz Schubert*, Paris, Fayard.
Mc Luhan (M.) 1967, *La Galaxie Gutenberg*, Paris, Mame (original anglais de 1962).
— 1968, *Pour comprendre les media*, Paris, Éd. du Seuil (original anglais de 1964).
Mendoza (V.T.) 1939, *El Romance español y el Corrido*, Mexico, Universidad nacional.
Menendez Pidal (R.) 1959, *La Chanson de Roland y el Neotradicionalisme*, Madrid, Espasa Calpe.
— 1968, *Romancero hispánico*, Madrid, Espasa Calpe, 2 vol. (1re éd., 1953).
Meschonnic (H.), 1970-1973, *Pour la poétique*, I et II, Paris, Gallimard.
— 1975, *Le Signe et le Poème*, Paris, Gallimard.
— 1978, *Poésie sans réponse*, Paris, Gallimard.
— 1981, *Jona et le Signifiant*, Paris, Gallimard.
Millières (G.) 1978, *Québec, chant des possibles*, Paris, Albin Michel.
Milner (J.-C.) 1978, *L'Amour de la langue*, Paris, Éd. du Seuil.
— 1982, *Ordres et Raisons de langue*, Paris, Éd. du Seuil.
Moreno (A.) et Fonseca dos Santos (I.) 1980, « Création et transmission de la poésie orale : la chanson d'Alfonso XII », *Arquivos do Centro cultural português*. Paris, p. 411-452.

Mounin (G.) 1973, « Une analyse du langage par gestes des Indiens », *Semiotica,* VII, p. 154-162.

Mouralis (B.) 1975, *Les contre-littératures,* Paris, PUF.

Mutwa (C.V.) 1977, *My People,* Londres, Penguin Books (1re éd., 1969).

Nagler (M.) 1967, « Towards a Generative View of the Oral Formula », *Transactions of the American Philological Association,* XCVIII, p. 269-311.

Ndong Ndoutoume (T.) 1970 et 1975, *Le Mvett,* Paris, Présence africaine, 2 vol.

Nettl (B.) 1956, *Music in Primitive Culture,* Cambridge, Harvard University Press.

Neuburg (V.) 1977, *Popular Literature,* Londres-New York, Penguin Books.

Ngal (N.) 1977, « Literary Creation in Oral Civilizations », *New Literary History,* VIII, p. 335-344.

Niane (T.) 1975a, *Recherches sur l'empire du Mali au Moyen Age,* Paris, Présence africaine

— 1975b, *Le Soudan occidental au temps des grands empires,* Paris, Présence africaine.

— 1979, *Soundiata, l'épopée mandingue,* Paris, Présence africaine (1re éd. 1960).

Nietzsche (F.) 1964, *Naissance de la tragédie,* Genève, Gonthier (texte allemand de 1871).

Nisard (C.) 1968, *Histoire des livres populaires,* Paris, Maisonneuve-Larose (réimpression du texte de 1854), 2 vol.

Nyéki (L.) 1973, « Le rythme linguistique en français et en hongrois », *Langue française,* XIX, p. 120-142.

Oinas (A.V.) 1968, *Heroic Epic and Saga,* Bloomington, Indiana University Press.

— 1972, « Folk epic », *in* Dorson 1972, p. 99-115.

Okpewho (I.) 1979, *The Epic in Africa,* New York, Columbia University Press.

Ong (W.) 1967, *Presence of the Word,* New Haven, Yale University Press (trad. *Retrouver la parole,* Paris, Mame, 1971).

— 1971, *Rhetoric, Romance and Technology,* Ithaca (N.Y.), Cornell University Press.

— 1977a, *Interfaces of the Word,* Ithaca (N.Y.), Cornell University Press.

— 1977b, « Africa Talking Drums and Oral Poetics », *New Literary History,* VIII, p. 411-430.

— 1979, « Literacy and Orality in Our Time », *in Profession 79, Publications of the Modern Languages Association of America,* p. 1-7.

Opland (J.) 1971, « Scop and *imbongi* : Anglosaxon and Bantu Oral Poets », *English Studies in Africa,* XIV, p. 161-178.

— 1975, « Imbongi Nezibongo : the Xhosa Tribal Poet », *Publications of the Modern Languages Association of America,* XC, p. 185-208.

Oster (H.) 1969, « The Blues as a Genre », *Genres,* II, p. 259-273.

Owens (C.) 1981, « The Allegorical Impulse », *in* Pontbriand, p. 37-47.

Paredes (A.) 1958, *« With His Pistol in His Hand »* : *a Border Ballade,* Austin, University of Texas Press.

— (éd.) 1971, *The Urban Experience and Folk Tradition*, Austin, University of Texas Press.

Paredes (A.) et Baumann (R.) 1972, *Towards New Perspectives in Folklore Tradition*, Austin, University of Texas Press.

Parisot (H.) 1978, *Soixante-treize comptines et chansons*, Paris, Aubier.

Paulme (D.) 1961, « Littérature orale et comportements sociaux en Afrique noire », *L'homme* I, p. 37-49.

Penel (J.-D.) 1981, « Quelques chants de ronde et de *gbagba* », *Sendayanga ti laso : linguistique actuelle* (Bangui), IV, p. 22-72.

Pessel (A.) 1979, « De la conversation chez les Précieuses », *Communications*, XXX, p. 14-30.

Pezard (A.) 1965, *Dante, Œuvres complètes* (traduction), Paris, Gallimard, « Pléiade ».

Pontbriand (C.) (éd.) 1981, *Performance, textes, documents*, Montréal, Parachute.

Pop (M.) 1968, « Der formelhafte Charakter der Volksdichtung », *Deutsches Jahrbuch f. Volkskunde*, XIV, p. 1-15.

— 1970, « La poétique du conte populaire », *Semiotica*, II, p. 117-127.

Poueigh (J.) 1976, *Le Folklore des pays d'oc*, Paris, Payot.

Poujol (G.) et Labourié (R.) (éd.) 1979, *Les Cultures populaires*, Toulouse, Privat.

Quasha (G.) 1977, « Dialogos : Between the Written and the Oral in Contemporary Poetry », *New Literary History*, VIII, p. 485-506.

Ravier (X.) et Séguy (J.) 1978, *Poèmes chantés des Pyrénées gasconnes*, Paris, CNRS.

Récanati (F.) 1979a, *La transparence et l'Énonciation*, Paris, Éd. du Seuil.

— 1979b, « Insinuations et sous-entendus », *Communications*, XXX, p. 95-106.

Recueil 1980 (*Recueil de littérature mandingue*), Paris, Agence de coopération culturelle et technique.

Rens (J.) et Leblanc (R.) 1977, *Acadie expérience : choix de textes acadiens*, Montréal, Parti-pris.

Renzi (L.) 1969, *Canti narrativi tradizionali rumeni*, Florence, Olschki.

— 1971, « Varianti d'interprete nei canti tradizionali narrativi rumeni », *in Actes du XIIᵉ congrès international de linguistique romane*, Bucarest, Académie, p. 471-480.

Rey-Hulman (D.) 1977, « Règles sociales de récitation des contes en Haute-Volta », *Recherche, pédagogie et culture*, XXIX-XXX, p. 14-16.

— 1982, « Procès d'énonciation des contes », *Littérature*, XLV, p. 35-44.

Ricard (A.) 1977, « Un genre oral nouveau : le *concert* », *Recherches, pédagogie, culture*, XXIX-XXX, p. 30-34.

— 1980, « Le mythe de la tradition dans la critique littéraire africaniste », *L'Afrique littéraire*, LIV-LV, p. 18-23.

Ricœur (P.) 1980, « La grammaire narrative de Greimas », *Documents du GRSL*, XV.

Ringeas (R.) et Coutant (G.) 1966, *Gaston Couté*, Saint-Ouen, Éd. du vieux Saint-Ouen.

Rondeleux (L.-J.) 1980, « La voix, les registres et la sexualité », *Esprit* (juillet), p. 46-54.

Rosenberg (B.A.) 1970, *The Art of the American Folk Preacher,* Londres-New York, Oxford University Press.
Rosolato (G.) 1968, *Essais sur le symbolisme,* Paris, Gallimard.
— 1978, « La voix entre corps et langage », *in* id., *La Relation d'inconnu,* Paris, Gallimard.
Rouget (G.) 1980, *La Musique et la Transe,* Paris, Gallimard.
Roy (C.) 1954, *Trésor de la poésie populaire,* Paris, Seghers.
— 1981, *Littérature orale en Gaspésie,* Montréal, Leméac.
Ruwet (N.) 1972, *Langue, musique, poésie,* Paris, Éd. du Seuil.
— 1981, *Linguistique et poétique,* Documents du centre de sémiotique, Urbino, p. 100.
Rycroft (D.) 1960, « Melodic Features in Zulu Eulogistic Recitation », *African language Review,* I, p. 60-78.
Rytkheou (I.) 1978, « Ceux qui ont enjambé les millénaires », *Europe,* DLXXXV, p. 6-16.
Saraiva (A.J.) 1974, « Message et littérature », *Poétique,* XVII, p. 1-13.
Sargent (H.C.) et Kittredge (G.L.) 1904, *English and Scotish Popular Ballads,* Boston, Houghton Miflin.
Sartre (J.-P.) 1940, *L'Imaginaire,* Paris Gallimard.
Savard (R.) 1974, *Carcajou et le sens du monde,* Québec, Ministère des Affaires culturelles.
— 1976, « La transcription des contes oraux », *Études françaises* (Montréal), XII, p. 51-60.
Scarpetta (G.) 1981, « Érotique de la performance », *in* Pontbriand, p. 138-144.
Scheub (H.) 1975, « Oral narrative Process and the Use of Models », *New Literary History,* VI, p. 353-377.
— 1977, « Body and Image in Oral Narrative Performance », *New Literary History,* VIII, p. 345-368.
Schilder (P.) 1968, *L'Image du corps,* Paris, Gallimard (original anglais de 1950).
Schmitt (J.-C.) 1978*a*, « Techniques du corps et conscience de groupe », communication au colloque *Consciousness and Group Identification,* Toronto, avril 1978 (inédite).
— 1978*b*, « *Gestus, gesticulatio* : contribution à l'étude du vocabulaire médiéval des gestes », communication au colloque de lexicographie CNRS, Paris, octobre 1978 (inédite).
Schneider (M.) 1970 « Il significato della voce », *in Il Significato della musica,* Milan, Rusconi, p. 151-181 (original allemand de 1952).
Searle (J.R.) 1969, *Speechacts,* Cambridge University Press.
Sebeok (T.) 1978, *Considerazioni sulla semiosi,* Documents du centre de sémiotique d'Urbino, p. 77.
Sebillot (P.) 1904-1907, *Le Folklore de France,* Paris, Librairie orientale et américaine, 4 vol.
Segre (C.) 1979, article « Generi », *in Enciclopedia,* Einaudi, VI, Turin.
— 1980, article « Narrazione/Narratività », *in Enciclopedia,* Einaudi, IX, Turin.
Serres (M.) 1981, *Genèse,* Paris, Grasset.
Seydou (C.) 1980, « Poésie pastorale des Peuls du Mâssina (Mali) »,

communication au colloque *Oralité, Culture, Discours,* Urbino, juillet 1980 (à paraître 1983, Rome, Ateneo).

Sherzer (D. et J.) 1972, « Literature in San Blas », *Semiotica,* VI, p. 182-199.

Sieffert (R.) 1978*a, Le Cycle épique des Taïra et des Minamoto : le dit de Heiké,* Paris, Publications Orientalistes.

— 1978*b,* « Le théâtre japonais », *in Théâtres,* p. 133-161.

Slattery-Durley (M.) 1972, *Oral Tradition : Study and Select Bibliography,* Montréal, Institut d'Études Médiévales.

Smith (P.) 1974, « Des genres et des hommes », *Poétique,* XIX, p. 294-312.

— 1980, *La Fête dans son contexte rituel,* Documents du centre de sémiotique d'Urbino, p. 92-93.

Smith (R.J.) 1972, « Festivals and celebrations », *in* Dorson 1972, p. 159-172.

Stein (R.A.) 1959, *Recherches sur le barde et l'épopée au Tibet,* Paris, PUF.

— 1978, « Le théâtre au Tibet », *in Théâtres,* p.245-256.

Stern (T.) 1957, « Drum and Whistles Languages », *American Anthropology,* LIX, p. 487-506.

Stewart (P.) 1980, « Il testo teatrale e la questione del doppio destinatario », *Quaderni d'italianistica,* I, p. 15-29.

Stierlé (K.) 1977, « Identité du discours et transgression lyrique », *Poétique,* XXXII, p. 422-441.

Stoianova (I.) 1978, *Geste, texte, musique,* Paris, Bourgois, « 10/18 ».

Stolz (B) et Shannon (R.S.) (éd.) 1977, *Oral Literature and the Formula,* Ann Arbor, University of Michigan Press.

Strauss (L.) 1981, « Sur l'interprétation de la Genèse », *L'homme,* XXI, p. 21-36. (original anglais de 1957).

Taksami (T.) 1978, « La littérature des petits peuples du Grand Nord soviétique », *Europe,* DLXXXV, p. 34-44.

Tedlock (D.) 1972, *Finding the Center : Narrative Poetry of the Zuni Indians,* New York, Dial Press.

— 1977, « Towards an Oral Poetics », *New Literary History,* VIII, p. 507-520.

Terracini (B.) 1959, « Il patrimonio poetico di un commune delle Alpi piemontesi », *in Studi in onore di A. Monteverdi,* Modène, STEM.

Théâtres 1978 *(Les Théâtres d'Asie),* Paris, CNRS.

Thomas (L.-V.) 1968, article « Afrique noire : littératures traditionnelles », *in Encyclopaedia universalis,* I, p. 413-420.

Thompson (S.) 1966, *Motif Index of Folk Literature,* Bloomington, Indiana University Press, 6 vol. (1ʳᵉ éd., 1932-1936).

Thrasher (A.A.) 1978, *Notre silence a déjà trop duré,* Montréal, Bellarmin.

Todorov (T.) 1978, *Les Genres du discours,* Paris, Éd. du Seuil.

— 1981, *Mikhaïl Bakhtine le principe dialogique,* Paris Éd. du Seuil.

Tomatis (A.) 1975, *La libération d'Œdipe,* Paris, Éd. ESF.

— 1978, *L'Oreille et le Langage,* Paris, Éd. du Seuil.

Tristani (J.-L.) 1978, *Le Stade du respir,* Paris, Éd. de Minuit.

Utley (F.L.) 1969, « Oral Genres as Bridge to Written Literature », *Genres,* II, p. 91-103.

Valderama (A.Y.) 1980, « Le *Harawi* », *Critique*, CCCXCIV, p. 303-311.
Valéry (P.), *Variété, Œuvres I*, Paris, Gallimard, « Bibliothèque de la Pléiade », 1962.
Vansina (J.) 1965, *Oral tradition*, Londres, Routeldge-Kegan (original français de 1961).
— 1971, « One upon a Time : Oral Tradition as History in Africa », *Daedalus*, C, p. 442-468.
Vassal (J.) 1977, *Folksong*, Paris, Albin Michel.
— 1980, *La Chanson bretonne*, Paris, Albin Michel.
Vasse (D.) 1974, *L'Ombilic et la Voix*, Paris, Éd. du Seuil.
— 1978, « L'arbre de la voix », *Sémiologiques*, VI, p. 127-138.
— 1980, « La voix qui crie dans le désêtre », *Esprit* (juillet), p. 63-81.
Vernillat (F.) et Charpentreau (J.) 1968, *Dictionnaire de la chanson française*, Paris, Larousse.
Vicol (A.) 1972, « Aspecte ale relatiilor text-melodie în cîntecele epice românesti », *Revista de etnografie si folclor* (Bucarest), XVII.
Vincent (S.) 1976, « Les bonnes et les mauvaises alliances », *Recherches amérindiennes au Québec*, VI.
Voigt (V.) 1969, « Structural Definition of Oral Literature », *in Proceedings of the 6th Congress of the International Comparative Literature Association*, Amsterdam, Zweets-Zeitlinger, p. 461-467.
— 1973, « Position d'un problème : la hiérarchie des genres dans le folklore », *Semiotica*, VII, p. 135-141.
— 1977, « Reduction Possibilities of Recent Folk Tale Research », *Annales de l'université de Budapest*, VIII, p. 225-230.
— 1978, « Sur les niveaux des variantes des proverbes », *in Strutture e generi delle letterature etniche*, Palerme, Flaccovia, p. 206-218.
Voltz (M.) 1979, « Etnomorphologie des masques bwaba », *Annales de l'ESLSH* (Ouagadougou), III, p. 12-51.
Wang (C.H.) 1977, « Studies in Chinese Literary Genres », *Comparative Literature* (Eugene, Oregon), XXIX, p. 355-359.
Wardropper (W.B.) 1980, « Meaning in Medieval Spanish Folk Song », *in* Jackson (W.T.H.) (éd.), *The Interpretation of Medieval lyric Poetry*, New York, Colombia University Press, p. 176-193.
Warner (A.) 1975, « Pushkin in the Russian Folk plays », *in* Duggan 1975, p. 101-107.
Warning (R.) (éd.) 1975, *Rezeptionsästhetik*, Munich, W. Fink.
— 1979, « Pour une pragmatique du discours fictionnel », *Poétique*, XXXIX, p. 321-337.
Weber (R.H.) 1951, « Formulistic Diction in the Spanish Ballad », *University of California Publications in Modern Philology*, XXXIV, p. 175-278.
Werner (E.) 1960, *The sacred Bridge*, New York, Columbia University Press.
Wilson (A.) 1976, *Traditional Romance and Tale : How Stories Mean*, Ipswich (G.-B.), Brewer.
Wilson (E.) 1976, *Pardon aux Iroquois*, Paris, Bourgois, « 10/18 » (original anglais de 1959).
Winner (T.C.) 1958, *The Oral Art and Literature of the Kazakhs of Russian Central Asia*, Durham (N.C.), Duke University Press.

LISTE DES ÉTUDES CITÉES

Wurm (M.) 1977, *Chantez, peuples d'Espagne,* Paris, Albin Michel.
Yates (F.) 1969, *The Art of Memory,* Londres, Penguin Books (1re éd., 1966) (trad. fr., *L'Art de mémoire,* Paris, Gallimard, 1975).
Yondo (E.-E.) 1976, *La Place de la littérature orale en Afrique,* Paris, Pensée universelle.
Zadi (B.) 1975, « Expérience africaine de la parole », *Revue canadienne des études africaines,* IX, p. 449-478.
— 1978, *Césaire entre deux cultures,* Abidjan-Dakar, Nouvelles éditions africaines.
Zavarin (V.) et Coote (M.) 1979, *Theory of the Formulaic Text,* Documents du centre de sémiotique d'Urbino, p. 89.
Zolkiewski (S.) 1973, « Des principes de classement des textes de culture », *Semiotica,* VII, p. 1-18.
Zumthor (P.) 1963, *Langue et technique poétique à l'époque romane,* Paris, Klincksieck.
— 1972, *Essai de poétique médiévale,* Paris, Éd. du Seuil.
— 1978, *Le Masque et la Lumière : poétique des Grands Rhétoriqueurs,* Paris, Éd. du Seuil.
— 1979, « Pour une poétique de la voix », *Poétique,* XL, p. 514-524.
— 1980a, *Parler du Moyen Age,* Paris, Éd. de Minuit.
— 1980b, « L'écriture et la voix : d'une littérature populaire brésilienne », *Critique,* LXIV, p. 228-239.
— 1981a, « Paroles de pointe : le *rakugo* japonais », *Nouvelle Revue française,* CCCXXXVII, p.22-32.
— 1981b, « Intertextualité et mouvance », *Littérature,* XLI, p. 8-16.
— 1981c, « Le message poétique oral », *Sendayanga ti laso : linguistisque actuelle* (Bangui), IV, p. 8-15.
— 1982a, « De l'oralité à la littérature de colportage », *L'Écrit du temps,* I, p. 129-140.
— 1982b, « Entre l'oral et l'écrit », *Cahiers de Fontenay* (juin 1981), p. 9-33.
Zwettler (M.) 1978, *The Oral Tradition of Classical Arabic Poetry,* Columbus, Ohio State University Press.

Table

IMP. MAME A TOURS
D.L. MARS 1983- N° 6409 (9533)

DANS LA MÊME COLLECTION